패트릭 헤런이 그린 T. S. 엘리엇 초상화, 1947년

엘리엇의 첫 번째 부인 비비엔 헤이우드 엘리엇, 1930년

엘리엇의 철학 스승 버트런드 러셀, 1916년

윈덤 루이스가 그린 엘리엇의 멘토 에즈라 파운드, 1939년

엘리엇의 두 번째 부인 발레리 엘리엇, 2009년

엘리엇의 절친 프랑스 군의관 장 쥘르 베르드날

엘리엇의 동료 영국 시인 루퍼트 브루크

안드레아 델 카스타뇨가 그린 쿠마에 무녀, 15세기

아이들이 *"무녀, 당신 소원이 무엇이오?"* / 라고 묻자, 그녀는 *"난 죽고 싶다"*라고 대답했다.
『황무지』의 「제사」

독일 뮌헨 인근에 있는 슈타른베르거제

"여름은 소낙비를 몰고 슈타른베르거제를 건너 와 / 우리를 놀라게 했다." 『황무지』 제8-9행

독일 뮌헨에 있는 호프가르텐

"해가 나자 호프가르텐에 들어가 / 커피를 마시고 한 시간 동안 얘기했다." 『황무지』 제10-11행

오스트리아 백작부인 마리 라리슈

"그는 말했어요, 마리, / 마리 꼭 붙들어." 『황무지』제15-16행

독일 작곡가 빌헬름 리하르트 바그너

"바람은 시원하게 / 고국으로 부는데 / 아일랜드의 내 님 / 어디서 머뭇거리느뇨?" 『황무지』제31-34행

영국 런던교, 19세기 말

"군중이 런던교 위로 흘러간다, 저렇게 많이," 『황무지』 제62행

외젠 들라크루아가 그린 <단테의 배>, 1822년

"나는 죽음이 저렇게 많은 사람을 죽게 했다고는 생각지 못했다." 『황무지』 제63행

영국 런던의 성 메리 울노스 성당

"성 메리 울노스 성당이 꺼져가는 종소리로"『황무지』제67행

스위스 로잔의 레망호

"레망호 물가에 앉아 나는 울었노라..."『황무지』제182행

영국 런던의 캐넌 스트리트 호텔, 1910년 경

"캐넌 스트리트 호텔의 오찬에 나를 초대하고"『황무지』제213행

요한 하인리히 휘슬리가 그린 <희생제를 올리는 오디세우스 앞에 나타난 테이레시아스>, 1785년

"나 테이레시아스,… / 쭈글쭈글한 여자 젖가슴을 가진 노인" 『황무지』 제218-19행

"테이레시아스가 *간파*하는 것이 실제로 시의 실체이다." 『황무지』의 「주석」

튀니지 카르타고

"그리고서 나는 카르타고에 왔노라"『황무지』제307행

데이비드 로버츠가 그린 <AD 70년, 티투스의 지휘로 로마군의 포위와 예루살렘의 파괴>, 1850년

"예루살렘 아테네 알렉산드리아 / 비엔나 런던 / 공허하구나"『황무지』제374-76행

히에로니무스 보스가 그린 <지옥>

"아기 얼굴의 박쥐들이 … / 까만 벽을 거꾸로 기어 내렸다"『황무지』제379-81행

인도에서 바라본 히말라야산

"멀리 히말라야산 위에 / 먹구름이 몰렸다."『황무지』제396-97행

T. S. 엘리엇의 『황무지』 해석

T. S. 엘리엇의
『황무지』 해석

| 안중은 지음 |

도서출판 | 동인

저자는 발레리 엘리엇 여사를 2009년 6월 30일 영국 런던대학교 브루네이 강연장에서 개최된 조세핀 하트 시 낭송회 만찬장에서 처음 만나 인사를 나누었다. 그 때 천진한 맑은 웃음으로 반갑다고 화답해 주셨던 발레리 여사의 모습은 아직도 생생하다. 발레리 여사가 비서를 통해 서신을 보내주어 저자는 2010년 8월 23일 미국 하버드대학교 호턴도서관에서 엘리엇의 철학박사학위 청구논문을 열람할 수 있었다. 애석하게도 2012년 11월 9일 영면한 엘리엇의 두 번째 부인이자 『황무지』 원고본 편찬자인 발레리 여사에게 이 저서를 바친다.

머리말

    T. S. 엘리엇Thomas Stearns Eliot, 1888-1965은 『타임』(*Time*)지가 1998년 6월 8일자로 선정한 20세기 최고의 모더니즘Modernism 시인이다. 그의 『황무지』(*The Waste Land*, 1922)는 출판된 이후 지금까지 90여 년 동안 비평계의 혹평과 호평을 동시에 받아오며, 현재까지 비평계에서 모더니즘의 가장 난해한 대표적인 시로 인정받고 있다. 많은 비평가들과 석학들을 비롯하여 수많은 학자들이 다양한 비평적 접근법으로 시를 해석함으로써 모더니즘의 한 특징인 모호성은 사라지고, 영롱한 빛을 발산하는 찬란한 금강석과 같은 작품으로 독자들에게 다가오고 있다.

    이러한 『황무지』의 조명은 1930년대에 비평계를 지배한 원형비평原型批評, Archetypal Criticism적 접근으로 해석되었고, 1960년대까지 신비평新批評, New Criticism의 관점에서 『황무지』를 정독해왔다. 그 후 1971년 파운드의 수정 지적을 받은 『황무지』 원고본이 출판됨으로써 원전비평原典批評, Textual Criticism적 접근의 연구가 중심이 되었다. 이와 동시에 엘리엇의 비평 이론인 "몰개성 시론"Impersonal theory of poetry과 신비평의 아버지라고 일컬어지는 그의 강한 영향력 때문에 경시되어 온 전통적인 전기비평傳記批評, Biographical Criticism적 접근으로 『황무지』를 조명해 왔다. 또한 1980년대 이후의 포스트모더니즘 Postmodernism 시대에는 그의 모더니즘의 대표시 『황무지』를 라캉의 정신분석학적 비평精神分析學的 批評, Psychoanalytical Criticism과 데리다의 해체주의 비평解體主義 批評, Deconstructive Criticism으로 분석을 시도해왔다. 저자는『황무지』를 이러한 다양한 비평적 시각에서 조명함으로써 이 시에 내재된 상징성과 그 의미를 심도 있게 제시하고자 한다.

이 책은『황무지』에 대해 저자가 지난 30여 년 동안 연구하고 발표한 논문 9편과 「게론티온」에 관한 논문 1편을 수정·보완·편찬한 것이다. 이 논문들은 한국연구재단의 등재학술지인 한국T.S.엘리엇학회의『T. S. 엘리엇 연구』와 한국영미어문학회의『영미어문학』, 그리고 안동대학교 어학원의『솔뫼어문논총』과 안동대학교 인문과학연구소의『인문과학연구』학술지에 처음 게재되었으며, 한국T.S.엘리엇학회, 한국영미어문학회, 신영어영문학회, 미국T.S.엘리엇학회, 미국문학협회 등 국내외 학술대회에서 공개적으로 발표된 것들이다.

이 책은 제1장『황무지』원고본: 원전비평적 접근, 제2장『황무지』에 나타난 성애: 전기비평적 접근, 제3장『황무지』에 나타난 죽음, 제4장 타로 카드:『황무지』의 해석 기법, 제5장『황무지』의 공간, 제6장『황무지』와 청각적 상상력, 제7장『황무지』: 원형비평적 접근, 제8장『황무지』: 포스트모던 비평적 접근, 제9장『황무지』가르치기: 교육학적 접근으로 구성되어 있다. 저자는 난해한『황무지』를 조명하기 위하여 원전비평, 전기비평, 신비평, 원형비평, 정신분석학적 비평 및 해체주의 비평 등 다양한 접근으로 이를 해석하였다. 또한『황무지』에 등장하는 타로 카드의 상징 분석과 공간의 함의, 그리고『황무지』의 음악성과 교육현장에서의 시 강의를 심도 있게 고찰함으로써 시 해석에 입체감을 더 하였다. 「부록」으로『황무지』의 이해를 제고하기 위하여 엘리엇이『황무지』에 첨가하려다가 에즈라 파운드Ezra Pound, 1885-1972의 권유로 독립적으로 출판한 난해한 시「게론티온」의 정확하고 심도 있는 이해를 위해 논문「「게론티온」: 해석의 미로」를 첨가하였다.

저자는 난해한 시『황무지』의 생동적인 연구를 심화시키고 현장감을 제고하기 위하여 2004년 여름에 영국을 방문하여 엘리엇의 족적을 충실히 추적하였다. 시 작품에 등장하는 런던, 템즈강, 런던교, 런던탑, 그리니치 유역, 무어게이트, 하이베리, 리치먼드, 큐 정원 등 소중한 현장을 직접 답사하였다. 그리고 2008년 여름에는 독일의 슈타른베르거제와 호프가르텐, 스위스의 레망호 등을 방문하여 추가적인 자료를 수집하였다. 또한 2009년 6월 27일부터 7월 5일까지 런던대학교에서 개최된 "제1회 T. S. 엘리엇 국제여름학교"T. S. Eliot International Summer School 2009에 참가하였다. 이 때 프로그램의 일환으로 런던 도보 여행을 하며 『황무지』에 나타난 여러 공간적 배경인 킹 윌리엄가, 성 메리 울노스 성당, 순교자 성 마그너스 성당 등을 카메라에 담았다. 그 당시 아일랜드의 노벨문학상 수상 시인 셰이머스 히니Seamus Heaney, 1939–2013와 엘리엇의 두 번째 부인 발레리 엘리엇Valerie Eliot, 1926–2012과의 조우는 평생 엘리엇을 연구하고 강의한 필자에게 아주 소중하고 잊을 수 없는 추억이다. 히니의 엘리엇에 관한 기조 강연과 그가 시 낭송회에서 3명의 다른 배우들과 함께 낭송한 『황무지』 등의 시를 생생하게 경청하고 받은 깊은 감동은 매우 값진 경험이었다. 또한 발레리는 엘리엇의 사후 1971년에 『황무지』 원고본과 1988~2014년까지의 『T. S. 엘리엇의 서신』(The Letters of T. S. Eliot) 제1~5권의 편집과 출판에 결정적인 역할을 함으로써 엘리엇의 불멸과 연구의 확장에 커다란 내조를 하였다.

모쪼록 이 저서가 엘리엇의 시 『황무지』 해석과 연구에 미력하나마 도움이 되길 간절히 바라며 강호제현의 따끔한 질정叱正을 기대한다. 또한 이 저서를 출판하는 데 흔쾌히 협조해주신 동인출판사의 이성모 사장님과 수고하신 편집부에 심심한 사의를 표한다. 마지막으로 원고를 읽고 교정을 도와준 박성칠, 박상일, 이미영, 장원희, 한효정 선생에게도 깊은 감사를 드린다.

2014년 11월
솔뫼 연구실에서
저 자

차 례

| 약어목록 |

엘리엇의 저서들을 인용할 때에 학자들이 주로 많이 사용하는 약어를 아래와 같이
채택하였고, 출판사와 출판연도는 참고문헌에 표기하였다.

CPP	*The Complete Poems and Plays of T. S. Eliot.*
IMH	*Inventions of the March Hare: Poems 1909-1917.*
LE	*The Letters of T. S. Eliot 1898-1922 I.*
OPP	*On Poetry and Poets.*
UPUC	*The Use of Poetry & the Use of Criticism.*
WL	*The Waste Land.*
WLF	*The Waste Land: A Facsimile and Transcript of the Original Drafts Including the Annotations of Ezra Pound.*

『황무지』 원고본: 원전비평적 접근

I

　엘리엇T. S. Eliot의 모더니즘 대표시 「황무지」("The Waste Land")가 1922년 10월 15일 영국 『크라이티어리언』(*The Criterion*)지 창간호와 동년 11월 미국 『다이얼』(*The Dial*)지에 각각 발표되었을 때 433행[1]에 불과하였다. 엘리엇은 『황무지』 원고를 파리에서 파운드에게 준 뒤에 "장황하고 혼란스런 시"(sprawling chaotic poem)라고 회고했고, 파운드는 교정을 보면서 「황무지」 원시를 "최장最長의 영시"(the longest poem in the Englisch langwidge)[2]라고 평가한 바 있다(Paige 54). 그러나 엘리엇이 『황무지』 원본을 수정한 원고는 19쪽에 불과하여 단행본으로 출판이 불가하였다. 뉴욕의 보니앤드리버라이트Boni and Liverright 출판사는 엘리엇에게 「주석」

---

1) 휴 케너Hugh Kenner는 『황무지』의 전체 시행을 434행으로 표기하고 있는데, 엘리엇이 『황무지』 서명판에서 1행을 추가한 것을 고려하면 설득력이 있지만, 『황무지』 최종판은 433행이므로 오류이다(128).
2) 파운드가 "Englisch langwidge"란 표현을 사용한 이유는 엘리엇이 『황무지』 원고본에서 영어 이외에 독어, 불어, 라틴어, 산스크리트어 등을 인용하고 있기 때문일 것이다.

("Notes")을 첨가하도록 하여 1922년 12월 15일에 분량을 늘여 출간하게 된다(*WLF* xxiv). 원래 『황무지』는 엘리엇이 프랑스에서 교제한 절친切親 장 쥘르 베르드날Jean Jules Verdenal, 1889-1915과 영국에서 만난 동료 시인 루퍼트 브루크Rupert Brooke, 1887-1915의 제1차 세계대전에서의 전사 그리고 엘리엇과 비비엔 헤이우드Vivienne Haigh-Wood, 1888-1947의 불행한 결혼, 이로 인한 부부의 극도의 신경쇠약 등이 전기적 배경이 되고 있는 800행이 넘는 장시였다. 『황무지』 원고본은 엘리엇이 프랑스 남동부의 로마 유적지 라 뛰르비La Turbie 부근의 프로방스Provence를 방문했을 때 작시 착상이 처음으로 떠올랐다(Nelson 4 재인용). 그 후에 엘리엇은 영국 런던의 시티City 콘힐Cornhill 17번지에 위치한 로이즈 은행Llyods Bank 외사부의 비서로 근무하다가 3개월 병가를 얻어 1921년 10월에 남부 휴양지 마게이트Margate에서 요양하면서 또 12월에는 스위스 로잔Lausanne에 체류하여 로제르 비또즈 Roger Vittoz, 1863-1925 박사로부터 정신 치료를 받으면서 완성한 『황무지』 육필 원고와 타자 원고를 파리에 있는 파운드에게 사독을 부탁하였다 (Bradbrook 7-8). 파운드의 교정 지시가 첨가된 『황무지』 원고는 당시 엘리엇의 후원자로서 엘리엇의 시집 『아라 보스 프렉』(*Ara Vos Prec*)과 「황무지」 출판을 도왔던 뉴욕의 변호사요, 도서 수집가이자, 예술 후원자였던 존 퀸John Quinn, 1870-1924에게 1922년 10월 23일에 등기로 증정되었고, 그의 사무실에는 1923년 1월 13일에 도착하였다(*WLF* xxix; Badenhausen 36-37). 제2세대 아일랜드계 미국인 변호사 퀸은 예이츠W. B. Yeats, 1865-1939와 함께 그레고리 여사Lady Gregory의 쿨 정원Coole Park에 있는 서명 나무 Autograph Tree에 이름을 새길 정도로 그레고리 여사와 함께 당대 회화의 후기인상파post-impressionism 거장들과 위대한 모더니즘 작가들의 후견인으로서 상당한 역할을 하였으며, 많은 여성 편력가로도 알려져 있다(안중은 2013, 79; Bradbrook 35 재인용). 파운드는 1908년 영국에 와서 예이츠의

비서로 런던 문단에 입문했고, 예이츠의 소개로 퀸을 만났다. 편집자로서의 천재성을 드러내었던 파운드는 1914년 9월 22일 런던 켄싱턴Kensington에서 처음 조우한 엘리엇의 모더니즘 최초의 시 「J. 알프레드 프루프록의 연가」("The Love Song of J. Alfred Prufrock")가 1915년 시카고의 해리엇 먼로 Harriet Monroe, 1860-1936가 창간 발행인이던 『시』(*Poetry*)지에 게재되도록 도와준 바 있다. 따라서 엘리엇은 그의 『시 전집』(*Collected Poems*) 1925년 판에 수록된 『황무지』부터 파운드의 편집자적인 교정에 감사를 표시하는 의미에서 『황무지』의 「제사」(題詞, "Epigraph") 아래에 "*한층 훌륭한 예술가 / 에즈라 파운드를 위하여*"(*For Ezra Pound / il miglior fabbro*)를 추가함으로써 파운드에게 헌정하고, 그 공로를 인정하였다(Cox and Hinchliffe 73, 86; Bradbrook 12).

『황무지』 원고는 엘리엇이 사용한 "브리티쉬 본드"British Bond와 "베로나"Verona 비침무늬가 있는 두 종류의 종이를 사용했고, 연필로 쓴 육필 원고와 두 종류 타자기—마게이트 타자기와 로잔 타자기[3]—로 친 원고에는 그가 직접 수정한 것과 파운드가 연필과 잉크 및 녹색 크레용으로 수정을 표시한 것이 고스란히 담겨 있었다. 퀸의 손에 들어간 이 『황무지』 원고는 1924년 그의 죽음으로 이 세상에서 사라지는 듯했다(Smith 1972, 128; Barry 238-39). 그러나 이 원고는 퀸의 유품 속에 섞여서 그의 여동생 줄리아(Julia, 윌리엄 앤드슨 부인Mrs. William Anderson)의 손에 넘겨졌다가, 다시 1934년 그녀의 죽음으로 퀸의 질녀 메리(Mary, 토마스 콘로이 부인Mrs. Thomas F. Conroy)의 작은 아파트 창고에 오랫동안 보관되다가 1950년대 초

---

[3] 비평가들에 따라서 2개 또는 3개의 타자기로 그 숫자가 상이하다. 그로버 스미스Grover Smith 는 엘리엇과 비비엔 소유의 타자기를 "타자기 A"와 "타자기 B"로, 파운드의 타자기를 "타자기 C"로 표기하고 있고(1972, 131), 린달 고던Lyndall Gordon은 "타자기 A"와 "타자기 B"로 언급하고 있다(404, 408). 심지어 피터 배리Peter Barry는 엘리엇이 타자기를 휴대하지 않았을 것이라는 주장까지 하고 있다(239).

에 발견되었고, 1958년 18,000불에 뉴욕 공공도서관 버그자료실Berg Collection of the New York Public Library에 팔렸다. 당시 뉴욕 공공도서관 학예사인 존 고던John D. Gordon 박사가 엘리엇과 접촉하려고 했으나 성사되지 못하였고, 1968년 엘리엇의 작고 후 3년 만에 자료실장인 제임스 헨더슨James W. Henderson이 엘리엇의 두 번째 부인 발레리에게 정보를 알려줌으로써, 퀸에게 밝혔듯이 간행을 바라지 않았던 엘리엇의 소망과는 달리, 1971년에 『황무지 원고본』(*The Waste Land Manuscript*)이 출판되어 세상에 그 존재를 드러내게 되었다(Bradbrook 26). 엘리엇의 원래 작시 의도를 보여주고, 난해한 『황무지』 시 해석에 빛을 던져주는 『황무지』 원고본은 파운드가 1969년 9월 30일 이탈리아의 베네치아에서 쓴 「서사」(序詞, "Preface")와 발레리의 「서문」(序文, "Introduction")과 더불어 발표됨으로써 『황무지』에 대한 원전비평적 접근과 전기비평적 접근이 집중되었다.

제1장에서는 엘리엇의 『황무지』 원고본에 대한 원전비평적 접근으로 『황무지』를 조명하고자 한다. 이미 국내에서는 『황무지』 원고본에 관한 연구로 1977년 한국영어영문학회지 『영어영문학』에 기고된 고 이창배 교수의 논문 「*The Waste Land*: A Facsimile 분석」이 1988년 출판된 그의 단행본 『T. S. 엘리엇: 인간과 문학』에 「『황무지』 원고본 분석」으로 수록되었고, 후자는 2006년 한국T.S.엘리엇학회에서 편찬한 『T. S. 엘리엇 시』에 재수록되었다. 또한 1996년 전홍실 교수가 한국중앙영어영문학회지 『영어영문학연구』에 기고한 논문 「『황무지』에 있어서의 에즈러 파운드」는 2005년 출판된 그의 단행본 『파운드의 시와 시론 연구』에 「『황무지』에 있어서의 파운드」로 수록되어 있다. 그리고 1999년 봉준수 교수가 미국 뉴저지 주립 럿거스대학교Rutgurs University에 제출한 박사학위 논문인 『안 / 밖: 『황무지』 텍스트의 경계선』(*Inside / Outside: Textual Boundaries of* The Waste Land) 및 최근 2012년 출판된 이철희 교수의 단행본 『T. S. 엘리엇의 『황

무지』와 「황무지」 원본 연구』 등이 있다. 또한 국외의 논문들로는 『황무지』원고본이 출판되기 전인 1964년 다니엘 우드워드Daniel H. Woodward가 「『황무지』의 출판 역사와 원전 논고』("Notes on the Publishing History and Text of *The Waste Land*")를 『미국서지학회논문집』(*Papers of the Bibliographical Society of America*)에 발표한 것이 1968년 콕스C. B. Cox와 아놀드 힌치리프Arnold P. Hinchliffe가 공편한 『T. S. 엘리엇: 『황무지』』(*T. S. Eliot*: The Waste Land)에 수록되었다. 우드워드는 1968년 『황무지』 원고가 발견되고, 1971년 출판되기 전에 발표한 논문에서 엘리엇의 『황무지』 원고는 사라졌다고 잘못 추정하였다(Cox and Hinchliffe 71). 또한 『황무지 원고본』이 발간되던 해인 1971년 윌리엄 넬슨William Nelson이 발표한 「『황무지 원고본』』("*The Waste Land Manuscript*"), 동년 『요크 서평』(*The York Review of Books*)지에 게재되고 1972년 『황무지』 출간 50주년 기념으로 월턴 리츠A. Walton Litz가 편찬한 『당대의 엘리엇』(*Eliot in His Time*)에 재수록된 리처드 엘만Richard Ellmann의 「최초의 『황무지』』("The First *Waste Land*")와, 스미스가 『모자이크』(*Mosaic*)지 특집호에 「『율리시즈』와 『황무지』 50년: 비평적 회고』("*Ulysses* and *The Waste Land* Fifty Years After: A Critical Retrospective") 제하에 발표한 「『황무지』의 창작』("The Making of *The Waste Land*"), 거트루드 패터슨Gertrude Patterson이 발표한 「창작 중의 「황무지」』("'The Waste Land' in the Making") 및 브래드브룩M. C. Bradbrook이 출간한 얇은 단행본 『T. S. 엘리엇: 「황무지」의 창작』(*T. S. Eliot: The Making of* "The Waste Land") 등이 있다. 특히 스미스의 논문은 1974년 그의 저서 『T. S. 엘리엇의 시와 시극: 기원과 의미 연구』(*T. S. Eliot's Poetry and Plays: A Study in Sources and Meaning*) 개정판의 부록으로 일부 수정되어 등장한다. 1974년 『미국 문학』(*American Literature*)지에 발표되고, 1983년 동지同誌에 재수록 된 고던의 「『황무지』 원고본』("*The*

Waste Land Manuscript"), 1979년 배리가 발표한 「『황무지』원고본: 시편들을 순서대로 나열하기」("*The Waste Land* Manuscript: Picking Up the Pieces in Order")와 마샬 맥루한Marshall McLuhan이 발표한 「파운드, 엘리엇, 그리고 『황무지』의 수사修辭」("Pound, Eliot, and the Rhetoric of *The Waste Land*") 등도 있다. 또한 1983년 스미스의 단행본 『황무지』(*The Waste Land*)의 제3장인 「창작 중의 『황무지』」("*The Waste Land* in the Making"), 1986년 로버트 이안 스코트Robert Ian Scott가 발표한 「T. S. 엘리엇과 『황무지』원시原詩」("T. S. Eliot and the Original *Waste Land*"), 1988년 웨인 코스턴바움Wayne Koestenbaum이 발표한 「『황무지』: 히스테리에 대한 T. S. 엘리엇과 에즈라 파운드의 공저」("*The Waste Land*: T. S. Eliot's and Ezra Pound's Collaboration on Hysteria") 등이 있다. 그리고 1993년 레온 서렛Leon Surette이 출판한 단행본 『모더니즘의 태동: 에즈라 파운드, T. S. 엘리엇, W. B. 예이츠 그리고 비학秘學』(*The Birth of Modernism: Ezra Pound, T. S. Eliot, W. B. Yeats, and the Occult*)의 제5장에 수록된 「파운드의 『『황무지』편집」("Pound's Editing of *The Waste Land*")이 있다. 한편, 2004년에 리처드 바덴하우젠Richard Badenhausen이 출판한 『T. S. 엘리엇과 공저의 기교』(*T. S. Eliot and the Art of Collaboration*)는 엘리엇과 파운드, 존 헤이워드John Hayward, 마틴 브라운Martin Browne, 비비엔과의 작품 공저의 기교를 논하고 있는데, 특히 엘리엇과 파운드의 『황무지』공저에 관한 내용이 압권이라고 할 수 있다.

이 책은 이상과 같이 엘리엇의 『황무지』원고본 출판 이후 40년 이상 집중적으로 이루어진 국내외의 연구 동향에 주목하면서 엘리엇과 파운드의 공저 및 『황무지』의 창작 과정과 심도 있게 연구되지 않은 『황무지』원고본을 원전비평적 접근으로 조명하고자 한다.

II

『황무지』 원고는 엘리엇이 1921년 10월부터 12월까지 마게이트와 로잔에서 3개월 요양 기간에 집필되었다고 간주되고 있으나, 1914년과 그 이전에 이미 일부 집필되었고, 상당 부분은 1921년 5월에 작시되었다(Ellmann 1972, 62). 비평가에 따라서 『황무지』 원고의 창작 시기에는 이견이 있지만, 『황무지』 5부의 창작 시기와 장소는 제1부(원고지 5매) 1921년 4월 20일~5월 9일 런던에서 작시, 제1부 나머지와 제2부 1921년 11월 12~18일 런던에서 작시, 제3부 1921년 9월~10월 런던에서 작시, 제4부와 제5부는 1921년 11월~12월 로잔에서 육필 원고, 타자 원고는 1922년 1월에 파리에서이다(Barry 242).

『황무지』 원고의 창작 과정은 1921년과 1922년 겨울, 파운드와 엘리엇이 3차례 교환한 서신에 드러나 있다. 1950년에 출간된 『에즈라 파운드의 서한집: 1907-1941년』(*The Letters of Ezra Pound 1907-1941*)을 편찬한 페이즈D. D. Paige는 동년에 이미 『허드슨 리뷰』(*The Hudson Review*)지 봄 호에 「에즈라 파운드의 서한」("Letters of Ezra Pound")을 발표하면서 파운드가 엘리엇에게 보낸 편지뿐만 아니라 엘리엇이 파운드에게 보낸 편지도 인용하였다. 파운드와 엘리엇의 서신들은 콕스와 힌치리프가 공편한 『T. S. 엘리엇: 『황무지』』에도 그대로 수록되어 있다. 또한 이 서신들은 『T. S. 엘리엇의 서신 1898-1922년』(*The Letters of T. S. Eliot 1898-1922*) 제1집에도 약간 수정되어 재수록되어 있다(*LE* 625-31). 파운드가 『황무지』 편집에 끼친 영향과 엘리엇의 수용을 드러내고 있는 이 서신들을 면밀히 살펴보기로 하자.

1921년 12월 24일자로 프랑스 파리에서 파운드가 엘리엇에게 보낸 편지의 첫째 문장이 "자네에게: 많이 나아졌네"(Caro mio: MUCH improved)인 것으로 미루어, 파운드가 이미 엘리엇의 『황무지』 타자 원고 이전에 육필 원고를 읽고 지적을 했다는 것을 알 수 있다. 엘리엇이 1922년 1월 런던에 서 보낸 회신의 첫머리에 이탈리아어 인사말인 "Caro mio"에 대한 프랑스 어로 "존경하는 스승님"(Cher maître)이라는 감사를 표시하고, 같은 달에 파운드가 엘리엇에게 보낸 회신은 이탈리아어로 "사랑하는 아들아"(Filio dilecto mihi)4)로 시작하는 것으로 보아서, 파운드와 엘리엇의 관계는 친구 관계에서 사제지간으로 발전되고 있음이 드러난다. 첫 번째 편지에서 파운드 는 엘리엇이 『황무지』 원고에서 「제사」로 인용한 조지프 콘래드Joseph Conrad 의 『어둠의 핵심』(*Heart of Darkness*, 1902) 부분이 "콘래드는 인용하기에 너무 비중이 없지 않나."(I doubt if Conrad is weighty enough to stand the citation.)라는 주장을 하면서 『황무지』에 제왕절개수술을 가한 「남자 산파」 ("Sage Homme") 제하의 시를 첨가하고 있는데 그 일부는 다음과 같다.

> 이것들은 엘리엇의 시들
> 천상의 뮤즈에 의해 태어났네.
> 그들의 어미는 남자이지만
> 그들의 아비는 뮤즈였다네.
>
> 저 인쇄된 어린 것들이 어떻게
> 그처럼 이중으로 어려운 결혼에서 태어났나?
>
> 그대가 정녕 묻는다면
> 부지런한 독자여 아시라
> 기회가 있을 때마다
> 에즈라가 제왕절개수술을 행하였음을.5)

---

4) "아들"의 의미로 파운드가 사용한 이탈리아어 "Filio"는 "Figlio"의 오기인 듯하다.

These are the Poems of Eliot
By the Uranian Muse begot;
A Man their Mother was,
A Muse their Sire.

How did the printed Infancies result
From Nuptials thus doubly difficult?

If you must needs enquire
Know diligent Reader
That on each Occasion
Ezra performed the Caesarean Operation.

(Paige 54-55; Pound 170; *LE* 626)

"남자 산파"로서의 파운드의 대폭적인 교정 역할에 대해 엘리엇이 파운드에게 보낸 회신에서 그는 5가지 핵심적인 질문을 던지고 있다.

1. 「게론티온」을 책이나 소책자 형식의 서시로 출판하는 것을 충고하십니까?
2. 플레바스도 삭제하는 것이 좋을 수 있겠지요???
3. 제왕절개수술을 이탤릭체로 서두에 사용하기를 바라십니까?
4. 잡다한 작품들은 확실히 생략할까요. [*말미에 있는 시들*]
5. 콘래드 인용을 하지 맙니까, 아니면 시에 콘래드 이름만 넣지 말라는 뜻입니까? 이것은 찾을 수 있는 가장 적절한 인용이고 다소 해석적입니다.

---

5) 파운드의 인용시 번역은 전홍실 교수의 번역을 따랐으나 일부 수정하였다.

1. Do you advise printing "Gerontion" as prelude in book or pamphlet form?

2. Perhaps better omit Phlebas also???

3. Wish to use Caesarean Operation in italics in front.

4. Certainly omit miscellaneous pieces. [*Those at end*]

5. Do you mean not use the Conrad quote or simply not put Conrad's name to it? It is much the most appropriate I can find, and somewhat elucidative. (Paige 56; Pound 171; *LE* 629)

엘리엇의 질문들은 첫째, 그의 난해한 시「게론티온」을『황무지』의 서사로 사용하고 싶은 의지를 피력하고 있다. 둘째, 플레바스, 즉『황무지』제4부 인「수사水死」("Death by Water")를 삭제하여『황무지』의 구조를 5부가 아닌 4부로 축소하고자 하는 의도를 드러내고 있다. 다시 말해,『네 사중주』 (*Four Quartets*, 1943)의 각 시들인「번트 노턴」("Burnt Norton"),「이스트 코우커」("East Coker"),「드라이 샐베이지즈」("The Dry Salvages"),「리틀 기딩」("Little Gidding")이 각각 공기, 흙, 물, 불 및 봄, 여름, 가을, 겨울을 표상하듯이『황무지』의 제1부「사자의 죽음」("The Burial of the Dead"), 제2부「체스 게임」("A Game of Chess"), 제3부「불의 설법」("The Fire Sermon"), 제4부「수사」또는 제5부「우뢰가 말한 것」("What the Thunder Said")이 각각 흙, 공기, 불, 물의 4원소 및 봄, 여름, 가을, 겨울의 4계절을 상징하는 시의 구조를 염두에 둔 것이다(McLuhan 567). 셋째, 파운드의 시 「남자 산파」를『황무지』서두에 이탤릭체로 인용하는 것이 파운드의 소원 이냐고 질문하고 있다. 넷째,「성 나르키소스의 죽음」("The Death of Saint Narcissus"),「오페리온을 위한 노래」("Song for the Opherion"),「장례식」 ("Exequy"),「공작부인의 죽음」("The Death of the Duchess"),「비가」(悲歌, "Elegy"),「만가」(輓歌, "Dirge") 등『황무지』의 잡다한 부속시들satellite poems을 그대로 유지하려는 의도를 노정하고 있다. 다섯째, 『황무지』의 「제사」로 콘래드의 작품을 인용하고자 하는 반복적인 의도를 드러내고 있다.

이러한 엘리엇의 질문들에 대한 파운드의 답변은 다음과 같이 명쾌하고 단호하면서도 원저자의 뜻에 맡기겠다는 다소 유보적인 태도를 취하고 있다.

> "나는 「게론티온」을 서시로 출판하지 않도록 충고하네. 현재 그대로도 **전혀** 손색이 없네. 그래도 더욱 명백하게 하기 위하여 말하노니 「게론티온」을 서시로 출판하지 **않도록** 충고하네.
>
> 나는 **정말** 플레바스를 그대로 두도록 충고하네. 사실 충고 이상이네. 플레바스는 그 시의 필수적인 부분이네. 카드 팩에 그가 익사한 페니키아 선원으로 소개되어 있기 때문이네. 그리고 그는 현재 그곳에서 **절대**적으로 필요하네. 꼭 넣어두시게.
>
> 나의 조산助産의 노력에 대해서는 맘대로 하시게.
>
> 콘래드에 대해서도 동일하네. 내가 누구이길래 그에게 월계관을 주저하겠는가?

> I do not advise printing "Gerontion" as preface. One don't miss it AT all as the thing now stands. To be more lucid still, let me say that I advise you NOT to print "Gerontion" as prelude.
>
> I DO advise keeping Phlebas. In fact I more'n advise. Phlebas is an integral part of the poem; the card pack introduces him, the drowned phoen. sailor. And he is needed ABSolootly where he is. Must stay in.
>
> Do as you like about my obstetric effort.
>
> Ditto re Conrad: who am I to grudge him his laurel crown?
>
> (Paige 57; Pound 171; *LE* 630)

엘리엇은 「게론티온」을 『황무지』의 서시로 출판하지 말도록 한 파운드의 강력한 권고를 수용했으며, 플레바스가 등장하는 『황무지』의 제4부 「수사」를 삭제하고자 했으나 파운드의 강력한 충고에 따라 시의 구조를 5부로 만들었다. 파운드가 자신의 시 『휴 셀윈 모벌리』(*Hugh Selwyn Mauberley*, 1920) 제2편의 구조를 5부로 만든 것은 고대 로마의 키케로Cicero, BC 106-43와 퀸틸리아누스Quintilian, c. 35-c. 95의 고전적인 웅변과 수사의 구조에 근거한 것으로써 엘리엇의 『황무지』 구조를 5부로 만드는 데 커다란 역할을 한 것이다. 게다가 파운드는 엘리엇의 「텅빈 사람들」("The Hollow Men," 1925)뿐만 아니라 예이츠의 시 「쿨 호수의 야생 백조」("The Wild Swans at Coole," 1917)와 「비잔티움」("Byzantium," 1932)의 구조도 5연 시로 만드는 데 기여를 하였다(McLuhan 571). 또한 엘리엇은 파운드의 「남자 산파」를 원용하지 않지만, 콘래드를 「제사」로 인용하고자 한 엘리엇의 의도는 파운드의 완곡한 요청을 수용하여 1922년 3월 12일자로 파운드에게 보낸 편지에서 가이우스 페트로니우스Gaius Petronius의 풍자 소설 『사티리콘』(*Satyricon*) 제48장에 등장하는 무녀巫女, Sibyl로 대체하게 된 것이 드러난다(Kenner 127; *LE* 641; 안중은 2014, 55-57). 이러한 수정을 고려하면, 파운드로부터 "늙은 주머니쥐"Old Possum라는 별명을 받은 엘리엇은 그 특성대로 용의주도하게 편집자 파운드의 강력하고도 완곡한 조언을 그대로 수용한 것을 알 수 있다. 파운드와 엘리엇의 서신들에서 드러나듯이 엘리엇은 『황무지』의 거의 모든 부분에서 파운드의 교정 지시를 아주 면밀히 따랐다(Cox and Hinchliffe 73). 결국 스승 파운드의 교정 지시를 충실하게 따랐던 제자 엘리엇은 자신의 표현대로 『황무지』가 "뒤죽박죽된 좋고 나쁜 시구들에서 한 편의 시로 변용"(to turn *The Waste Land* from a jumble of good and bad passages into a poem)하게 된 것이다(Nelson 5 재인용).

한편, 파운드와 엘리엇이 주고받은 서신 이외에 파운드가 1922년 2월 21

일자로 미국의 예술 비평가이자 퀸의 절친인 잔느 로버트 포스터Jeanne Robert Foster 부인에게 보낸 서신에서 『황무지』를 처음으로 외부에 언급하기 시작했다. 당시 파운드는 30명의 기고자들이 유망한 작가에게 매년 10파운드를 주는 "재사"才士, Bel Esprit 프로젝트를 계획해서 엘리엇을 선발했지만, 엘리엇이 이를 거부함으로써 무산된다. 파운드가 엘리엇을 포스터 여사에게 추천하는 서신은 다음과 같다.

> 엘리엇은 어쩔 수 없이 가게 된 휴가 기간에 훌륭한 시(19쪽)를 탈고했지만, 그 후 다시 신경쇠약이 악화되었습니다. 그가 로이즈 은행에서 나올 수 있도록 그를 위해 조치를 취해 주시기를 바랍니다.

> Eliot produced a fine poem (19 pages) during his enforced vacation, but has since relapsed. I wish something cd. be found for him, to get him out of Lloyds bank. (Cox and Hinchliffe 72 재인용)

『황무지』 원고에 대한 교정 이외에도 엘리엇의 시적 재능을 간파한 파운드는 그가 로이즈 은행에서 퇴사하여 작시에만 전념하도록 경제적인 후원자들과 적극적으로 접촉하고 있었던 사실은 진정한 스승의 모습을 보여준다고 할 수 있다. 또한 파운드가 이미지즘lmagism 운동에 동참했던 동료 시인 윌리엄 칼로스 윌리엄즈William Carlos Williams에게 1922년 3월 18일자로 보낸 서신에서도 과도한 은행 업무가 시 창작에 방해된다는 언급을 하면서 아직 출판되지 않은 『황무지』를 극찬하고 있다.

> 엘리엇은 은행에서 500파운드를 받네. 너무 피곤하여 글을 쓸 수 없고, 건강이 악화되었네. 스위스에서 요양하면서 걸작 『황무지』를 집필했는데, 영어로 씌어진 19쪽이나 되는 가장 중요한 한 편의 시이네.

Eliot, in bank, makes £500. Too tired to write, broke down; during convalescence in Switzerland did *Waste Land*, a masterpiece; one of the most important 19 pages in English. (Pound 173)

이어서 파운드는 1922년 3월 30일에 『신세대』(*New Age*)지에 "재사" 프로젝트를 지원하기 위해 기고한 그의 「평판과 예술」("Credit and the Fine Arts")에서 『황무지』에 대하여 공개적으로 언급을 하기 시작했다.

> 옳든 그르든 우리들의 일부는 엘리엇의 은행 취직을 현대 문학의 가장 큰 손실로 간주한다. 극도의 신경 쇠약으로 인한 최근 3개월의 휴가 기간에 그는 아주 중요한 연작시를 탈고했다. 이 시는 현대 문학에서 영원한 가치가 있는 반열에 들 수 있는 몇 편 중 한 편이다. 그것은 은행 업무에서 강요된 그의 시간과 정력의 낭비로 말미암아 창작에 제약을 받음이 꽤 명백한 증거로 드러나는 것 같다.

> Rightly or wrongly some of us consider Eliot's employment in a bank the worst waste in contemporary literature. During his recent three months' absence due to a complete physical breakdown he produced a very important sequence of poems: one of the few things in contemporary literature to which one can ascribe permanent value. That seems a fairly clear proof of restriction of output, due to enforced waste of his time and energy in banking. (Cox and Hinchliffe 72 재인용)

파운드는 엘리엇의 은행 취업이 그의 창작 활동에 결정적인 방해 요인일 뿐만 아니라 현대문학의 가장 큰 손실이라고 평가하면서 『황무지』를 연작시로 파악하고 있음을 피력하고 있는데, 이것은 엘리엇이 『황무지』를 단시로 간주하는 의도와는 배치된다(Bradbrook 12). 엘리엇은 1961년 텍사스대학교 인문학연구원Humanities Research Center of the University of Texas에서 간행한『T. S. 엘리엇의 원고와 초판본 전시』(*An Exhibition of Manuscripts and First Editions of T. S. Eliot*)에서『황무지』가 연작시가 아니라 하나의 총체성이 있는 단시임을 강조하고 있다.

> 『황무지』는 그 형식이 하나의 총체성으로 의도되었으므로 누구라도 그 시의 일부를 읽는 것을 원하지 않으며, 원칙적으로 명시선집을 반대한다.

> *The Waste Land* is intended to form a whole, and I should not care to have anyone read parts of it; and furthermore, I am opposed to anthologies in principle. (Cox and Hinchliffe 73, 86 재인용)

그러나 연작시이든 단시이든 시의 형식과는 무관하게 엘리엇의 친구이자 비평가인 콘래드 에이큰Conrad Aiken은 1923년 2월 7일『신공화국』(*New Republic*)지에 기고한『황무지』서평에서 "우리 시대에 가장 감동적이고 독창적인 시들 중 하나"(one of the most moving and original poems of our time)로 호평한 바 있다.

여기서 엘리엇의『황무지』가 어떻게『다이얼』지와『크라이티어리언』지에 게재되었는지의 과정을 살펴보는 것도 좋을 것이다. 엘리엇은 1922년 1월『황무지』를 출판하는 발행인을 찾으려는 시도에서『다이얼』지 편집인 스코필드 데이어Scofield Thayer에게 편지를 썼다. 엘리엇은 데이어와 밀턴 아카데미Milton Academy와 하버드Harvard 및 옥스퍼드Oxford에서 교분을 쌓았으며, 『크라이티어리언』지를 창간할 때에 후원자 로더미어 여사Lady Rothermere를 처음 만나게 해준 것도 데이어의 도움을 통해서였다. 엘리엇은

1920년부터 『다이얼』지에 런던 서신을 기고해 왔다. 결국 엘리엇과 데이어의 서신으로 『황무지』는 1922년 11월 『다이얼』지에 게재된다. 그러나 동년 여름에 『황무지』 원고를 늦게 받아본 데이어는 다소 실망했는데, 그해 초부터 그와 엘리엇은 원고료조차 합의를 보지 못한 상태로 협상은 길어지게 되었다.

한편, 1922년 3월경 『황무지』 원고에 대한 파운드의 제왕절개수술이 끝나자 동년 6월 25일 엘리엇이 퀸에게 보낸 아래 서한에서는 주석을 첨가하여 책의 형태로 출판할 의도를 피력하고 있다.

제가 작년 겨울 치료받기 위하여 로잔에 있을 때에 주로 약 450시행의 장시를 썼으며, 거기에 지금 주석을 추가하고 있는데 30쪽 또는 40쪽 분량의 책이 될 것입니다. 저는 이것이 지금까지 제가 쓴 가장 훌륭한 작품이라고 생각하며, 파운드도 그렇게 생각하고 있습니다. 파운드는 저를 파리에 있는 리버라이트에게 소개했으며, 리버라이트는 15퍼센트의 인세와 150불의 선불을 제안했습니다. 저는 그 선택권을 크노프에게 주어야 한다고 생각하였으며, 실제로 주었습니다. 그러나 크노프는 올해 가을 출판 목록에 들어가기에는 너무 늦었다고 말했고, 리버라이트가 올해 가을의 출판 제안을 했으므로 저는 그에게 그렇게 하도록 전보를 쳤습니다.

I have written, mostly when I was at Lausanne for treatment last winter, a long poem of about 450 lines which, with notes that I am adding, will make a book of thirty or forty pages. I think it is the best I have ever done, and Pound thinks so too. Pound introduced me to Liverright in Paris, and Liverright made the offer of 15 percent royalty and $150 in advance. I thought I ought to give Knopf the option, and did so; but Knopf said that it was too late for his autumn

list this year, and Liverright offered to publish it this autumn, so I
cabled to him to say he could have it. (*LE* 681)

엘리엇이 언급한 "약 450시행"은 정확히 『황무지』 시의 433행을 지칭하고
있는데 타자 서신에서 그는 "시행"lines 대신에 "단어"words로 오기하였다.
따라서 로잔에서 엘리엇은 이미 파운드의 수정 지시에 따라 『황무지』 원고
를 절반 정도로 줄이면서 「주석」을 붙여서 단행본 시집으로 출판할 계획을
거의 동시에 가지고 있었던 것으로 추정된다. 또한 리버라이트, 즉 호러스
리버라이트Horace Liveright와 앨버트 보니Albert Boni가 1917년 뉴욕에서 공동
설립한 출판사가 엘리엇에게 제시한 출판 조건과, 동시에 1915년에 설립된
크노프Knopf 출판사와의 접촉은 은행에서 근무한 엘리엇의 상업주의적 기
질을 보여주는 흥미로운 대목이다.

한편, 파운드는 스승답게 1922년 5월 6일에 뉴욕에서 여러 정기간행물에
관여하고 있던 포스터 여사에게 『허영의 시장』(*Vanity Fair*)지에 『황무지』
출판과 원고료 지급의 의사를 타진하였다. 그러나 그녀는 파운드의 편지를
이 간행물 편집인 프랭크 크라우닝쉴드Frank Crowninshield의 친구인 퀸에게
보냈다. 결국 『황무지』 출판의 백지화 소식이 포스터 여사로부터 파리에 있
던 파운드에게 전해지게 된다. 그럼에도 불구하고 파운드는 엘리엇의 『황
무지』에 대해 호평을 하고 미국뿐만 아니라 영국에서도 이 시를 1922년에
출판하려고 노력하였다. 이는 동년 7월 9일자 그의 서신에서도 드러난다.

> 엘리엇의 『황무지』는 1900년부터 시작된 우리의 현대적인 실험의 "운
> 동"을 정당화하는 것이라고 생각합니다. 이 시는 올해에 출판되어야
> 합니다.

Eliot's *Waste Land* is I think the justification of the "movement," of

our modern experiment, since 1900. It shd. be published this year.
(Cox and Hinchliffe 77 재인용)

드디어 1922년 9월 7일에 『다이얼』지의 주필主筆인 길버트 셀디즈Gilbert Seldes, 1893-1970가 『황무지』 출판에 주도적인 역할을 하게 되는데, 그는 비공식적으로 엘리엇을 대표한 퀸과 도서발행인 리버라이트를 출판사 건물 내의 퀸의 사무실에서 만나서 「황무지」를 『다이얼』지에 게재하고, 보니앤드리버라이트 출판사에서 단행본 시집으로 출판하는 합의점을 도출하게 된다(Cox and Hinchliffe 74). 이들의 역할은 모더니즘의 대표시 『황무지』가 대중에게 빨리 확산되는 문학사적으로 위대한 업적을 이룩한 것이다. 엘리엇은 1922년 9월 21일에 퀸에게 보낸 서신에서 퀸과 셀디즈 및 리버라이트에게 그들이 합의한 『황무지』 출판 계획에 대하여 감사를 표시하고 있다.

> 저는 당신의 서신과, 저를 위해 해주신 모든 것과, 도출된 모든 결과들과, 당신의 끝없는 친절에 아주 감격하고 있습니다.... 저는 또한 그렇게 해서 리버라이트로부터 도움을 받는 격이 되었다고 느끼고, 또한 저를 위해 당신이 이 일을 해주시라는 부탁을 하는 것이 부담되는 것을 느꼈습니다. 저는 리버라이트가 이 일이 궁극적으로 자신에게 이익이 되어 만족하며, 또 분명히 『다이얼』지도 매우 깔끔하게 일을 처리했다고 추측합니다.
> 저의 유감은 ... 이 [다이얼] 상이 파운드에게 가기 전에 제게 온다는 점입니다. 그가 분명히 "서한들을 써주셨기에" 저보다 훨씬 더 인정을 받아야 한다고 느끼며, 저는 그가 이러한 공인을 받은 후까지 기다리는 것이 마땅하다고 느낍니다. 당신에게 보내드리는 『황무지』 원고본에서 그가 작업한 증거들을 보게 될 것이고, 이 원고본은 그의 비평이 이 시에 가져온 차이의 유일한 증거라는 이유만으로도 현재의 형태로 보존될 만한 가치가 있다고 생각합니다.

I am quite overwhelmed by your letter, by all that you have done for me, by the results that have been effected, and by your endless kindness.... I also feel that it would be in the nature of asking a favour from Liverright, and also I was loath to ask you to do this on my behalf. I gather that Liverright is quite satisfied that the arrangement will be ultimately to his advantage, and certainly the *Dial* have behaved very handsomely.

My only regret ... is that this [Dial] award should come to me before it has been given to Pound. I feel that he deserves the recognition much more than I do, certainly "for his services to Letters," and I feel that I ought to have been made to wait until after he had received this public testimony. In the manuscript of *The Waste Land* which I am sending you, you will see the evidences of his work, and I think that this manuscript is worth preserving in its present form solely for the reason that it is the only evidence of the difference which his criticism has made to this poem. (*LE* 748)

이어서 엘리엇은 1922년 12월 27일자로 셀디즈에게 보낸 서신에서 셀디즈의 『황무지』 호평은 수용하지만, 에드먼드 윌슨Edmund Wilson의 호평은 파운드를 폄하시키는 의도가 있기 때문에 수용할 수 없으며, 파운드가 "영어권에서 가장 중요한 생존 시인"(the most important living poet in the English language)이라고 극찬하고 있다. 아울러 『다이얼』지에 자신의 어려운 시기에 아주 큰 도움이 될 재정적인 지원뿐만 아니라 영광스런 수상을 한 것에 대해 심심한 사의를 표명하면서 미래에 훨씬 더 훌륭한 작품을 기고할 수 있는 희망을 피력하고 있다(*LE* 813-14). 「황무지」가 『크라이티어리언』지 창간호와 『다이얼』지 11월호에 따로 게재될 때에 전자가 후자의 구독률을 잠식할 것을 엘리엇이 우려하였으며, 이는 1922년 9월 21일자와

11월 12일자로 퀸과 셀디즈에게 각각 보낸 서신에 반영되어 있다. 엘리엇이 셀디즈에게 보낸 편지의 추신에서 11월 12일에는 『크라이티어리언』지 창간호가 매진되었다고 밝히고 있기 때문이다.

한편,『황무지』주석의 중요성을 알면서도 시와 함께 게재하지 않으려는 셀디즈의 발상은 그가 제임스 시블리 왓슨James Sibley Watson 박사에게 1922년 8월 31일자로 보낸 서신에 드러나 있다.

> 우리는 주석 없이 『다이얼』지에 엘리엇의 출판 승인을 가정해야 합니다. 게다가 나를 괴롭히는 유일한 것은 수상을 계약의 기본으로 만들려는 엘리엇의 언급입니다. 단순히 수용하는 의미보다 좀 더 명확한 것을 의미하는 것 같은데, 그는 확실히 우리 측에 대한 불신을 남기지 않기 위해서입니다. 그가 그 상을 수상하기 때문에 리버라이트와 더욱 좋은 조건으로 계약해야 한다는 것을 의미합니까? 그가 2,000불을 받기 때문에 그것은 불합리한 것 같습니다.... 그런데 주석은 굉장히 흥미로우며 그 시에 많은 것을 시사해주지만, 우리가 쉽게 그것들을 출판할 수 없기 때문에 관심을 갖지 마십시오.

> We must assume that Eliot O.K.'s publication in *The Dial* without the notes. The one thing which troubles me in addition is Eliot's remark about making the award the basis of a contract. It seems to me that he means something a little more definite than what you take it to mean, because he surely could not imagine bad faith on our part. I speculate: does he mean that he ought to have a more favourable contract with Riverright because he gets the award? It sounds unreasonable, because he gets the two thousand.... The notes, by the way, are exceedingly interesting and add much to the poem, but don't become interested in them because we simply cannot have them. (*LE* 739-40)

1922년 『다이얼』상에 대한 엘리엇의 언급은 자신의 수상을 염두에 둔 것이 아니라 파운드에게 그 상이 돌아가도록 하는 의도에서 나왔을 것이다. 엘리엇은 자신보다는 파운드에게 먼저 『다이얼』상이 수여되는 것을 바라는 의지를 표명했으며, 실제 그가 1928년까지 그 상을 수상하지 않은 데에 이러한 의도가 드러난다.

한편, 앞에서 언급했지만 엘리엇이 자신을 대변하고 후원해준 퀸에게 증정한 『황무지』원고를 받고 나서 퀸은 엘리엇에게 1923년 2월 26일자 서신으로 회신하고 있다.

> 당신이 보내준 「황무지」원고를 아주 흥미롭게 읽었습니다. 시에 대한 파운드의 비평의 흔적을 보았습니다. 나는 개인적으로 파운드가 당신에게 삭제하라고 충고한 부분의 일부를 삭제하지 않았을 것입니다. 물론 당신이 폐기한 부분들이 내가 가지고 있는 사본으로 결코 달리 인쇄되지는 않을 것입니다.

> I have read the manuscript of "The Waste Land" which you sent me with great interest. I have noted the evidence of Pound's criticisms on the poem. Personally I should not have cut out some of the parts that Pound advised you to cut out. Of course, the portions which you have scrapped will never appear in print from the copies that I have. (Nelson 8 재인용)

퀸이 『황무지』원고에 가한 파운드의 제왕절개수술의 일부에 삭제 동의할 수 없다는 견해를 피력하고 있음이 이채롭다.

1946년에 『시』(*Poetry*)지에 수록된 「에즈라 파운드」("Ezra Pound")에서 엘리엇은 『황무지』원고에 대한 파운드의 제왕절개수술식 편집에 대해서 다음과 같이 회고하고 있다.

> 내가 『황무지』라 불리는 장황하고 혼란스런 시의 원고를 파리에서 그 앞에 놓았고, 그의 손으로 절반 정도로 축소되어 현재의 출판 형태로 나왔을 때가 1922년이었다. 삭제한 시구들이 있는 원고는 되돌릴 수 없게 사라졌다고 생각하고 싶지만, 그 시에 교정을 본 것은 파운드의 비평적 천재성에 대한 명백한 증거로서 보존되기를 바란다.

> It was in 1922 that I placed before him in Paris the Manuscript of a sprawling chaotic poem called *The Waste Land* which left his hands reduced to about half its size, the form in which it appears in print. I should like to think that the manuscript, with the suppressed passages, had disappeared irrecoverably; yet, on the other hand, I would wish the blue pencilling on it to be preserved as irrefutable evidence of Pound's critical genius. (Cox and Hinchliffe 73 재인용: Nelson 5 재인용)

사실 엘리엇이 파운드에게 원고를 맡겼을 때에는 1921년이므로 엘리엇의 위의 진술에서 드러난 그의 기억은 정확한 것이 아니다. 엘리엇은 그 원고가 소장된 뉴욕 공공도서관 버그자료실에서 그의 사후인 1968년에 발레리에게 연락하리라고는 미처 상상도 못했을 것이다. 1922년 『크라이티어리언』지에 익명의 편집자로 선발되자 엘리엇은 파운드의 제왕절개수술로 줄어든 「황무지」를 창간호와 제2호에 나누어서 게재하려던 그의 첫 의도를 버리고 전부 출판하게 된다. 미국인 독자를 위해 「황무지」를 수록한 『다이얼』지는 단행본 출판 경비를 해결하기 위하여 보니앤드리버라이트 출판사에 『황무지』시집 350권의 구매를 보증하였다. 게다가 엘리엇은 『다이얼』지사로부터 매 쪽 10불, 총 130불의 원고료6)를 받고, 2,000불이라는 거금의 다이얼 상 수상의 영예를 획득하게 된다(Cox & Hinchliffe 90). 『황무지』 초판이 빨리 매진되자 곧바로 후속 판이 나왔다. 1922년 12월『황무지』 초판에는 "*한층 훌륭한 예술가 / 에즈라 파운드를 위하여*"란 파운드를 위한 헌정사 가 없었고, 엘리엇은『황무지』 초판의 보니앤드리버라이트 출판사가 좀 더 긴 시집을 원해서 주석을 불가피하게 작성했다는 해명을 내 놓는다.

> 파운드에 의하면, 이번 판의 주석을 출판한 것은 "순전히 우연"이었 다. 리버라이트가 더 긴 시집을 원했으므로 주석이 유일한 대안이었 다.

> According to Pound, the publication of the notes in this edition was "purely fortuitous." Liverright wanted a longer volume and the notes were the only available matter. (Nelson 6 재인용)

이어서 1956년에 발표한 「비평의 경계」("The Frontiers of Criticism")에 서 엘리엇은『황무지』 주석에 대해서 다음과 같이 회상한다.

> 『황무지』의 주석! 처음에는 나의 초기 시들에 대해 표절이라고 나를 비난했던 비평가들의 공세를 무력화시키기 위하여 내 인용의 모든 출 처를 기록만 하려는 의도를 가지고 있었다. 그러다가『황무지』가 작은

---

6) 우드워드는 윌리엄 와서스트롬William Wasserstrom의 저서 『다이얼 잡록집』(*A Dial Miscellany*, 1963)을 인용하여 엘리엇이『다이얼』지의 정규 고료인 매 쪽 20불, 총 260불을 받았다고 진 술했다가, 1968년 3월 18일자로 편집자들인 콕스와 힌치리프에게 보낸 서신에서 니콜라스 주스트Nicholas Joost의 저서 『스코필드 데이어와 다이얼지』(*Scofield Thayer and The Dial*, 1964)를 참고하여 엘리엇의 고료를 매 쪽 10불, 총 130불로 정정하고 있다(Cox & Hinchliffe 75, 90). 넬슨은 엘리엇의 고료를 매 쪽 20불, 총 260불로 진술함으로써 우드워드의 수정 이 전의 논문을 인용한 과실을 범하고 있다(Nelson 6).

시집으로 출판되었을 때에—시가 처음 『다이얼』지와 『크라이티어리언』지에 주석 없이 출판되었기 때문에—시가 너무 불편할 만큼 짧은 것이 드러났고, 그래서 나는 출판물의 쪽수를 좀 더 늘리기 위하여 주석을 확대하는 작업에 착수했는데 그 결과 오늘날에도 여전히 보이는 사이비 학문에 대한 주목할 만한 해설이 되어 버렸다. 때때로 이 주석을 삭제할 생각을 했었지만 이제는 결코 떼어낼 수 없게 되었다.

The notes to *The Waste Land*! I had at first intended only to put down all the references for my quotations, with a view to spiking the guns of critics of my earlier poems who had accused me of plagiarism. Then, when it came to print *The Waste Land* as a little book—for the poem on its first appearance in *The Dial* and in *The Criterion* had no notes whatever—it was discovered that the poem was inconveniently short, so I set to work to expand the notes, in order to provide a few more pages of printed matter, with the result that they became the remarkable exposition of bogus scholarship that is still on view to-day. I have sometimes thought of getting rid of these notes; but now they can never be unstuck. (*OPP* 121)

이와 같이 『황무지』 주석을 추가하려는 엘리엇의 의도는 그의 서신들에 의하면 1922년 6월에 시작되었고, 그해 8월에 출판 준비가 되었음이 명백하다. 이후 『황무지』는 레오나드Leonard와 버지니아 울프Virginia Woolf 부부가 취미로 1917년에 설립한 호가스 출판사Hogarth Press에서 출간되지만 많은 오류가 보인다. 1919년에 엘리엇의 『시』(*Poems*)를 간행한 호가스 출판사는 1923년 9월 12일에 한 권에 4실링 6펜스에 팔리는 『황무지』 460권을 출판한다. 엘리엇이 분명히 교정을 보았겠지만, 그가 어머니에게 증정한 『황무지』 하버드 판본에는 3군데 오류를 손수 수정한 것뿐이었다. 제62행의

"under"가 "over"로, 제96행의 "coloured"가 "carven"으로 수정됐지만 결코 인쇄되지 않았고, 이후 모든 판본에서는 "carvèd"로 등장하며, 엘리엇이 「주석」에서 소개한 제시 웨스턴Jessie L. Weston 여사의 『제식에서 로맨스로』(*From Ritual to Romance*, 1920)의 출판사는 맥밀란Macmillan에서 케임브리지대학교 출판부Cambridge UP로 수정되었다(Cox and Hinchliffe 79; *WLF* 147).

『황무지』의 출판 역사에서 한 가지 흥미로운 것은 엘리엇이 영국 런던도서관장으로 재직하면서 도서관에 수혜를 주기 위하여 1960년 판『황무지』 서명판을 출판하면서 제137행 이후에『황무지』원고에 있었으나『크라이티어리언』지와『다이얼』지에 게재된『황무지』에서 삭제한 한 시행을 복원했다는 사실이다.

> 그리고 우리 체스 게임이나 하지요,
> **상아군象牙軍은 우리 사이에 친구가 되지요.**
> 두 눈을 흡뜨고 문에 노크나 기다리면서. (Eliot 1988, 62)[7]

> And we shall play a game of chess,
> **The ivory men make company between us.**
> Pressing lidless eyes and waiting for a knock upon the door.
>
> (*WLF* 19, 138: ll. 137-39)

복원한 시행 **"상아군은 우리 사이에 친구가 되지요."**(**The ivory men make company between us**.)에서 「체스 게임」 제목이 성적인 유혹을 함의할 때 친구가 되는 상아군은 성교를 하는 남녀를 상징한다. 상아의 색이 성행위의 절정시에 분비되는 남성의 정액精液과 여성의 질액膣液과 유사하기 때문이다.

---

7) 이 저서에서 엘리엇의 인용시 번역은 고 이창배 교수의 번역을 따랐으나 일부 수정하였다.

이 『황무지』 서명판은 동년 6월 22일에 크리스티 경매Christie's에서 2,800파운드에 팔렸다가 현재 텍사스 대학교 인문학연구원에 소장되어 있다(Cox and Hinchliffe 81). 그러나 엘리엇은 1961년에 서명판에서 추가했던 위의 볼드체 시행을 삭제하고 자신이 발행인으로 근무하던 페이버앤드페이버 출판사에서 한정판으로 『황무지』 최종판을 간행하게 된다.

III

1971년에 출판된 『황무지』 원고본은 엘리엇의 육필 원고와 타자 원고들로 구성되어 있으며, 1961년의 『황무지』 최종판—엘리엇 자신의 대폭 수정과 파운드의 제왕절개수술을 거친 것—과는 사뭇 다르다. 부속시들을 제외한 『황무지』 원고본을 『황무지』 최종판과 비교함으로써 원전비평적 접근으로 고찰하기로 하자. 우선 『황무지』 원고본의 제목인 「황무지」("The Waste Land")가 「다른 목소리들로 정탐하기」("He Do the Police in Different Voices")로 나와 있으며, 제2편Part II은 원래 제목인 「새장 안에서」("In the Cage")를 「체스 게임」("A Game of Chess")으로 바꾸고, 일부 시행을 엘리엇이 수정하였다(WLF 11). 「새장 안에서」의 제목은 『황무지』의 「제사」에서 페트로니우스의 새장 안에 갇혀 있는 쿠마에 무녀Cumaean Sibyl의 암유 이외에는 모호하기 때문에 「체스 게임」으로 대체되었을 것이다(Surette 268). 엘리엇이 스스로 대폭 삭제한 것은 "다른 목소리들로 정탐하기" 제1편Part I 제하의 「사자의 매장」 54행이다. 여기에다 파운드가 대수술을 감행한 부분들은 제3부 「불의 설법」의 "프레스카 여사"Lady Fresca가 등장하는 70행과 제4부 「수사」 83행이다(WLF 5, 23, 27, 55-61). 이 절에서는 『황무지』 원고본에는 나와 있지만 『황무지』 최종판에서 삭제된 「제사」와 엘리엇과 파운드에 의해 대폭 삭제된 시행들을 집중적으로 조명하고자 한다.

『황무지』원고본의「제사」는 앞에서도 언급했지만 파운드가 교정 지시를 내린 것으로, 콘래드의『어둠의 핵심』에서 임종 직전에 상아 수탈자 커츠Kurtz의 죽음에 대한 공포를 인용한 것이며, 엘리엇의 타자본에는 없는 작가명 **"콘래드"**CONRAD가 첨가되어 있다.『황무지』최종판의「제사」로 인용된 페트로니우스의 풍자 소설『사티리콘』에 등장하는 죽음의 희구를 고백한 무녀 대신에 콘래드의『어둠의 핵심』에서 인용한 부분은 다음과 같다.

> "그는 완전한 인식의 지고의 순간에 시시콜콜하게 욕망과 유혹과 굴욕의 삶을 다시 살았던가? 그는 어떤 형상, 어떤 환상을 보고 속삭이듯 외쳤다,―그는 숨을 헐떡이는 듯한 소리로 두 번 외쳤다.―
>   '무서워! 무서워!'"

콘래드

> "Did he live his life again in every detail of desire, temptation, and surrender during that supreme moment of complete knowledge? He cried in a whisper at some image, at some vision,―he cried out twice, a cry that was no more than a breath―
>   'The horror! the horror!'"

CONRAD (*WLF* 2)

콘래드의 커츠가 죽음에 대하여 암울하고 불안한 공포를 드러내는 반면에 페트로니우스의 무녀는 죽음에 대하여 떠들썩하고 축제적인 분위기를 나타낸다(MuLuhan 574-75). 커츠의 경우는 다만 죽음만 존재하고, 죽음에 대한 개안開眼이 없으며, 대체된「제사」의 무녀는 저승과의 직면보다는 예언과 타락의 모티프를 강조하고 있다. 커츠의 죽음에 대한 단말마적인 언급은 물질주의적이고, 무신론적이며, 구원이 없이 죽음과 저승과의 대면이므로『황무지』의 「제사」에는 무녀보다 적합하지 못하다고 판단되어 대체되었을 것이다(Surette 263). 『황무지』의 대체된 「제사」로서 페트로니우스의 인용과 커츠와 무녀의 추가적인 비교는 제3장 「『황무지』에 나타난 죽음」에 상술되어 있으므로 생략하기로 한다.

한편, 엘리엇이 연필과 잉크로 교정을 보고 사선을 그어 삭제한 「사자의 매장」의 54행은 다음과 같다.

> 우선 우리는 톰의 집에서 두 명의 정탐꾼을 만났다.
> 눈까지 술에 취한 늙은 톰, 눈이 멀고,
> (자네 기억하는지, 댄스 후에,
> 운두韻頭 높은 모자를 쓴 사람들과 모든 친구, 우리와 실크해트 쓴 해리,
> 그리고 늙은 톰은 우릴 뒤로 데리고 가서, 샴페인 한 병 가져왔지,
> 톰의 부인 늙은 제인과 함께. 조우에게 노래시켰지.
> "내게 흐르는 아일랜드인 피 자랑스럽네,
> 내게 거슬리는 말 할 놈 아무도 없네.")
> 그리고서 우리는 얌전하게 저녁식사를 하고, 두 개의 벵골 불꽃 막대
> 에 불을 붙였지.8)
> 우리가 그 쇼에 입장하여 위층 A석에 갔을 때에
> 내가 몸에 피아노를 치려하자 아가씬 고음高音을 내었지,
> 잘 빠진 계집애, 그러나 거친-그 앤 내가 마음에 안 들었나 봐.
> 그 다음 우리는 거리에 나갔지, 오 추웠어!
> 자넨 언제 철들래? 오페라 익스체인지에 들어갔지,
> 진을 좀 빨고는 앉아서 코르크 게임을 했지,
> 페이 씨가 거기서 "방앗간 아가씨" 노래를 불렀지.
> 그때 우리는 나가서 길을 따라 산책할 거라고 생각했지.
> 그때 스티브가 없어졌어.

---

8) 제1-9행까지는 이창배 교수의 번역시를 일부 수정한 것이다(2006, 261).

("나는 한 시간 후에 아래 머틀의 집에 나타났지.

새벽 두 시에 뭣 하자는 거요? 그녀가 말한다,

당신 같은 놈들을 위해 여기서 장사하지 않죠.

지난주에 한 번 단속 나왔죠, 난 두 번 경고 먹었죠.

경찰어, 나는 말했다, 난 20년간 아주 점잖은 손님만 받았죠,　그녀가
　　말한다.

지금 위층의 버킹엄 클럽에서 세 분의 신사들이 왔소,

나는 은퇴하여 농장에서 살까 해요, 그녀가 말한다,

손해를 몽땅 입어서 지금 투자할 돈은 없어요,

그곳의 평판은 좋을 것이에요, 몇몇 술집에서 머니까요,

난 20년간 깨끗하게 장사해 왔죠, 그녀가 말한다.

또 버킹엄 클럽에서 온 신사들은 여기가 안전한 걸 알죠.

당신이 온 뜻은 잘 알겠지만, 이번이 마지막이에요.

여자를 붙여줘요, 난 말했다. 당신 너무 취했소, 그녀가 말했다,

그러나 그녀는 내게 침대와 욕실과 햄과 달걀을 주었다,

그리고 이젠 면도하러 가세요, 그녀가 말했다; 난 껄껄 웃었다,

머틀은 항상 멋진 장소였고"). 나를 보얗게 만들어 줬지.

우리가 막 뒷골목으로 나오자, 사복 경찰이 따라와서

문젯거리를 찾으며, 일을 성가시게 만들면서 말했다,

당신 경찰서로 출두하시오. 미안합니다, 난 말했다,

미안해봐야 소용없어요, 그는 말했다. 모자 주세요, 난 말했다.

글쎄 운 좋게도 오신 분이 도나반 씨였지요.

이게 뭐죠, 경찰 양반. 이번 순찰이 처음이죠, 안 그래요?

나는 그렇게 생각했다. 내가 누구인지 알아요? 그래요, 알죠,

신참 경찰은 아주 짜증나듯이 말했다. 그럼 접어둡시다,

이 신사들은 나의 특별한 친구들이오.

　－행운이 아니었나요? 그리고 우리는 독일 클럽에 갔죠,　구스

우리 우리들와 도나반 씨와 그의 친구 조우 리아하,　　　하이어 쿠르츠

~~닫혀 있었다.~~ 집에들 모셔 드리죠, 택시기사가 말했다,
우린 모두 집이 같은 방향에요, 도나반 씨가 말했다,
정신 차려요, 트릭시와 스텔라, 그리곤 창밖으로 발을 내밀었다.
그 다음에 알기론 낡은 택시가 도로에 멈추어 섰다,
그리고 택시기사와 작은 재단사 벤 레빈,
조지 메리디스를 읽은 사람인데, 그들은
100야드 달리기 내기를 하고 있었고,
도나반 씨는 경계를 서고 있었지.
그래서 난 나가 일출을 보고, 걸어서 집으로 갔다.

First we had a couple of feelers down at Tom's place,
There was old Tom, boiled to the eyes, blind,
(Don't you remember that time after a dance,
Top hats and all, we and Silk Hat Harry,
And old Tom took us behind, brought out a bottle of fizz,
With old Jane, Tom's wife; and we got Joe to sing
"I am proud of all the Irish blood that's in me,
"There's not a man can say a word agin me").
Then we had dinner in good form, and a couple of Bengal lights.
When we got into the show, up in Row A,
I tried to put my foot in the drum, and didn't the girl squeal,
She never did take to me, a nice guy—but rough;
The next thing we were out in the street, Oh was it cold!
When will you be good? Blew in to the Opera Exchange,
Sopped up some gin, sat in to the cork game,
Mr. Fay was there, singing "The Maid of the Mill";
Then we thought we'd breeze along and take a walk.
Then we lost Steve.

("I turned up an hour later down at Myrtle's place.

What d'y' mean, she says, at two o'clock in the morning,

I'm not in business here for guys like you;

We've only had a raid last week, I've been warned twice.

~~Sergeant, I said,~~ I've kept a decent house for twenty years,   she says.

There's three gents from the Buckingham Club upstairs now,

I'm going to retire and live on a farm, she says,

There's no money in it now, what with the damage done,

And the reputation the place gets, off of a few bar-flies,

I've kept a clean house for twenty years, she says,

And the gents from the Buckingham Club know they're safe here;

You was well introduced, but this is the last of you.

Get me a woman, I said; you're too drunk, she said,

But she gave me a bed, and a bath, and ham and eggs,

And now you go get a shave, she said; ~~I had a good laugh,~~

Myrtle ~~was~~ always ~~a good sport").~~ treated me white.

We'd just gone up the alley, a fly cop came along,

Looking for trouble; committing a nuisance, he said,

You come on to the station. I'm sorry, I said,

It's no use being sorry, he said; let me get my hat, I said.

Well by a stroke of luck who came by but Mr. Donavan.

What's this, officer. You're new on this beat, ain't you?

~~I thought so, You know who I am? Yes, I do,~~

~~Said the fresh cop, very peevish.~~ Then let it alone,

These gents are particular friends of mine.

　　—Wasn't it luck? Then we went to the German Club,　　Gus

Us ~~We~~ and Mr. Donavan and his friend ~~Joe Leahy,~~　　Heinie Krutzsch

~~Found it shut.~~ I want to get home, said the cabman,

We all go the same way home, said Mr. Donavan,

Cheer up, Trixie and Stella; and put his foot through the window.

The next I know the old cab was hauled up on the avenue,

And the cabman and little Ben Levin the tailor,

The one who read George Meredith,

Were running a hundred yards on a bet,

And Mr. Donavan holding the watch.

So I got out to see the sunrise, and walked home. (*WLF* 5)

위 시행에서 엘리엇은 연필로 수정한 부분을 다른 시어나 시구로 대체했지만, 결국 파운드에게 교정 교열을 부탁하기 전에 54행 전부를 삭제한 것이다. 여기에는 엘리엇 자신의 이름과 동일한 등장인물 톰이 저녁에 "톰의 집"(Tom's place)에서 갈보집으로 이동하고, 이튿날 아침에 태양빛을 받고 귀가하는 화자의 모습이 그려져 있다. 분명히 고백시의 지루한 서사이므로 엘리엇 스스로가 삭제했을 것이고, 이어서 유명한 "4월은 가장 잔인한 달" (April is the cruellest month)로 시작되는 시행을 『황무지』의 첫 시행으로 삼았을 것이다(Ellmann 1972, 53).

　　이제 엘리엇의 시 「게론티온」(1920)에서 처음으로 이름만 언급되고, 파운드가 엘리엇의 『황무지』 타자 원고에서 대폭 삭제한 「불의 설법」의 "프레스카"가 등장하는 4연 41행을 살펴보자.

　　비스듬히 들어오는 햇빛과
　　슬며시 재빨리 다가오는 낮에 정신이 들어
　　팔이 허연 프레스카는 눈을 깜빡이며, 하품하고, 입을 쩍 벌린다,
　　사랑과 즐거운 강간의 꿈에서 깨어.
　　분주히 울려대는 벨의 전기 호출에

활달한 아만다는 한참 동안의 마법에서 깬다.
더러운 손과 딱딱한 천한 발로
락카 칠한 베드에 커튼을 두르고,
마음 녹이는 초콜렛이나 자극적인 차茶가 놓인
윤기 나는 쟁반을 침상 곁에 놓는다.

거품 이는 음료가 식도록 두고
프레스카는 봐야하는 변을 위해 살며시 간다,
거기에서 리처드슨의 감상적인 이야기에 빠져서
그녀는 그 행위가 끝날 때까지 편안하게 볼 일을 본다.
그리고서 의도적으로 시트 사이로 도로 기어들어가
그녀는 식사를 하면서 커번의 몇 줄을 읽는다.   『데일리 미러』지
두 손으로 달걀의 둥근 비면底面을 애무하며
명상에 잠겨 있을 때 우편물이 온다.
적혀 있는 내용을 한 눈에 탐독하고서
회신하기 위하여 숙달된 실력을 쏟아낸다.9)

"내 사랑, 안녕하세요? 난 오늘 기분이 안 좋아요,
극장에서 만난 이후 안 좋았어요.
어떤 일로도 당신의 기분이 상하지 않기를 바래요,
저보다 당신의 일이 잘 풀렸으면 해요.
어젯밤 갔죠―따분한 절망감에서 더 벗어나려고―
클라인부름 여사의 파티에―누가 거기에 있었겠어요?
오, 클라인부름 여사의 사교계지요―누구든 중요하지 않았어요―
누군가 노래 불렀고, 클라인부름 여사는 수다 떨었죠.
당신은 무얼 읽고 있나요? 새로운 것이에요?

---

9) 제1-20행까지는 이창배 교수의 번역시를 일부 수정한 것이다(2006, 265).

난 지로두의 똑 소리 나는 책을 갖고 있어요.
똑 소리 나는 게 제일일거요. 난 할 말이 많아요ㅡ
허나 말할 수 없어요ㅡ그게 그저 제 방식이니까요ㅡ
우리 언제 만날까요ㅡ당신의 동선動線 전부를 말해 봐요.
또 당신 자신과 당신의 새 애인들에 대해 전부를요ㅡ
또 언제 파리에 가죠? 그만 써야겠군요,
내 사랑, 날 믿으세요, 당신의 충실한

친구."

이렇게 쓰고 나서, 한증탕汗蒸湯으로 그녀는 간다,
그녀의 머리칼은 꼬마 사랑의 신들이 날갯짓으로 부채질하고.
~~영악한~~ 프랑스인들이 제조한 향수들은
~~선량~~하고 늙은 ~~여성의 냄새~~ / 정 많은 여성의 냄새를 숨긴다.
교묘한

Admonished by the sun's inclining ray,
And swift approaches of the thievish day,
The white-armed Fresca blinks, and yawns, and gapes,
Aroused from dreams of love and pleasant rapes.
Electric summons of the busy bell
Brings brisk Amanda to destroy the spell;
With coarsened hand, and hard plebeian tread,
Who draws the curtain round the lacquered bed,
Depositing thereby a polished tray
Of soothing chocolate, or stimulating tea.

Leaving the bubbling beverage to cool,
Fresca slips softly to the needful stool,

Where the pathetic tale of Richardson

Eases her labour till the deed is done.

Then slipping back between the conscious sheets,

Explores a ~~page of Gibbon~~ as she eats.   *the Daily Mirror*[10]

Her hands caress the egg's well-rounded dome,

She sinks in revery, till the letters come.

Their scribbled contents at a glance devours,

Then to reply devotes her practic'd powers.

"My dear, how are you? I'm unwell today,

And have been, since I saw you at the play.

I hope that nothing mars your gaity,

And things go better with you, than with me.

I went last night—more out of dull despair—

To Lady Kleinwurm's party—who was there?

Oh, Lady Kleinwurm's monde—no one that mattered—

Somebody sang, and Lady Kleinwurm chattered.

What are you reading? anything that's new?

I have a clever book by Giraudoux.

Clever, I think, is all. I've much to say—

But cannot say it—that is just my way—

When shall we meet—tell me all your manoeuvers;

And all about yourself and your new lovers—

And when to Paris? I must make an end,

My dear, believe me, your devoted

                    friend."

---

10) 『황무지』원고본에는 이탤릭체가 아니므로 필자가 표기한 것임.

This ended, to the steaming bath she moves,
Her tresses fanned by little flutt'ring Loves;
Odours, confected by the ~~cunning~~ French,
Disguise the good old ~~female stench.~~ / hearty female stench.
                          artful   (*WLF* 23)

눈에 보일 듯이 육체적인 쾌락에 탐닉하는 프레스카의 일상이 신고전주의
대표 시인 포프Pope의 풍자시 「머리타래의 강탈」("The Rape of the Lock,"
1714)을 모방하여 각운이 완벽한 2행 연구聯句, couplet로 묘사되어 있다
(Gallup 19). 1748년에 출간된 사무엘 리처드슨Samuel Richardson, 1689-1761의
서간체 소설 『클라리사』(*Clarissa*)를 화장실에서 탐독하는 현대의 프레스카
는 다름 아닌 성폭행 당한 처녀 클라리사Clarissa인 것이다. 제2연 제16행의
"그녀는 식사를 하면서 『데일리 미러』지를 읽는다."(Explores the *Daily
Mirror* as she eats.)로 표현된 시구는 식사를 하면서도 무언가를 해야 하는
바쁜 현대 여성의 일상을 적나라하게 드러내고 있다. 엘리엇의 타자 원고에
"기번의 책"(page of Gibbon)이라고 표기된 것을 "『데일리 미러』"지로 수
정한 것은 프레스카의 천박한 지성이 영국의 역사학자 에드워드 기번
Edward Gibbon, 1737-1794의 대표작인 『로마제국의 쇠망사』(*The History of the
Decline and Fall of the Roman Empire*, 1776-1789)와 같은 심오한 서적보
다는 1903년에 창간된 영국의 일간지가 더 잘 어울릴 것으로 판단했기 때
문일 것이다. 이어서 제17행의 "두 손으로 달걀의 둥근 비면을 애무하는"
(Her hands caress the egg's well-rounded dome) 시행에서 드러난 프레스
카의 행위는 다름 아닌 남근의 귀두龜頭를 달걀의 둥근 비면으로 연상시키
며 어젯밤에 나눈 그녀의 정사를 떠올리게 한다. 어젯밤 "클라인부름 여사
의 사교계"(Lady Kleinwurm's monde)에 참석한 사교적인 여인 프레스카

는 즐거운 파티에서 사랑을 나누었으리라 짐작하게 하는 내용의 편지를 그녀의 남자 친구에게 보내고 있다. 구체적으로 프랑스의 소설가, 극작가, 수필가, 외교관인 장 지로두Jean Giraudoux, 1882–1944의 지적인 소설을 읽는다는 것을 피력하면서 프레스카는 자신의 천박한 지성을 과시하며 동시에 은근히 애인이 많은 남자 친구에게 구애를 하고 있는 성적 욕망을 표출하고 있는 것이다. 이렇게 지성과 감성의 과시욕에 빠져 있지만, 프레스카는 제31-32 시행들인 "난 할 말이 많아요─ / 허나 말할 수 없어요"(I've much to say─ / But cannot say it)에서 "소통의 부재"(non-communication)를 드러내고 있다. 요컨대, 패터슨이 지적했듯이 프레스카는 사회적 · 지성적 추구에서 피상적인 쾌락 이상을 얻을 수 없는 "좌절하는 문학 사교계의 명사"(frustrated literary socialite)가 되는 것이다(Patterson 275). 제4연에서는 어젯밤의 정사로 냄새 나는 여체를 한증탕에서 씻고, 프랑스 향수로 감추는 여성 특유의 화장법이 드러난다.

이어서 프레스카가 계속 등장하고, 엘리엇 자신이 제54-55행을 제56-57행과 위치를 바꾸고, 제60행의 "For"를 "From"으로 수정하고, 시어를 일부 대체했으며, 파운드도 제49행의 시어 "Or"를 "Now"로 바꾸도록 표시한 제42행부터 제70행까지를 살펴보자.

　　　프레스카! 다른 시간이나 장소에서는
　　　유순하고 나지막이 흐느끼는 막달라였다.
　　　죄를 짓는 것보다 죄를 짓도록 당했고, 깨어지고 상처받은,
　　　느긋하게 웃는 음유시인 제니.
　　　(영원하고 절절한 욕망은 꼭 같아도
　　　순교자나 아주 하찮은 암캐가 될 수 있다).
　　　신중하고 영악한 야옹 야옹 집고양이나,
이젠 **또는** 가구 딸린 아파트 안에서 초로初老의 총아나

야한 가운을 입고 어슬렁거리는 부정한 여자로도,
현관 계단엔 시내의 모든 개들이 똥 싸지만.
다양한 형태에 하나의 올바른 정의.
존재하지 않은 감정들과 현실의 욕구.
프레스카는 사이먼즈－월터 페이터－버넌 리의
거품 이는 바다에서 태어났다.
오로지 지적인 여인들도 따분하게 되고,
타고난 창부娼婦로서 타고난 지혜를 잃는다.
스칸디나비아인들에 그녀의 재치는 멍해졌고,
러시아인들에 흥분되어 히스테리 발작을 일으켰다.
아주 혼란스런 뒤죽박죽의 잡탕 위해 가운데에서
우리는 시 이외에 무엇을 기대할 수 있는가?
(머리가 복잡하여 밤잠을 못 이룰 때)
그녀는 잠자기 위해 수를 세는 것보단 시를 쓰는 게 낫다.
또 프레스카가 홀로 누워 있는 그러한 밤에,
조심스런 비평가들이 그녀는 고유의 문체가 있다고 말할 만큼의
우울한 어조로 그녀는 시를 갈겨쓴다.
아주 성인은 아니고, 어린애도 더욱 아니고,
운명으로 잘못 길러지고, 아첨하는 친구들에게 속고,
프레스카는 와서 (아홉 뮤즈들이 선언하건대)
사교계의 캉캉 무희 같은 것이 되었다.

Fresca! in other time or place had been
A meek and lowly weeping Magdalene;
More sinned against than sinning, bruised and marred,
The lazy laughing Jenny of the bard.
(The same eternal and consuming itch
Can make a martyr, or plain simple bitch);

Or prudent sly domestic puss puss cat,

Now ~~Or~~ autumn's favourite in a furnished flat,

Or strolling slattern in a tawdry gown,

A doorstep dunged by every dog in town.

For varying forms, one definition's right:

Unreal emotions, and real appetite.

Fresca was born upon a soapy sea

Of Symonds—Walter Pater—Vernon Lee.

Women but intellectual grow dull,

And lose the mother wit of natural trull.

The Scandinavians bemused her wits,

The Russians thrilled her to hysteric fits.

From ~~For~~ such chaotic misch-masch potpourri

What are we to expect but poetry?

When restless nights distract her brain from sleep

She may as well write poetry, as count sheep.

And on those nights when Fresca lies alone,

She scribbles verse of such a gloomy tone

That cautious critics say, her style is quite her own.

Not quite an adult, and still less a child,

By fate misbred, by flattering friends beguiled,

Fresca's arrived (the Muses Nine declare)

To be a sort of can-can salonnière. (*WLF* 27, 41)

프레스카의 출생은 미의 여신 아프로디테Ἀφροδίτη, Aphrodite의 탄생과 같이 제55행 "사이먼즈, 월터 페이터, 버넌 리"의 "거품 이는 바다"(soapy sea)이므로 탐미주의耽美主義, Aestheticism의 화신化身임을 드러내고 있다. 다시 말해,

프레스카는 에로티시즘Eroticism을 시에 표현한 아서 사이먼즈Arthur Symonds, 1865-1945, "예술을 위한 예술"l'art pour l'art, 즉 예술지상주의의 대변자요 허무주의적 탐미주의를 역설한 월터 페이터Walter Pater, 1839-1894, 페이터의 추종자로서 탐미주의 운동의 주창자인 버넌 리Vernon Lee, 1856-1935의 후예라는 것이다. 이러한 프레스카의 "영원하고 절절한 욕망은 꼭 같아도"(The same eternal and consuming itch)는 시공을 초월하면 창녀娼女 막달라 마리아Mary Magdalene의 성녀성聖女性, 단테 가브리엘 로세티Dante Gabriel Rossetti의 제니Jenny가 라파엘전파Pre-Raphaelite 예술가들에게 준 시신詩神 같은 영감, 살로메Salome의 춤이 세례 요한John the Baptist에게 가져다 준 순교 등으로 접맥된다(Surette 271). 또한 제니는 파운드의 시『휴 셀윈 모벌리』제1편 제5부에도 시행 "아, 불쌍한 제니의 경우..."(Ah, poor Jenny's case...)에서와 같이 시인으로 등장한다. 그러나 엘리엇의 프레스카는 "아주 하찮은 암캐"나 "아주 영악한 털북술한pussy 야옹이pussycat"일뿐이라는 풍자를 통하여 로세티의 시와 사랑에 탐닉하는 여인을 현대의 타락한 여성으로 패러디하고 있다(Bradbrook 19). 엘리엇은 "야옹 야옹 고양이"(puss puss cat)의 시어를 통하여 "pussy pussycat"의 의미를 나타내고, "puss"나 "pussy"가 "여성의 음부"나 "성교"를 함의하며, "고양이" 자체가 성욕을 상징하는 동물 심상이기 때문에, 성욕에 사로잡힌 현대의 프레스카는 여러 남성과 성범죄로 성욕의 노예가 된 후 참회하는 막달라 마리아의 과거의 모습과 상통한다는 것을 암시하고 있다. 또 이 프레스카는 물질적인 성공과 풍요로움을 상징하는 "가구 딸린 아파트 안에서"(in a furnished flat) 인생의 내리막길에 있는 "초로의 총아"(autumn's favourite), 즉 중년 남성의 총애를 받는 여성이나, "야한 가운을 입고"(in a tawdry gown) 욕정을 발산할 상대를 찾으면서 "어슬렁거리는 부정한 여자"(strolling slattern)에 비유하는 데에서 집안과 밖에서 소극적·적극적으로 성욕을 발산하는 모습을 제시하고 있다

(안중은 2000, 89-90). 전기비평적 접근으로 해석하면 "초로의 중년 남성"은 엘리엇의 철학 스승 버트런드 러셀Bertrand Russell, 1872-1970을 암시하며, "가구 딸린 아파트"는 비비엔과 함께 입주해서 살았던 러셀의 아파트를 떠올린다(안중은 2007, 101). 따라서 시를 쓰고 춤을 추는 시의 등장인물인 프레스카는 실제 시인이자 무희였으며 러셀과 불륜 관계를 맺었으나 결국 러셀과 엘리엇으로부터 버림받은 비비엔을 나타낸다. 특히 프레스카의 "히스테리 발작"(hysteric fits)과 지나친 성욕은 엘리엇의 산문시 「히스테리」("Hysteria," 1920)의 모델이 된 정신병자 비비엔의 극단적인 모습이 투영된 것이다. 「불의 설법」의 프레스카는 시의 형식에서 영웅 2행 연구의 대가인 포프를 능가할 수 없고, 시의 내용에서는 『황무지』 제2부의 「체스 게임」에 등장하는 여인들과 성적 심상에서 일맥상통하므로 결국 파운드가 삭제를 권유했을 것이다(Ellmann 1972, 54; 안중은 2012, 93-95).

이어서 프레스카 에피소드 이후에 『황무지』 원고본의 연필로 쓴 육필 원고에는 있지만 타자 원고에서 엘리엇이 삭제한 17행에는 그가 교정을 많이 본 흔적이 있다.

> 그곳에서 바다에서 솟아난 비너스 같은 그녀가
> 해변을 거쳐 더욱 다채로운 곳으로 걸어갔다,
> 카체그 여사의 인도하는 손에 이끌려서
> 그녀는 대지의 부와 유행을 알았고,
> 그녀는 무대의 명사와 미인들 사이에
> 우리 작은 시대의 신동神童으로 통했다.
> 그녀는 그 영역에 지적인 후원을 했다.
> 그러나 F.는 탁월한 영역을 지배한다,
> 권투 선수들 사이에서 미네르바로서.
> 아이네이아스에게 생소한 장소에서

그의 어머니가 나타났다, 변용을 하고서,
그는 여신을 부드러운 천상의 걸음으로 알았다.
그래서 가까운 군중은 영화관에서
여신 또는 여우女優를 알아본다.
말 없는 광희狂喜로 멀리서 경배한다.
그래서 예술은 부富도 출신도 높여 주고,
흥행興行은 맥빠진 예술을 대지에서 일으켜세운다.

From which, a Venus Anadyomene
She stept ashore to a more varied scene,
Propelled by Lady Katzegg's guiding hand
She knew the wealth and fashion of the land,
Among the fame and beauty of the stage
She passed, the wonder of our little age;
She gave the turf her intellectual patronage.
But F. rules distinguished spheres,
Minerva in a crowd of boxing peers.
To Aeneas, in an unfamiliar place,
Appeared his mother, with an altered face,
He knew the goddess by her smooth celestial pace.
So the close rabble in the cinema
Identify a goddess or a star.
In silent rapture worship from afar.
Thus art ennobles even wealth and birth,
And breeding raises prostrate art from earth. (*WLF* 29)

위 시에서 "F."는 프레스카 영어 단어의 첫 철자를 의미하므로, 사교계와 스포츠계에서도 로마 신화의 지혜와 무용武勇의 여신 미네르바Minerva처럼 군림하는 프레스카의 모습이 엘리엇의 첫 번째 부인 비비엔을 연상시킨다. 앞에서 살펴본 제38행 시구 "한증탕"(steaming bath)에서 목욕하는 프레스카가 거품이는 "바다에서 솟아난 비너스"(Venus Anadyomene), 즉 아프로디테에 비유되면서 현대판 미인의 일상을 제시하고 있다. 엘리엇이 연필로 삭제한 제13-15행은 "그래서 안달하는 군중은 영화관의 / 영사막을 바라보고, / 여신 또는 여우를 알아볼 수 있다."(So the sweating rabble in the cinema / Sees on the screen, / Can recognise a goddess or a star.)이다. 베르길리우스Vergilius, Virgil, BC 70-19의 서사시 『아이네이스』(Aeneis, Aeneid) 제148-56행에 등장하는 횃불과 돌을 집어던지는 성난 위험한 로마 군중과는 달리, 엘리엇의 시구 영화관에 "가까운 군중"(close rabble)은 아이네이아스Aeneas가 어머니 여신 아프로디테를 알듯이 여신 같은 여우를 알아보는 것이 대조적이다(Reckford, 45-46). 다시 말해, 현대의 수많은 영화 관객들은 인기여우를 여신 같이 "말 없는 광희로"(In silent rapture) 숭배한다는 것이다. 아프로디테를 영화의 인기배우에 비유하는 것은 에로스의 신성 상실이라는 주제를 강조하고 있다(Surette 271-72).

한편, 엘리엇의 「수사」 육필 원고에 대하여 파운드는 "좋지 않지만— 타자 원고를 볼 때까지 비판할 수 없다"(Bad— but cant attack until I get the typescript)라고 평가한 뒤에, 타자 원고에서 제1-82행 전부를 삭제 권유하고 있다. 그 결과 「수사」 원고의 제83-92행만이 현재의 짧은 「수사」의 시행이 된 것이다(WLF 55-61; 63-69). 대폭 삭제된 부분은 엘리엇 자신의 뉴잉글랜드 바다 체험이 배경으로서 뉴잉글랜드 선원이 드라이 샐베이지즈 주변에서 북극으로의 항해를 묘사하고 있는 긴 독백이다.

해도나 돛에 신경을 쓰면서
폭풍과 조수에 저항하는 굳은 의지의 그 선원은
육상에서도, 술집이나 거리에서도
깨끗하고 위엄 있는 비정의 그 무엇을 지니고 있다.

무법의 뒷골목 층계를 내려가는
술에 취한 악한은 다시 나타난다,
정신 멀쩡한 친구들의 조소거리.
만화 고노리아처럼 비틀대며, 절룩절룩,

바람 불 때나, 바다에서나, 눈 올 때에 장사 길에서
그는 여느 사람처럼 "많이 눈에 띄고 많이 견뎠건만"
어리석고, 비인간적이고, 순진하거나 쾌활했다,
면도하고, 빗질하고, 향수 뿌리고, 손톱 다듬어주면 좋아했다.[11]

*   *   *   *   *

"순풍의 날씨, 가벼운 미풍이 불어,
돛대 천이 활짝 펼쳐지자, 여덟 개 돛이 팽팽해졌지.
우리는 곶을 돌아 드라이 샐베이지즈에서
동쪽 제방까지의 항로를 선택했지.
돌고래 한 마리가 인광의 놀 위로 숨을 쉬었지,
소라 고동이 고물에서 마지막 경고 소리를 내고,
바다가 잠들어 구르듯이 밀려왔지.
새벽에 3노트, 4노트. 8시에
그리고 오전 감시 동안 바람이 잦아들었다.

---

11) 제1-12행까지는 이창배 교수의 번역시를 일부 수정한 것이다(2006, 274).

그 후에 모든 상황이 빗나갔다.
물통이 열리자 기름 냄새가 났고,
또 소금 냄새. 그때 주 사형斜桁틱이
못 쓰게 되었다. 돛대도 갈라져 무용지물이었지
튼실한 노르웨이산 소나무로 구입해서 값도 쳐주었지만. 낚시질했다.
그때 용골익판龍骨翼板이 새기 시작했다.
구운 콩 통조림은 썩는 냄새를 풍길 뿐이었지.
두 놈이 만성요도염에 걸렸고, 한 놈은 손을 잘랐지.
선원들이 웅성거리기 시작했지. 그때 망보는 자가
정찬을 넘겨가며 먹자, 그것을 정당화하고
정상 참작하였지. "먹어!" 그들은 말했지,
먹어라고 내놓은 것 다 먹을 수는 없어-
"모든 비스켓에서 바구미를 전부
후벼낼 때엔 먹을 시간이 없기에."
그래서 이 해를 끼칠 뱃놈들은 시무룩해지고 내쳐졌지.
배에 대해 불평도 했지. "돛을 바람 부는 방향으로 해,"
나머지 뱃놈들 중 영향력 있는 한 놈이 말했지,
"이 배의 돛이 바람 부는 방향으로 되기 전에
쇠지레 철관鐵棺 속의 죽은 놈이
여기서 지옥까지 노를 저어 가는 것을 볼 거야."
그래서 선원들은 신음했다. 바다는 많은 목소리들로
우리 주위에, 비 내리는 달빛 아래에서 온통 신음했다,
그동안 정지된 겨울이 히아데스 성단星團 아래의
나쁜 날씨를 들쑤셔, 들어 올렸다가 끌어당겼지.
그때 드디어 물고기가 걸려들었다. 동쪽 제방에서
그렇게 빨리 달려가는 대구大口를 결코 본적이 없었지.
그렇게 뱃놈들은 그물을 당기고, 웃고, 생각에 잠겼지
고향과 달러 그리고 맘 브라운의 밀주 술집에서

즐거운 바이올린 소리와 아가씨들과 진을.
나는 웃지 않았지.
                    예상 밖의 돌풍이
우리를 덮쳤기에. 그리고 바뀐 상쾌한 바람.
어선 두 척이 사라졌지. 그리고 다른 날 밤에
우리는 질주했지, 트라이세일은 사라진 채,
북쪽으로, 보이지 않는 별 아래서 쏜살같이 달리면서
그리고 바다 위 파도의 포효를 넘어서
산호초 위에 부서지는 흰 파도의 더 날카로운 소리를
감시인이 더 이상 들을 수 없을 때에,
우리는 가장 먼 북쪽 섬들을 지나 간 것을 알았지
그래서 아무도 다시 말하지 않았지. 우리는 먹고 자고 마셨지
뜨거운 커피를, 그리고 불침번을 서고, 아무도 감히
서로의 얼굴을 보거나 말하려고 하지 않았지
우리 주위 온 세상의 한없는 울부짖음의
공포에 휩싸여서. 어느 날 밤에
불침번을 서다가, 이물 가름대 속에서
세 여인이 백발을 뒤로 날리며
몸을 앞으로 숙인 모습을 본 것 같았다.
그들은 바람결에 내 감각을
매혹시킨 노래를 불렀다. 그러자 나는
공포를 넘어 경악하고, 두려움을 넘어 오싹하고, 말없게 되었다,
(모두가 비실제적이었지) 이제 내가 원할 때에
깨어나서 꿈꾸기를 그만 둘 수 있다고 생각했기에.
ㅡ우리가 안 것은 정녕 새벽이겠지ㅡ
다른 어둠이 구름 위로 떠다니고,
그리고 바로 앞에서 우리는 보았네, 하늘과 바다가 만나는 곳에서,
수평선, 하얀 수평선, 긴 하얀 수평선을,

빙벽을, 우리가 질주하는 쪽에서 장벽을 보았네.
하나님 맙소사 이보게, 곰들이 있어.
가망이 없어. 집과 어머니.
어디에 칵테일 셰이커가 있나, 벤, 부서진 얼음 천지인데.
나를 기억하시오.

그리고 다른 분이 아신다면, 나는 모르는 걸 알고 있죠,
이제 더 이상 소음이 들리지 않다는 것만 알 뿐이니까요.

The sailor, attentive to the chart or to the sheets,
A concentrated will against the tempest and the tide,
Retains, even ashore, in public bars or streets
Something inhuman, clean and dignified.

Even the drunken ruffian who descends
Illicit backstreet stairs, to reappear,
For the derision of his sober friends,
Staggering, or limping with a comic gonorrhea,

From his trade with wind and sea and snow, as they
Are, he is, with "much seen and much endured,"
Foolish, impersonal, innocent or gay,
Liking to be shaved, combed, scented, manucured.

*　*　*　*　*

"Kingfisher weather, with a light fair breeze,
Full canvas, and the eight sails drawing well.

We beat around the cape and laid our course
From the Dry Salvages to the eastern banks.
A porpoise snored upon the phosphorescent swell,
A triton rang the final warning bell
Astern, and the sea rolled, asleep.
Three knots, four knots, at dawn; at eight o'clock
And through the forenoon watch, the wind declined;
Thereafter everything went wrong.
A watercask was opened, smelt of oil,
Another brackish. Then the main gaffjaws
Jammed. A spar split for nothing, bought
And paid for as good Norwegian pine. Fished.
And then the garboard-strake began to leak.
The canned baked beans were only a putrid stench.
Two men came down with gleet; one cut his hand.
The crew began to murmur; when one watch
Was over time at dinner, justified
Extenuated thus: "Eat!" they said,
"It aint the eating what there is to eat —
"For when you got through digging out the weevils
"From every biscuit, there's no time to eat."
So this injurious race was sullen, and kicked;
Complained too of the ship. "Her sail to windward,"
Said one of influence amongst the rest,
"I'll see a dead man in an iron coffin,
"With a crowbar row from here to Hell, before
"This vessel sail to windward."
So the crew moaned; the sea with many voices

Moaned all about us, under a rainy moon,
While the suspended winter heaved and tugged,
Stirring foul weather under the Hyades.
Then came the fish at last. The eastern banks
Had never known the codfish run so well.
So the men pulled the nets, and laughed, and thought
Of home, and dollars, and the pleasant violin
At Marm Brown's joint, and the girls and gin.
I laughed not.
                    For an unfamiliar gust
Laid us down. And freshened to a gale.
We lost two dories. And another night
Observed us scudding, with the trysail gone,
Northward, leaping beneath invisible stars
And when the lookout could no longer hear
Above the roar of waves upon the sea
The sharper note of breakers on a reef,
We knew we had passed the farthest northern islands
So no one spoke again. We ate slept drank
Hot coffee, and kept watch, and no one dared
To look into anothers face, or speak
In the horror of the illimitable scream
Of a whole world about us. One night
On watch, I thought I saw in the fore cross-trees
Three women leaning forward, with white hair
Streaming behind, who sang above the wind
A song that charmed my senses, while I was
Frightened beyond fear, horrified past horror, calm,

(Nothing was real) for, I thought, now, when
I like, I can wake up and end the dream.
—Something which we knew must be a dawn—
A different darkness, flowed above the clouds,
And dead ahead we saw, where sky and sea should meet,
A line, a white line, a long white line,
A wall, a barrier towards which we drove.
My God man there's bears on it.
Not a chance. Home and mother.
Where's a cocktail shaker, Ben, here's plenty of cracked ice.
Remember me.

And if Another knows, I know I know not,
Who only know that there is no more noise now.

(WLF 55-61; 63-69)

"순풍의 날씨"(Kingfisher weather)와 미풍에 순항한 배의 선원들은 그물로 "대구"(codfish)를 잡고 만선의 기쁨으로 돈과 여자와 술을 생각하면서 집으로 귀환하려는 생각에 잠겼지만, 뜻밖의 돌풍으로 바다의 "한없는 울부짖음의 / 공포에 휩싸"(In the horror of the illimitable scream)이게 되자 침묵하게 된다. 화자는 임박한 두려운 죽음의 표상으로서 세이렌 같은 세 여인들을 환상으로 보고는 더욱 "공포를 넘어 경악하고, 두려움을 넘어 오싹하고, 말없게 되었다"(Frightened beyond fear, horrified past horror, calm). 엘리엇은 어둠 속에서 화자를 절체절명의 절망감으로 몰고 가는 죽음의 "공포의 순간"(moment of fear)을 극명하게 극화시키고 있는 것이다 (Patterson 273). 결국 북극 섬에서 빙산에 파선하여 죽음을 맞이하게 되는 화자 선원은 엘리엇 자신을 함의하는 플레바스로 드러나게 된다.

어린 시절 가족과 같이 여름휴가를 보낸 뉴잉글랜드의 록포트Rock Port 연안의 작은 3개의 바위섬인 "드라이 샐베이지즈"가 엘리엇의 상상력을 자극시켜서 시 『드라이 샐베이지즈』(*The Dry Salvages*, 1941)가 출간되기 훨씬 이전에 『황무지』 원고본에 등장한 것은 흥미롭다. 삭제된 위 시행들은 시상에서 호메로스'Ομηρος, Homer, BC 800?–750의 서사시 『오디세이아』(*Οδύσσεια, Odyssey*)와 단테Dante의 『신곡』(*Divina Commedia*)의 『지옥편』(*Inferno*) 제26곡에 등장하는 지옥으로 항해하는 율리시즈Ulysses와, 바다 항해에 관한 알프레드 테니슨Alfred Tennyson의 시 「율리시즈」("Ulysses")의 영향을 받은 것이다. 아울러 사무엘 테일러 콜리지Samuel Taylor Coleridge의 「노수부의 노래」("The Rime of the Ancient Mariner")와 허만 멜빌Herman Melville의 해양소설 『모비딕』(*Moby-Dick*)을 연상시킨다(Bradbrook 14, 20). 전자의 화자 노수부와 후자의 화자 이스마엘Ishmael은 각각 죽인 신천옹信天翁의 저주로 적도의 무풍지대에서 선원들이 죽어가는 것과 백경白鯨의 공격에 화자만 제외한 모든 선원들이 죽는 것과는 달리 엘리엇의 화자 뉴잉글랜드 선원은 북극의 빙산에서 배가 좌초되어 죽음을 맞이하게 되는 것이 다를 뿐이다. 『오디세이아』에 등장하여 매혹적인 노래를 불러서 항해하는 선원들을 익사시키는 세이렌Σειρήν, Siren들을 연상시키는 "세 여인들"(Three women)의 "내 감각을 매혹시킨 노래"(A song that charmed my senses)는 『황무지』 제3부 「불의 설법」에서 인용되는 라인강의 세 여인들의 노래와 상통하며, 템즈강의 세 처녀들의 성행위와 성폭행을 중첩적으로 연상시킨다. 위 시에는 간결한 대화체가 있지만, 죽음으로 향하는 북극 항해에 관한 지루한 서사로서 모더니즘 시의 참신성이 결여되는 것으로 판단되어 파운드는 플레바스가 등장하는 시행들만 남기고 전부 삭제하기를 요청하였고 엘리엇이 이를 수용했을 것이다.

IV

   지금까지 주로『황무지』의 출판 역사와 엘리엇 자신의 교정과 "시인 중의 시인"poet of poets인 파운드의 교정 요청에 의해 삭제된『황무지』원고본의 장시를 원전비평적 접근으로 고찰하였고, 비비엔이 교정을 본 사소한 부분은 연구에서 배제하였다. 모더니즘의 대표시『황무지』출현에는 엘리엇과 파운드의 조우가 필연적이고 운명적이었지만,『황무지』를 파운드의 작품이라고 규정하는 것은 지나친 주장이다. 그러나『황무지』원고본을 엘리엇 단독으로 출판했다면 현재와 같은 함축적이고도 난해한 시『황무지』는 빛을 보지 못했을 것이다.
   『황무지』가 출판되었을 당시 초창기 혹평에는 "허풍"hoax, "정신 나간" lacking in sanity 시, 정신과 의사들은 "부분적으로 파편화되고 일시적으로 자애적自愛的인 퇴행성"(a transitory narcissistic regression with partial fragmentation)을 보여주는 정신분열증인 "단어 샐러드"word salad라고 비판했다(Scott 62). 그러나『황무지』는 20세기의 대표적인 정전正典이 되었고, 현재까지『황무지』를 능가하는 시가 없을 정도로 모더니즘 시의 전설이 되었다. 한편으로『황무지』를 엘리엇과 파운드의 공저의 산물로 간주할 수도 있겠지만, 어디까지나『황무지』는 엘리엇의 정신적 자식이며, 파운드는 자신의 시 제목대로 "남자 산파"의 역할을 한 것뿐이다. 또한 엘리엇의『황무지』가 "한층 훌륭한 예술가"인 파운드의 난해한 연작 장편서사시『칸토스』(Cantos, 1925-1970) 작시에 영향을 끼친 것을 상기하는 것이 좋을 것이다. 이 장에서 다루지 못한『황무지』원고본의 부속시들인「성 나르키소스의 죽음」,「오페리온을 위한 노래」,「장례식」,「공작부인의 죽음」,「비가」,「만가」등에 관한 자세한 분석은 추후의 과제로 남기기로 한다.

『황무지』에 나타난 성애: 전기비평적 접근

I

　모더니즘 최고의 걸작으로 비평계에서 인정받아 온 난해한 시 엘리엇의 『황무지』는 전기적·상징적·원형비평적·정신분석학적·해체주의적·대화체론적 접근법 등으로 다양하게 해석되어 왔다. 또한 시에서 암시적·상징적으로 드러나는 성애性愛, sexuality에 대한 연구가 비교적 최근에 집중적으로 이루어져 온 것도 사실이다. 예컨대, 1985년에 스티븐 쿠트Stephen Coote가 발표한 「『황무지』에 나타난 성애와 종교」("Sexuality and Religion in *The Waste Land*"), 1988년에 앤드루 깁슨Andrew Gibson의 논문인 「『황무지』에 나타난 성애」("Sexuality in *The Waste Land*")는 이 시에서의 성애에 대한 본격적인 연구들이라 하겠다. 또한 2004년에 카산드라 레어티Cassandra Laity와 낸시 기시Nancy K. Gish가 공편한 『T. S. 엘리엇의 젠더, 욕망, 성애』(*Gender, Desire, and Sexuality in T. S. Eliot*)의 출판은 이 분야의 연구가 국외에서는 활발한 추세임을 보여준다. 필자는 『황무지』를 다년간 연구하고, 교육현장에서 가르치면서 깁슨의 지적대로 영성靈性, spirituality과 상극적 개념인 성애의 이해가 작품 해석의 중요한 관건이라는 확신을 갖게 되었다(Gibson 107). 물론 엘리엇이 시 전반에서 지속적으로 다루고 있는 성애는 불륜의 성을 의미하는 일그러진 사랑이다.

이렇게 엘리엇이 여러 가지 왜곡된 형태의 성을 『황무지』에서 표출한 것은 전기비평적 접근으로 조망할 때 첫 번째 아내 비비엔과 엘리엇의 스승 러셀과의 부정행위가 가장 큰 요인으로 작용했을 것이다. 게다가 엘리엇 자신도 탈장으로 부부관계가 매우 원만하지 못했고, 런던에서 받은 탈장 수술로 성불구였다는 것이 새롭게 발견된 점을 감안할 때, 엘리엇이 성애에 대하여 아주 민감한 반응을 보였고, 그의 시가 암시적·상징적으로 부도덕한 성애를 구현하고 있음을 쉽게 수긍할 수 있을 것이다. 제2장에서는 성적으로 만족하지 못한 엘리엇이 그의 아내 비비엔이 외도를 한 시절에 집필하고 발표한 『황무지』에 나타난 성애의 비정상적인 양상들을 주로 전기비평적 접근의 관점에서 집중적으로 고찰할 것이다. 논지를 전개하기 위하여 『T. S. 엘리엇의 서신 1898-1922년』, 『버트런드 러셀의 자서전 1872-1914년』(The Autobiography of Bertrand Russell 1872-1914), 『버트런드 러셀의 자서전 1914-1944년』(The Autobiography of Bertrand Russell 1914-1944), 비비엔의 숨겨진 사생활을 밝힌 전기로 주목받고 있는 캐럴 세이머-존즈 Carole Seymour-Jones의 『분칠한 유령』(Painted Shadow, 2001) 및 여러 비평적인 자료들을 면밀히 천착·분석함으로써 심도 있는 해석의 조망을 제시하고자 한다.

『황무지』에서 엘리엇이 원용하고 있는 웨스턴의 『제식에서 로맨스로』에 등장하는 어부왕Fisher-King의 신화에서 창Lance과 성배聖杯, Holy Grail가 각각 남근男根과 여근女根을 상징하듯이, 제1부의 「사자의 매장」에 나오는 "히아 신스 소녀"(hyacinth girl)에서도 성적 인유가 제시되어 있다.

> "1년 전 당신은 나에게 처음 히아신스를 주셨지요.
> 그래서 사람들은 나를 히아신스 소녀라고 불렀어요."
> ─그러나 그때 당신이 꽃을 한 아름 안고 이슬에 젖은 머리로
> 밤늦게 히아신스 정원에서 나와 함께 돌아 왔을 때,
> 나는 말이 안 나왔고 눈도 보이지 않았고, 나는
> 산 것도 죽은 것도 아니었고, 아무 것도 몰랐어요,
> 다만 빛의 한복판, 그 정적을 들여다보았을 뿐이었어요.
>
> (Eliot 1988, 58)

> "You gave me hyacinths first a year ago;
> They called me the hyacinth girl."
> ─Yet when we came back, late, from the Hyacinth garden,
> Your arms full, and your hair wet, I could not
> Speak, and my eyes failed, I was neither
> Living nor dead, and I knew nothing,
> Looking into the heart of light, the silence. (*WLF* 135-36: ll. 35-41)

"히아신스"를 스미스나 게이브리얼 모톨라Gabriel Motola는 "긴 못 형태의 꽃"으로 규정하고 있지만, 필자의 짧은 재배 경험에 의하면 히아신스는 여 성 성기 모양의 진홍색 또는 분홍색의 작은 꽃잎들이 남근 형태의 꽃대를

형성하여 몇 줄기의 잎에서 뻗어 나와 있는 형상이 발기한 남근을 연상시키기에 충분하므로 명백히 성적인 상징으로 간주할 수 있다(206; Smith 1974, 74). 따라서 "1년 전 당신은 나에게 처음 히아신스를 주셨지요"의 시행은 히아신스 소녀가 1년 전에 처음으로 남성과 성관계를 했다는 고백을 암시하고 있는 것이다. 태초의 에덴동산과, 「번트 노턴」("Burnt Norton," 1936)과 「내 아내에의 헌시」("A Dedication of my Wife," 1958)에 등장하는 "장미원"(rose-garden, *CPP* 171, 206)을 연상시키는 "히아신스 정원"(Hyacinth garden)에서 머리칼이 새벽이슬에 젖을 정도로 밤새도록 나눈 사랑은 낭만적인 사랑의 범주에 속한다고 볼 수 있다. 그러나 이러한 낭만적이고도 지고지순至高至純한 사랑은, 이졸데Isolde, Iseult를 태우고 오는 배의 돛을 발견하지 못해 죽어가는 트리스탄Tristan에게 목동이 불러주는 노래인 제42행 *바다는 황량하고 쓸쓸하네*(*Öd' und leer das Meer*)의 상반된 중세 로맨스의 시상과 병치되어, 결국 비극적인 종말을 맞이하게 됨을 암시함으로써 『황무지』 전체를 관류하는 사랑은 낭만적이든지 불륜이든지 간에 비극적인 죽음과 직결되고 있다(*WLF* 7; Jain 157).

한편, 엘리엇은 『황무지』의 제2부 「체스 게임」에서 고대 그리스 신화에 등장하는 트라키아Θράκη, Thrace의 야만스런 왕이자 형부인 테레우스Tereus에게 성폭행을 당하고 혀까지 잘린 치욕적인 수모를 겪었으나, 결국 나이팅게일로 변신한 필로멜라Philomela, Philomel의 그림을 통하여 성폭행은 시공을 초월하여 존재하는 현상임을 제시하고 있다.

> 고풍스런 벽난로 위에는
> 삼림의 풍경을 내려다보는 창문과도 같이
> 그 야만스런 왕에게 무참히 성폭행 당한
> 필로멜라의 변신 그림이 걸려 있다. 그러나 그 속에서 나이팅게일은

감히 범할 수 없는 목소리로 전 황야를 가득 채우며
여전히 울고 있고, 세상은 여전히 그 짓을 계속하고 있다,
추잡한 귓전에 "적 적." (Eliot 1988, 60-61)

Above the antique mantel was displayed
As though a window gave upon the sylvan scene
The change of Philomel, by the barbarous king
So rudely forced; yet there the nightingale
Filled all the desert with inviolable voice
And still she cried, and still the world pursues,
"Jug Jug" to dirty ears. (*WLF* 137: ll. 97-103)

부인 프로크네Procne가 살아 있지만 죽었다는 거짓말로 성적 유혹을 하여
처제 필로멜라를 겁탈한 형부 테레우스 왕의 행동과 같은 비윤리적인 성폭
행을 세상 사람들이 어리석게도 끊임없이 추구하고 있음을 엘리엇은 암시
하고 있는 것이다. 벽난로 위에 걸려 있는 나이팅게일로 변신한 필로멜라의
그림을 바라보는 엘리엇의 시각적 상상력은 청각적 상상력과 연결되어 나
이팅게일의 지저귀는 소리인 "적 적"으로 표현되어 있다. 또한 이 의성어가
성교 시에 발생하는 소리를 조잡한 농담으로 표현한 것과 일맥상통하는 특
별한 의미가 함축되어 있는 것은 "Jug Jug"을 대문자로 표시하고, 제204행
에서 "적"을 짐승을 상징하는 숫자인 6번 반복적으로 표현한 엘리엇의 의
도에서 짐작할 수 있을 것이다(Jain 166).
　한편, 고대의 이러한 성적 타락상이 현대에도 지속되고 있음을 엘리엇은
"온욕"溫浴과 "차"車라는 레저 문화와 대표적인 문명의 이기를 즐기는 현대
인의 성생활을 통해 보여주고 있다.

열 시에 온욕.

그리고 비가 오면 네 시에 문이 닫힌 차로. (Eliot 1988, 62)

The hot water at ten.

And if it rains, a closed car at four. (*WLF* 138: ll. 135-36)

오전 "열 시에 온욕"의 시행은 유한有閑 남녀가 온탕이나 열탕에서 함께 몸을 씻으면서 나눌 은밀한 정사를 암시하고 있다. 또한 "비가 오면" 오후 "네 시에 문이 닫힌 차"는 앞에서 언급한 히아신스 정원이나 필로멜라의 그림이 걸려 있는 벽난로 옆이 아닌 오늘날 유행하는 차문을 잠근 채로 좁은 공간의 승용차 안에서 즐기는 카섹스를 연상하기에 충분하다. 여기서 엘리엇은 성행위가 한가한 오전과 오후 시간대에 이루어지는 불륜의 사랑임을 암시하고, 이것이 자동차와 같은 더욱 편리하고 좁은 공간에서도 쉽사리 이루어지고 있는 정황을 묘파하고 있는 것이다.

이어서 「체스 게임」의 후반부 제139-71행은 선술집 안에서 주고받는 릴 Lil과 친구와의 이야기가 생동감 있는 대화체로 전개되고 있다. 이 대화의 중심은 4년 동안 군대에 가 있던 릴의 남편 알버트Albert에게 집중된다.

이제 알버트도 돌아왔으니 몸을 좀 예쁘게 해요.
그가 당신에게 이를 해 넣으라고 주고 간 돈을 어떻게 했는가
알고자 할 거예요. 그가 주었지요, 나도 있는 자리에서.
릴, 이를 다 빼고서 아주 새 틀니를 해 넣어요,
쌍통이라고 정말 볼 수 없으니, 그가 그렇게 말했었지요.
나도 그렇다고 말해 주었지요. 그리고 가엾은 알버트 생각을 좀 해요.
4년이나 군대에 있었으니 재미 볼 생각을 할 거예요.
만일 당신이 그걸 모른 체한다면 딴 여자들이 나설 거예요, 라고 말했
　지요. (Eliot 1988, 62)

Now Albert's coming back, make yourself a bit smart.
He'll want to know what you done with that money he gave you
To get herself some teeth. He did, I was there.
You have them all out, Lil, and get a nice set,
He said, I swear, I can't bear to look at you.
And no more can't I, I said, and think of poor Albert,
He's been in the army four years, he wants a good time,
And if you don't give it him, there's others will, I said.

(WLF 138-39: ll. 142-49)

이 4년이란 기간은 1914년 6월 28일에 보스니아의 수도 사라예보에서 세르비아의 민족주의자가 오스트리아의 황위 계승자 프란츠 페르디난트Franz Ferdinand를 암살한 사건에서 촉발되어 독일, 오스트리아, 헝가리, 터키의 동맹국과, 프랑스, 영국, 러시아, 이탈리아, 일본, 미국 등 연합국과의 전쟁으로 1918년 11월 11일 프랑스의 르똥드Rethondes에서 협정이 조인됨으로써 종전된 제1차 세계대전을 명백히 시사한다. 이 대전은 1917년 11월 26일, 러시아 볼셰비키 혁명의 주역인 레닌Lenin의 일방적인 종전 선언으로 독일의 동부 전선이 소강상태에 들어갔다. 그러나 1916년 5월 23일 엘리엇의 어머니 샬롯 엘리엇Charlotte C. Eliot이 러셀에게 보낸 서신에서 독일의 미국 정기선에 대한 공격과 미국의 참전을 우려한 것이 여전히 현실로 드러나 있었다(LE 139). 중립국 선박에 대한 당시 독일의 최신 무기인 잠수함의 무차별 공격은 영국뿐만 아니라 미국도 막대한 피해를 입혔다. 이 후 1918년 9월까지 미국의 120만 지원군의 참전으로 전세는 급격히 종전으로 치닫게 되고, 결국 제1차 세계대전은 연합국에게 승전을 가져 다 주었다. 이 당시 엘리엇은 영국의 옥스퍼드대 머턴Merton 대학에 머물면서 『F. H. 브래들리 철학의 인식과 경험』(Knowledge and Experience in the Philosophy of F.

H. Bradley)의 박사학위 논문을 완성하고 이를 하버드대학교로 제출하였지만, 독일의 잠수함 공격을 우려하여 대서양을 횡단하지 못해 모교의 박사학위 논문 구술고사에 참석하지 못한 유명한 일화가 있다.

제1차 세계대전으로 남성들의 숫자가 격감하고, 여성들의 성적 욕망의 해결은 경쟁이 치열한 잔인했던 당시 사회였음을 엘리엇은 시에서 잘 표출하고 있다(Gibson 108). 참전한 남편 알버트가 죽음의 세계를 경험하는 전쟁터에 있는 동안 이에 반해, 아이가 5명에다 "막내 조지"(young George)를 낙태시키려고 피임약을 먹다가 죽을 뻔한 31세의 릴의 세계는 제154행 "잘못하면 다른 것들이 골라잡을 거예요,"(Others can pick and choose if you can't,)가 시사하고 있다. 다산을 하면서 낙태 피임약을 복용한 릴 같은 여성들이 칼슘 부족으로 치아가 빠져 젊음과 미모를 상실당하고, 조로早老 증상이 발생하는 실상을 엘리엇은 극명하게 잘 드러내고 있다. 알버트가 생명을 담보로 한 전쟁터에서 4년을 보내는 동안 릴은 치아를 해 넣고 아름다움을 찾으라고 받은 돈을 남편의 기대에 어긋나게 불륜의 행각에 탕진한 것으로 추정된다. 이것은 전쟁이 부부를 포함한 남녀의 아름다운 성생활을 박탈하여 인간성을 황폐하게 만드는 원인임을 엘리엇이 밝히고 있다. 「체스 게임」의 마지막에서 햄릿의 연인 오필리아Ophelia가 익사하기 전에 여인들에게 남기는 작별 인사로서 제172행 "굿나잇, 귀부인들, 굿나잇, 아름다운 아가씨들, 굿나잇, 굿나잇"(Good night, ladies, good night, sweet ladies, good night, good night)을 엘리엇이 인용, 병치함으로써 릴로 대변되는 전후戰後 세대의 성적 좌절감 및 영성이 결여된 성애와, 죽음과의 동질성을 표출하고 있다(Gibson 109).

한편, 제3부 「불의 설법」에는 템즈 강가에서 여름철에 놀던 아가씨들과 그들의 애인이자 도시 중역重役들의 상속자 한량閑良들이 아무런 주소도 남기지 않고 떠난 황량한 모습이 제시되어 있다.

물위엔 빈 병도, 샌드위치 포장지도 떠 있지 않다.
비단 손수건도, 마분지 상자갑도, 담배꽁초도,
또는 기타 여름밤을 상기시키는 아무런 표시도 없다. 요정들도 사라졌다.
그리고 그 짝들, 도시 중역들의 놀아먹는 자식들도
사라져 버렸다. 주소도 남기지 않고. (Eliot 1988, 64)

The river bears no empty bottles, sandwich papers,
Silk handkerchiefs, cardboard boxes, cigarette ends
Or other testimony of summer nights. The nymphs are departed.
And their friends, the loitering heirs of city directors;
Departed, have left no addresses. (*WLF* 139: ll. 177-81)

여름철 밤에 템즈 강가에서 샌드위치를 먹고 술을 마시면서, 뜨거운 키스와 성교를 한 뒤에 얼굴과 입술 및 성기, 특히 남성의 정액과 여성의 질액을 닦아내기 위해 오늘날의 화장지 대용으로 당시에 사용된 "비단 손수건"(Silk handkerchiefs)에서 타락한 상류층 사람들의 풍요로운 물질주의를 냉소적으로 풍자하고 있다(Walter 991). 이것과 더불어 남성의 콘돔을 담은 마분지 상자갑과 담배꽁초들도 자취를 감추었다. 여름, 즉 인생의 여름인 청춘의 계절에 인간의 시간을 의미하는 강가에서 이렇게 쾌락에 탐닉한 부도덕한 성애의 흔적은 역시 흘러가는 강물처럼 사라져버린다.

이제 엘리엇은 앞에서 시각적 상상력으로 묘사한 "문이 닫힌 차"(a closed car)를 청각적 상상력을 발휘하여 자동차의 "경적과 모터 소리"(The sound of horns and motors)로 재현시킨다. 이 자동차는 등장인물들인 "스위니"Sweeney와 "포터 부인"Mrs. Porter의 불륜적인 성애를 구현하는 매개체 역할을 하면서 현대인의 성적 타락상을 더욱 구체화시킨다.

그러나 때때로 내 등 뒤에서 들리는
자동차의 경적과 모터 소리, 이 차는
스위니를 싣고 샘물 속에 있는 포터 부인에게로 데려가겠지.
오 달이 비치네, 찬란히 포터 부인과
그 딸에게
그들은 소다수에 발을 씻고 있고나
오, 원형 천장 아래 합창하는 어린이 찬양대 목소리여!

쨱 쨱 쨱
적 적 적 적 적 적
참으로 잔인하게 성폭행을 당하여.
테러우 (Eliot 1988, 65)

But at my back from time to time I hear
The sound of horns and motors, which shall bring
Sweeney to Mrs. Porter in the spring.
O the moon shone bright on Mrs. Porter
And on her daughter
They wash their feet in soda water
Et, O ces voix d'enfants, chantant dans la coupole!

Twit twit twit
Jug jug jug jug jug jug
So rudely forc'd.
Tereu (*WLF* 140: 196-206행)

여기서 "스위니"는 엘리엇의 「나이팅게일에 에워싸인 스위니」("Sweeney Among the Nightingales"), 「똑바로 일어선 스위니」("Sweeney Erect"), 「투사 스위니」("Sweeney Agonistes") 등의 작품에도 등장하는 인물로서 금수禽獸와 다름없는 천박한 속물의 성욕과 성애를 상징한다. 이 스위니를 샘물, 즉 노천온천露天溫泉 속에 있는 포터 부인에게 태우고 갈 자동차의 "경적과 모터 소리" 역시 현대 문명의 총아인 자동차가 성적 쾌락을 추구하는 남녀의 연결고리와 쾌락에 탐닉하는 도구로 전락했음을 암시하고 있다. 엘리엇은 샘물 속에서 목욕하는 달과 처녀성의 여신 디아나Diana; 그리스 신화의 아르테미스[Ἄρτεμις, Artemis]의 알몸을 사냥꾼 악타이온Actaeon이 목격하자 분노한 여신이 그를 사슴으로 변신시키고, 그의 50마리 사냥개들에게 쫓기다 물려 죽게 하는 고대 로마 신화를 원용하고 있는 엘리자베스조의 극작가 존 데이John Day의 풍자 알레고리인 『벌들의 회의』(*The Parliament of Bees*, 1641)를 역시 원용했다고 「주석」에서 밝히고 있다.[12] 엘리엇은 고대의 "뿔피리" 소리와 현대의 자동차 "경적" 소리를 동시에 의미하는 동음이의어인 "horns"를 사용함으로써 성적 호기심의 발동 결과 사슴으로 변신한 악타이온을 수성獸性의 상징인 스위니와 동일시하고 있다. 또한 변화의 상징이자 달의 여신을 연상시키는 달이 찬란히 비치는 밤에 포터 부인과 그녀의 딸이 소다수로 발을 씻는 동작에서 당시의 성문화를 유추하게 한다. 정신분석학적 접근법으로 고찰할 경우, 고유인명 "포터"Porter는 "문"門의 의미로 여성성을 암시하는 프랑스어의 여성명사 "porte"에서 유래된 것으로 여겨진다. 따라서 포터 여사를 가싱턴Garsington의 출입문을 당대 문호들에게 개방

---

12) 엘리엇이 「주석」에서 원용 출처를 밝히고 있는 『벌들의 회의』의 원문은 아래와 같다.

> When of the sudden, listening, you shall hear,
> A noise of horns and hunting, which shall bring
> Actaeon to Diana in the spring,
> Where all shall see her naked skin... (*WLF* 147)

한 오토라인 모렐 여사Lady Ottoline Morell와 동일시하는 것도 무리는 아닐 것이다. 엘리엇은『황무지』의「주석」에서 포터 부인과 그 딸이 나오는 민요의 출처에 대하여 호주의 시드니Sydney에서 들은 풍문이므로 모른다고 진술하고 있다(WLF 147). 그러나 로버트 페인Robert Payne에 의하면, 민요의 원조는 "18세기 거리의 노래"이며, 일부 편곡된 민요에는 포터 여사가 카이로Cairo의 갈보집 주인으로 등장한다(Jain 172 재인용). 또한 여기서 "발"feet은 제1차 세계대전 당시 격전지였던 갈리폴리Gallipoli, Gelibolu에서 호주의 병사들이 불렀던 노래에서 차용한 것인데, 페인의 원전에는 "발"이 생략되어 있고, 실제 불린 가사에는 "발" 대신에 "여성기"cunt로 나와 있다(Smith 1974, 86 재인용; 안중은 2008, 27). 또한 온천수나 광천수鑛泉水와 같은 "소다수"soda water가 당대에 영국 런던에서 남녀의 성행위 후에 특별히 성기 세정제로 사용되었음은 빅토리아 시대의 상류층 재력가인 월터Walter의 성적 자서전인『나의 은밀한 생애』(My Secret Life)를 일독하면 쉽게 이해할 수 있을 것이다. 따라서 엘리엇이 포터 부인과 그녀의 딸이 소다수로 성기를 씻는다는 은밀한 내용을 함축함으로써 스위니가 자동차를 타고 가서 모녀와 1:2, 즉 불륜의 3인 성교threesome를 하는 것으로 유추할 수 있다. 이와 같이 남성과 여성 모녀와의 부도덕한 성애에서 드러난 극도의 성적인 타락상은 18세기 이탈리아의 희대의 엽색가인 지오반니 카사노바Giovanni Casanova, 1725-1798의 여성 편력이나, 앨리스Alys, 도라Dora, 패트리샤Patricia, 에디스Edith 여성들과 네 번 결혼하고서도 오토라인과 비비엔 등 수많은 애인을 거느린 자유연애론자 러셀의 타락한 성적 일탈을 떠올리게 한다. 특히 러셀은 1911년경 자신의 아파트에서 3주간 지낸 오토라인과도 지속적인 성관계를 유지하면서 그녀에게 보낸 1915년 11월 10일자 우편 소인이 찍힌 편지에서 엘리엇을 "내 아들 같이"(as if he were my son) 여긴 것으로 보아서 부적절한 성관계를 맺은 비비엔을 딸과 동일시할 경우 스위니가 바로 러셀임을 뚜렷이 암시한다(Russell 62; Seymour-Jones 123, 128). 다시 말해, 러셀은 오토라인의 가싱턴과, 비비엔과 엘리엇이 입주해 있던 자신의 아파트가 위치한 베리가Bury Street 사이에서 이중의 성애를 지속적으로 탐닉한 것이다(Seymour-Jones 119). 게다가 「나이팅게일에 에워싸인 스위니」에서 엘리엇은 스위니를 원숭이, 얼룩말, 기린 등에 비유하고 있는데, 실제로 러셀의 신체적인 특징은 목이 긴 원숭이나 말에 비유될 수 있고, 그의 특유한 행동은 너털웃음이다. 또한 미국을 방문한 러셀을 대상으로 작시한, 호색가好色家를 표상하는 반인반수신半人半獸神 사티로스σάτυρος, satyr가 등장하는 「아폴리낙스 씨」("Mr. Apollinax")의 특징 역시 그의 "웃음소리" laughter이다(CPP 31). 이러한 스위니와 아폴리낙스 씨의 공통된 특징인 너털웃음은 세이머-존즈가 러셀의 특징을 너털웃음neighing laugh으로 밝힌 것과, 로렌스D. H. Lawrence가 러셀을 모델로 한 그의 소설 『연애하는 여인들』 (Women in Love, 1920)에 등장하는 재담가 조수아 말러슨 경Sir Joshua Malleson의 너털웃음horse-laugh과 연관이 있다고 하겠다(Seymour-Jones 126). 이렇게 성애에 대해 자유분방하던 러셀은 그의 저서 『결혼과 성性』 (Marriage and Morals, 1929)에서 계약결혼, 혼외정사, 자유연애 등 파격적인 주장을 피력함으로써 파문을 일으킨 바 있다.

한편, 음악성이 풍부한 베를렌느Verlaine의 프랑스 시행인 성당에서의 어린이 찬양대원들의 청아한 목소리를 제202행으로 인용·병치시킴으로써 엘리엇은 부도덕한 성행위가 범람하는 이 황무지 같은 세상에서 구원의 가능성을 시사하고 있다. 그러나 구원의 음성이 한 시행에 불과한 반면, 시인의 청각적 상상력으로 표출되는 타락한 성애의 소리는 두 시행으로 구원보다 성적 타락상이 더욱 편만遍滿되어 있음을 짐작하게 한다. 또한 "Philomel" 의 이름의 의미인 "음音, 즉 멜로디 사랑"에 의거하여, "쨱 쨱 쨱"과 "적 적 적 적 적 적"을 매(또는 후투티)로 변신하기 전의 테레우스 왕에게 성폭행 당한 필로멜라가 변신한 제비 또는 나이팅게일의 지저귀는 소리들로 간주할 수 있다. 전자의 관점에서 서로 다른 새소리를 각각 키스할 때와 성교시에 발생하는 의성어로 동일시할 경우, 이는 다시 처절한 성폭행에서 고대 그리스 신화의 세계와 현대의 물질문명 세계가 시간을 초월하여 서로 직결되고 있음을 시사하고 있다.

"공허한 시티" 런던의 "겨울철 한낮의 갈색 안개 속에서" 유게니데스 씨는 "스미르나(서머나)의 상인"으로서 "면도를 하지 않은" 모습으로 등장한다.

> 공허한 시티,
> 겨울 한낮의 갈색 안개 속에서
> 유게니데스 씨, 스미르나의 상인은
> 수염이 시꺼멓고, 호주머니 가득 건포도의
> 런던착 운임 보험료 지불 보증 일람불—覽拂어음을 가지고 있었다.
> 그는 저속한 프랑스 말로
> 캐넌 스트리트 호텔의 오찬에 나를 초대하고
> 이어서 주말 휴가는 메트로폴 호텔에서 쉬자는 것이었다.
>
> (Eliot 1988, 65)

> Unreal City,
> Under the brown fog of a winter noon
> Mr. Eugenides, the Smyrna merchant
> Unshaven, with a pocket full of currants
> C.i.f. London: documents at sight,
> Asked me in demotic French
> To luncheon at the Cannon Street Hotel
> Followed by a weekend at the Metropole. (*WLF* 140: ll. 207-14)

우선 "겨울철 한낮의 갈색 안개 속에서"(Under the brown fog of a winter noon)의 시행은 제62행 "겨울철 새벽의 갈색 안개 속에서"(Under the brown fog of a winter dawn)의 시행과 시간적인 맥락에서 시상이 연결되는데, 새벽의 갈색 안개 속에서 유령 같은 런던 시민들의 군상이 죽음의 심상과 일치되듯이 한낮의 갈색 안개 속에서 이루어지는 상거래 또한 죽음임을 암시하고 있다. 유게니데스 씨는 대도시 스미르나의 상인이므로 현대의 물질문명을 표상하고, 면도를 하지 않은 그의 모습은 터키의 많은 남성들이 권위의 표시로 알라신이 계시해준 콧수염을 기르는 것을 연상시키지만, 생물학적으로 남성성을 함축하는 수염에서 동성애자 중에서 남성 역할을 하는 인물로, 그 불결함에서 현대 물질문명의 타락상을 동시에 암시하고 있다. 또 그의 호주머니에 "건포도"(currants) 런던착 운임 및 보험료 지불 보증 일람불어음이 가득하다는 것은, "포도"(grapes)가 「나이팅게일에 에워싸인 스위니」에서 남성의 정자를 생산하는 고환의 상징이라는 점을 고려하면, 생식력이 결여되어 있음을 시사하고 있다(Roby 65; 안중은 2008, 53). 또한 그가 "저속한 프랑스어"(demotic French)를 사용한다는 점에서 그의 사교성이 세련되지 않고 저급함을 나타내고 있다. "캐넌 스트리트 호텔"(Cannon Street Hotel)의 "캐넌"이 소문자 "캐넌"(cannon)으로 사용될 경우에 "대포" 大砲의 의미이고, "메트로폴"(Metropole)의 접두사 "메트로"(Metro)는 "자궁"子宮을 의미하며, "폴"(pole)은 "장대"를 뜻하므로 정신분석학적 비평의 접근으로 해석할 경우에 남근과 성교를 함축하는 용어임을 쉽게 알 수 있다. 따라서 무디A. D. Moody가 규정했듯이 "남색男色의 스미르나 상인"인 유게니데스 씨가 남성 화자인 "나를"(me) 이 두 장소로 오찬과 주말 휴가로 초대한 것에서 동성애同性愛, homosexuality 특히 남성 동성애를 강력히 시사하며, 엘리엇은 이것을 또 하나의 부도덕한 성행위로 암시하고 있는 것이다 (Moody 90; 김형태 1996, 12; 안중은 2006, 179).

여기서 이러한 동성애를 엘리엇이 실제 경험했느냐의 문제가 제기되는데, 엘리엇이 『프루프록과 그 밖의 관찰들』(*Prufrock and Other Observations*, 1917)을 제1차 세계대전의 격전지였던 "다다넬즈 해협에서 전사"(Mort aux Dardanelles)한 프랑스 친구인 장 베르드날Jean Verdenal, 1889-1915에게 헌정한 사실을 통해서 엘리엇과 베르드날의 깊은 우정 내지 동성애까지 유추할 수 있을 것이다(*CPP* 11). 그러면 엘리엇과 베르드날의 관계가 우정에만 머물렀는가 아니면 우정에서 동성애로까지 진전되었는가? 실제 엘리엇이 런던 로이즈 은행에 8년 정도 근무하면서 대출을 해주고 유게니데스 씨 같은 무역 상인들로부터 동성애 제안을 받았을 가능성도 배제할 수 없다. 그러나 위의 시에서 엘리엇이 강력히 제시하고자 했던 것은 마치 창세기Genesis의 번성한 도성들인 소돔Sodom과 고모라Gomorrah가 각각 "남색, 수간"獸姦, sodomy과 "임질"gonorrhea이란 극도로 타락한 성적 용어의 기원이듯 물질문명의 발달은 성적 타락상과 함수 관계가 있다는 점이다. 또한 엘리엇은 베르드날과의 동성애 이후, 첫 번째 부인 비비엔과 바로 결혼을 했으니 이는 엘리엇이 양성애兩性愛, bisexuality를 추구한 것으로 여겨진다. 이러한 필자의 견해를 뒷받침하는 콜린 라모스Colleen Lamos의 논문 「T. S. 엘리엇의 연가: 초기시의 비가적 동성애」("The Love Song of T. S. Eliot: Elegiac Homoeroticism in the Early Poetry," 2004)는 엘리엇의 동성애애호증homophilia과 동성애혐오증homophobia을 극명하게 규명하고 있다. 라모스에 의하면, 존 피터John Peter가 이미 1952년 『평론』(*Essays in Criticism*)에 발표한 「『황무지』의 새로운 해석」("A New Interpretation of *The Waste Land* ")에서 엘리엇의 "동성애"를 암시했고, 이에 반발한 엘리엇은 명예훼손죄로 고발하겠다며 동성애를 수록한 비난의 비평지 『평론』을 모두 파기할 것을 요구했다. 피터는 엘리엇에게 고통과 심려를 끼친 데 대하여 사과문을 보내고, 결국 『평론』은 출간되자마자 즉각 파기되었다. 그러나 엘리엇

사후 4년인 1969년『평론』에 피터가 철회한 글이 재수록되고, 덧붙인 「후기」("Postscript")에서 피터는 더욱 분명히 엘리엇이 파리에서 절친하게 지낸 베르드날과 밀접한 낭만적 애착을 가졌으나 이 청년의 익사로 그들의 은밀하고 비밀스런 관계가 갑자기 단절되었다고 덧붙임으로써 엘리엇의 동성애를 기정사실로 주장한 최초의 엘리엇 학자가 되었다(165; Lamos 24). 엘리엇이 동성애를 부인하고 그의 작품에 대해 그런 관점으로의 접근을 저지한 것은 25년이나 지속되었고, 1977년 출판된 제임스 E. 밀러 2세James E. Miller, Jr.의『T. S. 엘리엇의 개인적 황무지: 마귀의 퇴출』(*T. S. Eliot's Personal Waste Land: Exorcism of the Demons*)에 의해 다시 촉발되었으나, 로날드 부시Ronald Bush와 무디 같은 학자들에 의해 무시당해 왔다. 엘리엇의 여성혐오증이 그의 잠재적인 동성애를 의미하는 것이 아니라는 주장을 한 학자들 중에서 피터 애크로이드Peter Ackroyd는 엘리엇의 생애에서 감추어진 추문을 추적하는 학자들을 힐난하고 있다. 엘리엇과 여인들의 관계를 상세히 천착한 고던도 1998년에 출간한 엘리엇의 전기인『T. S. 엘리엇: 불완전한 생애』(*T. S. Eliot: An Imperfect Life*)에서 엘리엇과 베르드날의 우정이나 그의 시에서의 동성애 분석을 회피하고 있다고 라모스는 지적한다(Lamos 25-26 재인용). 한편, 존 메이어John T. Mayer는 1989년에 출판한『T. S. 엘리엇의 침묵의 목소리들』(*T. S. Eliot's Silent Voices*)에서 미국과는 달리 유럽, 특히 프랑스에서는 남성간의 사랑이 자연스럽다고 주장함으로써 엘리엇과 베르드날의 동성애 가능성에 비중을 두고 있다. 또한 2001년에 출판된 세이머-존즈의『분칠한 유령』은 비비엔의 혁신적인 전기로서 엘리엇의 동성애적 체험을 상술하고 있다. 세이머-존즈는 베르드날과의 동성애뿐만 아니라 엘리엇, 비비엔, 러셀과의 삼각관계를 자세하게 다루면서 "엘리엇이 비비엔을 러셀에게 허락하는 방법에서 동성애 대리 만족의 요소가 있었다"라고 주장한다(Seymour-Jones 339).

아울러 1920년대와 30년대에 베르드날 이외에 러시아 발레단Ballets Russes의 주역 배우인 레오니드 마신느Léonide Massine와, 엘리엇 부부와 6개월간 함께 지낸 잭Jack이라는 독일 청년을 엘리엇과 동성애를 나눈 실존 인물들로 부각시키고 있다. 파리와 런던에서 러시아 발레단의 공연을 많이 본 엘리엇은 1922년 5월경에, 가싱턴을 출입하여 오토라인과도 절친하게 지내는 마신느를 처음 만나게 되고, 이들의 관계는 급속히 가까워지게 된다. 1923년 4월에 엘리엇은 자신의 몰개성이론이 마신느를 통해 발레에서 구현되는 것을 발견하자, 그를 "런던의 가장 위대한 배우... 가장 완벽하게 비인간적이고, 몰개성적이며, 추상적이다"라고 극찬한다(Seymour-Jones 339, 342). 1924년에 아내 베라 사비나Vera Savina와 이혼한 마신느와, 1925-1929년 사이에 공연 분위기가 퇴폐적이고 동성애적으로 변질되어 가는 러시아 발레단에 엘리엇이 깊이 빠지게 된 것은 마신느와의 동성애 가능성을 시사하는 것이다(Seymour-Jones 423, 429-30). 또한 비비엔이 아프던 1923년 5월경에 아내와는 합방을 거의 하지 않던 엘리엇이 깔끔하고, 상냥한 표정을 하며, 예의가 바른 독일 청년 잭을 집으로 초청하여 동숙하게 된다. 그러나 동년 7월경 갑자기 잭이 말이 없고, 침울하며, 무례하게 행동하게 되는데 엘리엇과 동성애의 화합을 이루지 못한 결과로 추정된다. 결국 12월 말경에 동성애에서 여성의 역할을 했을 잭은 엘리엇으로부터 눈에 멍이 들도록 얻어맞고서 쫓겨나게 된다(Seymour-Jones 368-70). 라모스는 세이머-존즈의 이 주장이 학계의 논쟁을 야기할 수 있지만, 엘리엇의 동성애와 동성애 혐오증을 확증하는 데에 의의가 있다고 주장하고 있다. 엘리엇 자신이 강력히 부정했음에도 불구하고 필자는 그의 동성애에 무게를 두고 그 가능성을 위의 인용시와 세이머-존즈와 라모스의 철저한 연구 결과에 동조한다. 그러나 엘리엇이 「수사」에서 익사한 "페니키아인 플레바스"(Phlebas the Phoenician)를 애도하고 조의를 표한다고 해서 이 시가 다다넬즈 해협에서 전사한 베르드날과 엘리엇의 동성애를 반증하고, 그를 추모하는 비가로 보는 것은 지나친 주장이다(Lamos 27). 제1장 「『황무지』 원고본: 원전비평적 접근」에서 고찰했듯이 플레바스는 엘리엇 자신을 함의하기 때문이다. 그러나 말이 없고 수줍음을 잘 타는 깔끔한 성격의 엘리엇의 사진과 군복을 입고 콧수염을 기른 남성다운 베르드날의 사진 및 매끈한 근육질의 육체미를 소유한 마신느의 사진을 면밀히 대조하면, 이들과의 동성애에서 엘리엇이 여성의 역할을 했을 가능성이 충분히 엿보인다. 특히 발레단 소속의 마신느는 러셀로부터 발레 교습비를 지원받아 일주일에 세 번씩 소호Soho 카나비가Carnaby Street의 지하 무도장에 출입하여 발레 교습을 받은 아내 비비엔의 대체 효과를 내는 역할을 한 것으로 볼 수 있기 때문이다(Seymour-Jones 126).

한편, 엘리엇은 속물적인 스위니와 연결되는 "화농투성이의 청년"(the young man carbuncular, 231행)인 "몸집이 작은 주택 소개업소의 서기"(a small house agent's clerk, 232행)와 여타자수의 기계적이고, 따분하며, 진솔한 사랑이 결여된 불륜의 성행위를 함축적으로 제시하고 있다. 물론 성행위의 순간을 엘리엇이 로렌스의 『채털리 부인의 연인』(*Lady Chatterley's Lover*, 1928)처럼 적나라하게 묘사하는 것은 아니다. 다만 엘리엇은 제218-19행 "나 테이레시아스,... / 쭈글쭈글한 여자 젖가슴을 가진 노인"(I Tiresias,... / Old man with wrinkled female breasts)에서 묘사하듯이 화자와 동일시되는 테이레시아스Τειρεσίας, Tiresias의 독백을 괄호 안에 삽입함으로써 그 사이에 성행위가 이루어졌음을 암시하고 있을 뿐이다.

(그리고 나 테이레시아스는 이 긴 의자, 즉 베드에서
연출된 모든 일을 벌써 경험한 바다.
테베의 성벽 밑에 앉아도 봤고

비천한 주검 사이를 걸어본 나다) (Eliot 1988, 66)

(And I Tiresias have foresuffered all
Enacted on this same divan or bed;
I who have sat by Thebes below the wall
And walked among the lowest of the dead.) (*WLF* 141: ll. 242-45)

　"긴 의자, 즉 베드에서 / 연출된 모든 일을 벌써 경험한" 남녀 양성의 테이레시아스는 남성성과 여성성의 특성과 욕망의 세계에 대해서는 통달한 달인이고, "비천한 주검 사이를 걸어본" 그의 죽음의 세계에 관한 경험의 병치는 진정한 사랑이 없는 기계적인 성애와 죽음의 동질성을 강조하려는 엘리엇의 시적 기교로 보인다. 주지하듯이 그리스 신화에 등장하는 테이레시아스는 오이디푸스Οἰδίπους, Oedipus 왕이 테베의 가뭄 원인에 관한 자문을 구하기도 한 대단한 능력의 장님 예언자였다. 그러나 이 예언의 능력을 제우스Ζεύς, Zeus로부터 선사 받기 전에 남녀 양성을 한 몸에 지니고 있던 그는 제우스와 헤라Ἥρα, Hera의 성적 논쟁의 시험이 되었다. 남녀가 성교 시에 누가 더 많은 쾌락을 만끽하느냐는 제우스와 헤라의 질문에 대해 여성의 쾌감이 남성의 쾌감보다 9배나 더 강하다는 테이레시아스의 답변을 듣고 분노한 헤라가 그를 장님으로 만들지만, 제우스가 그에게 아폴론 못지 않은 예언의 능력으로 보상을 해준다. 이러한 남녀 양성의 예언자 테이레시아스가 *간파*하는 것이 『황무지』 "시의 실체"임을 엘리엇이 「주석」에서 언급함으로써, 이 시의 핵심이 "공허하고 무익한 성적 심상"인 동시에 이러한 성애가 곧 죽음임을 시사하고 있다(*WLF* 148; Gibson 112; Moody 92). 물론 쿠트는 테이레시아스가 양성구유자兩性具有者, hermaphrodite이지 동성애 인물homosexual figure이 아님을 강조하고 있지만, 독자로 하여금 시인 엘리엇 자신을 예언자 테이레시아스와 동일시하도록 유도함으로써 엘리엇이 남녀 양성의 테이레시아스와 같이 양성애를 추구했다는 추정의 단초를 제공하고 있음을 부인할 수 없다(Coote 83).

이어서 기계적이고 사랑 없는 정사를 마친 후의 여타자수의 행위 또한 기계적임을 엘리엇은 표출하고 있다.

> 여자는 돌아서서 잠시 거울을 들여다본다.
> 떠나간 애인의 생각은 이제 거의 없이.
> 하나의 희미한 생각이 여자의 뇌리를 스쳐간다.
> "자 이젠 끝났다. 끝나서 기쁘다."
> 아리따운 여인이 어리석음에 빠지고,
> 혼자서 다시 방 안을 거닐 때에,
> 자연스런 손길로 머리칼을 쓰다듬고,
> 축음기에 음반을 거는 것이다. (Eliot 1988, 66-67)

> She turns and looks a moment in the glass,
> Hardly aware of her departed lover;
> Her brain allows one half-formed thought to pass:
> "Well now that's done; and I'm glad it's over."
> When lovely woman stoops to folly and
> Paces about her room again, alone,
> She smoothes her hair with automatic hand,
> And puts a record on the gramophone. (*WLF* 141: ll. 249-56)

여타자수와 화농투성이 청년의 성행위는 여자 "타자수"라는 표현에서 연상되는 "타자기"와, 주로 LP 레코드판을 뜻하는 "음반" 및 "축음기"의 기계적인 용어들을 통하여 현대 물질문명하의 남녀들의 무의미하고 결실 없는 쾌락만 좇는 성행위를 노정하고 있다. 물론 오늘날 작시되면 이 시어들은

"컴퓨터"와 "CD" 및 "CD 플레이어"나 "MP3" 또는 "스마트 폰" 등의 새로운 용어들로 대체될 수 있을 것이다. 이 여타자수는 전기비평적 접근으로 고찰하면 엘리엇의 스승인 러셀의 구술을 받아 타자기로 쳐주던 비비엔이 그 모델인 것이다. 비비엔과 러셀의 부적절한 관계, 특히 비비엔이 요양차 러셀과 토키Torquay로 며칠간 함께 여행했다[13]는 사실은 엘리엇의 1916년 1월 11일자 서신과 러셀의 자서전에서의 해명, 로버트 센코트Robert Sencourt 의 『T. S. 엘리엇: 회고』(*T. S. Eliot: A Memoir*)와 매슈즈T. S. Matthews의 『위대한 톰: T. S. 엘리엇의 정의에 대한 단상』(*Great Tom: Notes Towards the Definition of T. S. Eliot*) 등의 회고록과 전기에 근거하여 필자가 『T. S. 엘리엇의 시와 비평』에서 상술한 바 있으므로 생략한다(안중은 2008, 25-26). 다만 여기서는 졸저에서 언급하지 않은 러셀의 자서전과 엘리엇의 서신들을 더욱 심도 있게 추적하고자 한다. 『버트런드 러셀의 자서전 1872-1914년』에 의하면 러셀은 1914년 봄 보스턴의 로웰Lowell 특강과 하버드의 객원 철학교수로 초청을 받았고, 1914년 정초에 로마에서 케임브리지로 돌아와서 속기 여타자수를 고용하여 구술로 강의 자료를 준비한 결과 『과학적 철학 방법의 장으로서 외부세계에 대한 우리의 인식』(*Our Knowledge of the External World as a Field for Scientific Method in Philosophy*)이란 책을 출판함으로써 기염을 토한 바 있다(Russell 283). 여기에서 러셀이 여타자수를 활용하여 강의 준비나 저서 출판을 원만히 해결하는 것이 그의 연구 습관이라는 사실을 엿볼 수 있다. 또한 위 인용시의 여타자수의 모델이 된 비비엔으로부터도 타자의 도움을 받은 것을 러셀은 1915년 12월 3일자로 엘리엇의 어머니 샬롯 엘리엇에게 보낸 서신에서 밝

---

13) 발레리의 주석에는 러셀이 비비엔을 토키가 소속된 데번Devon주로 5일간 기분 전환 목적으로 데리고 나갔으며 그 후 엘리엇을 자신의 경비로 초청했다고 좀 더 구체적으로 나와 있다 (*LE* 127).

히고 있다.

> 그녀(비비엔)가 주로 타자를 쳐줌으로써 내 업무를 상당히 처리해주었고, 그 결과 그녀를 잘 알게 되었답니다. 나는 그녀를 아주 존경하고 호감을 가지고 있습니다. 그녀는 드물게 보이는 강인함과 매력적인 성격 이외에도 착한 심성을 지니고 있으며, 문필가에게 굉장한 도움을 줄 수 있습니다.

> She has done a great deal of work for me, chiefly typing, and consequently I have come to know her well. I have a great respect and liking for her; she has a good mind, and is able to be a real help to a literary career, besides having a rare strength and charm of character. (*LE* 123)

특히 엘리엇의 패딩턴Paddington 아파트에서 비비엔이 코로나Corona 타자기 앞에 서 있는 한 장의 사진은 러셀의 이 서신 내용을 더욱 시각화하고 있다 (Seymour-Jones 448-49). 또한 러셀이 제1차 세계대전의 징병 반대 운동을 전개할 때에 비비엔이 그의 비서 역할을 한 것은 엘리엇이 페이버앤드페이버사의 비서 출신인 발레리와 재혼한 사실을 보아서도 비서의 위상과 러셀과 비비엔의 관계를 짐작하게 한다.

한편, 1914년 봄에 도미한 러셀에게 당대 세계 최고의 철학자들인 윌리엄 제임스William James, 로이스Royce, 산타야나Santayana 등과 교분이 있었던 하버드 철학과의 대학원 학생들 12명이 매주 한 번씩 차를 마시며 담소하러 왔다. 그 중에 이미 「여인의 초상」("Portrait of a Lady")과 「J. 알프레드 프루프록의 연가」를 작시한 엘리엇이 있었지만 그가 시인이라는 사실을 몰랐다고 러셀은 회고하고 있다(Russell 284-85). 또한 『버트런드 러셀의 자서전 1914-1944년』에 의하면 동년 10월에 영국의 뉴옥스퍼드가New Oxford Street에서 엘리엇을 다시 만나 제1차 세계대전에 대한 견해를 묻자 엘리엇은 평화주의자인 러셀에게 자신이 "평화주의자가 아니다"라는 답변을 했다고 회상한다(Russell 9). 이후에 1915년 6월 26일 햄스테드 호적등기소Hampstead Registry Office에 결혼 신고를 한 엘리엇과 그의 아내 비비엔과도 절친한 사이였다고 밝히고 있다(안중은 2008, 24). 비비엔의 동생 모리스Maurice는 엘리엇과 비비엔의 이스트번Eastbourne으로의 신혼여행을 "불쾌"rotten했다고 규정함으로써 이들의 신혼이 성적으로 실패하였음을 우회적으로 표현하고 있다. 결혼 당시 자신이 "동정"童貞이라고 처남 모리스에게 고백한 엘리엇은 종양이나 암이라고 확신한 그의 끔찍한 탈장대脫腸帶와 때마침 도래한 비비엔의 월경으로 인해 이들 신혼부부의 밀월은 실패한 것이다(Seymour-Jones 119). 게다가 신혼여행지에서 숙박한 호텔의 더러워진 침대 시트를 세탁 바구니에 담아서 "훔쳐" 온 비비엔의 습관적인 도벽과 결벽증이 엘리엇을 격분시켰으며, 결국 이들 신혼의 단꿈은 깨어져버렸고 파국으로 치닫게 되었다. 이외에도 웨일즈인 비비엔 특유의 찢어질 듯한 고함소리도 이들 결혼 실패의 한 원인이었다. 일반적으로 월경시의 도벽과 고함소리는 일부 여성들이 무의식적으로 자행하는 습관적인 행위로 이해해야 한다고 하지만, 그것이 가정 파괴의 요소로 작용할 때에는 정당화될 수 없는 것이다.

신혼여행을 마치자 곧 엘리엇은 하이 와이콤High Wycombe 학교로 가서 교사직을 수행했으나 140파운드의 연봉으로는 중·상류층의 생활을 기대하면서도 돈의 가치를 모르고 무도舞蹈에 대해서 얘기하는 비비엔을 만족시켜줄 수 없었으므로 재정적인 압박을 끊임없이 받았다(Seymour-Jones 116, 122-24). 이렇게 엘리엇 부부가 "비참할 정도로 가난"하자, 러셀이 자기 아파트의 두 침실 중 하나를 빌려줌으로써 빈번히 만나게 되었다. 또 그가 보유하고 있던 3,000파운드 상당의 탄약 공장 채권을 평화주의자인 러셀의 "양심상" 엘리엇에게 줄 정도로 사제지간의 친분은 돈독했다. 이 채권은 전후 엘리엇에게 6퍼센트의 이율로 매년 180파운드의 수입을 약 12년간 안겨 주었으니, 러셀의 재정적인 도움은 적시에 내린 가뭄의 단비와 같은 것이었다고 판단된다. 이후 형편이 나아진 엘리엇은 러셀에게 빚을 갚았지만, 가난의 고통을 겪고 있던 엘리엇 부부에게 러셀의 재정적인 도움은 단순한 스승과 제자 사이의 관계를 넘어서, 타자수 비비엔의 도움을 빌미로 자주 접촉함으로써 부적절한 관계로 진전되었을 것으로 추정된다(Russell 9; Seymour-Jones 124). 러셀 아파트에서 엘리엇과 비비엔 부부의 생활은 "세 사람 살림"triple ménage, *ménage a trois*으로 정부情夫 러셀과의 동거였던 것이다. 이러한 러셀과 비비엔의 불륜 애정 행각은 동년 12월 20일, 한동안 신세를 지고 있던 러셀 아파트를 떠나 세인트 존즈 우드St. John's Wood의 아파트로 이사를 간 후에도 지속되었다. 또한 러셀이 1915년 7월에 엘리엇 부부와 정찬 식사를 한 후에 오토라인에게 보낸 서신에서 비비엔을 "경박하고, 다소 저속하며, 모험심이 있고, 생기발랄하다"라는 인상을 표출한 데에서 러셀과 비비엔의 불륜 관계를 이미 암시한 것으로 추정된다(*LE* 115). 러셀이 1916년 1월 7일부터 12일까지 비비엔을 위해 요양차 전술한 토키의 토베이 호텔Torbay Hotel로 엘리엇만 런던에 남겨두고 여행을 간 것은 불륜 관계의 절정을 이루는 것으로 여겨진다(Seymour-Jones 130). 또 1916년 9월에 러셀이 오토라인에게 보낸 다음 서신은 러셀과 비비엔의 깊은 관계를 확실하게 시사하는 하나의 증거이다.

나는 성취하고 싶은 것을 성취(그렇게 어려운 것이 아닌데)했기 때문에 E 부인[T. S. 엘리엇 부인]과의 관계에서 성공했다는 의식이 있었지만, 지금 그것을 상실했는데 적어도 당신의 잘못은 아니오. 성공했다는 의식은 나의 일에 도움이 되지만, 그것이 사라질 때에 나의 글은 따분하고 생명력을 상실하게 되오.

I had a sense of success with Mrs. E [Mrs. T. S. Eliot] because I achieved what I meant to achieve (which was not so very difficult), but now I have lost that, not by your fault in the least. The sense of success helps my work: when I lose it, my writing grows dull and lifeless. (Russell 90)

러셀은 오토라인에게 비비엔과의 깊은 관계를 고백하는 동시에 그 관계의 단절을 명시함으로써 그녀의 동정심을 유발하는 인상을 주는 듯하다. 이 무렵 비비엔은 러셀로부터 선물 공세와 발레 교습비까지 지원받았지만, 원래부터 좋지 않던 건강은 러셀로부터 멀어지자 더욱 악화된 듯하다. 또한 러셀과 비비엔의 불륜 관계의 또 다른 결정적인 증거들은 1916년 10월 21일에 러셀이 새로운 정부情婦인 콜렛Colette을 만난 지 몇 개월 후에 보낸 서신에서 밝힌 그와 비비엔의 "내밀한"intimate 관계와, 이듬해 10월의 서신에서 상세히 묘사한 비비엔과의 성관계 등이다(Seymour-Jones 115).

한편, 전술한 가싱턴을 러셀 이외에 당대의 문호들인 올더스 헉슬리 Aldous Husxley, 캐서린 맨스필드Katherine Mansfield, 존 미들턴 머리John Middleton Murry와 엘리엇 등에게 개방한 오토라인은 러셀과 염문을 날린 장본인이었다. 러셀은 비비엔을 만나기 전에 이미 오토라인과 간통을 함으로써 케임브리지대 뉴넘 대학Newnham College, Cambridge의 교수직을 박탈당한 것이다(Seymour-Jones 118). 이러한 쓰라린 경험을 겪은 러셀은 용의주도하게 비비엔을 유혹하였으며, 비비엔은 남편 엘리엇과의 부부관계가 원만하지 않자 욕망 표출의 대상으로 재정적인 지원을 하고 비단 속옷 등의 선물 공세를 펴는 러셀을 받아들인 것이다. "창문 밖으로 아슬아슬하게 널려

/ 말리는 그녀의 속옷가지"(Out of the window perilously spread / Her drying combinations, 제224-25행)는 바로 여타자수와 동일시되는 비비엔이 러셀로부터 선사 받은 속옷을 엘리엇이 염두에 두고 원용했을 것이다. 또한 1919년 6월 4일경 비비엔이 오토라인에게 보낸 편지에 의하면, 엘리엇이 파자마를 가싱턴에 두고 온 것을 언급한 사실을 통하여 엘리엇 부부가 매우 허물없이 가싱턴을 출입했을 것으로 여겨진다(*LE* 302). 엘리엇에게 스위스의 정신과 의사인 비또즈 박사를 추천하고, 예이츠를 소개한 것도 오토라인인 점을 고려하면 엘리엇에게 지대한 영향을 끼친 여성일 것이다(*LE* 480, 612).

다른 한편, 여타자수의 성적 상대자인 화농투성이 청년의 능창은 흔히 음주의 결과로 생성된다고 지적하는 만주 제인Manju Jain의 견해보다는 일반적으로 문란하고 불결한 성생활을 암시하므로 성적인 측면에서 방탕한 성애를 탐닉한 자유연애론자인 러셀의 특성을 내포한다고 볼 수 있다(176). 다만 엘리엇이 당대 최고 철학자인 러셀의 지성은 무시하고 그의 성적인 측면을 강조하기 위하여 성욕이 가장 왕성한 청년기의 인물을 설정한 것으로 여겨진다. 또한 이 청년의 직업이 "주택 소개업소의 서기"라는 대목은 엘리엇 부부에게 러셀의 아파트를 빌려주고, 저택에서 5년간 세를 놓은 러셀을 명백히 시사하고 있음을 부인할 수 없다. 실제 비비엔은 1917년 12월 5일부터 5년간 러셀 저택에 세를 들었지만, 1920년 11월 15일에 이미 계약이 파기되었으니 사실상 러셀의 아파트와 저택에서 세를 살다가 나중에는 더부살이를 한 바와 다름이 없기 때문이다(*LE* 233, 284). 이 남녀의 후안무치厚顔無恥한 사랑이 실감나게 묘사되어 있으나 교접의 행위 그 자체는, 엘리엇이 비판한 바 있는 로렌스의 소설 『채털리 부인의 연인』과 스승의 아내인 프리다Frieda와 애정의 도피 행각을 벌이면서 결혼한 로렌스의 사생활에 등장하는 불륜의 사랑이지만, 적나라하게 묘사하지 않고 절제하는 모습이 보이는데 바로 이것이 엘리엇 특유의 시적 표현 기법인 것이다. 그러나 이 여타자수의 성행위 이후의 모습에서 그녀의 성애가 사랑이 결여된 "우행"(folly)임을 엘리엇은 올리버 골드스미스Oliver Goldsmith, 1730-1774의 소설 『웨이크필드의 목사』(*The Vicar of Wakefield*, 1766)의 말미에 나오는 시의 한 행인 "아리따운 여인이 어리석음에 빠져서"(When lovely woman stoops to folly 253행)를 그대로 인용함으로써 강조하고 있다. 이 아리따운 여인의 우행은, 러셀의 유혹으로 불륜의 관계를 맺었으나 러셀에게 콜렛과 두 번째 부인이 될 도라 블랙Dora Black이 나타나 버림 받음으로써 치명적인 정신병에 걸리게 되는 비비엔의 어리석음을 말해주는 것이다. 오늘날 회자되고 있는 사랑의 유효 기간은 1년에서 3년, 즉 처음 보는 이성에게 애정을 느낄 때에 분비되는 호르몬의 지속 기간을 규명한 생물학적인 통념은 바로 이러한 러셀에게 적용된다고 할 수 있다. 파우스트Faust에 비견되는 당대 최고의 철학자인 러셀의 메말라 버린 욕망의 불꽃을 되살린 여성이 파우스트에게 그레첸Gretchen이 그랬듯이 바로 오토라인이고, 오토라인과 콜렛 사이에 러셀의 애인 역할을 비비엔이 담당한 것이다. 여기서 러셀과 비비엔의 관계가 열렬했지만 정신적인 사랑이라고 주장한 애크로이드의 지적은 미흡한 것임을 알 수 있다(Seymour-Jones 118 재인용).

이제 여타자수 방에 있는 축음기의 음악 소리를 촉매로 한 시인의 청각적 상상력은 만돌린의 유쾌한 음악 소리와 어시장 인부들의 웃음소리가 가득한 템즈강으로 공간 이동을 하고, 또 추가로 시간 이동을 함으로써 영국의 황금기인 르네상스 시대의 군주인 엘리자베스 1세Elizabeth I를 조명하고 있다.

엘리자베스와 레스터

노는 물결에 부딪히고 (Eliot 1988, 67)

Elizabeth and Leicester

Beating oars (*WLF* 142: ll. 279-80)

그러면 엘리자베스 1세는 앞의 여타자수와 달리 처녀 여왕으로서 기품을 견지하면서 고고한 독신의 삶을 살았는가? 그렇지 않다는 것을 엘리엇은 템즈강이라는 공간에서 엘리자베스 여왕과 레스터Leicester 백작을 병치시킴으로써 암시하고 있다. 인생을 상징하는 템즈강 위에서 화려한 배의 노가 물결에 부딪히는 시구에서 남성성을 상징하는 노가 여성성을 상징하는 강물과 규칙적으로 접촉하면서 철썩이는 소리는 남근과 여근의 결합시에 생성되는 자연 현상으로서 전술한 "적적" 소리를 연상하기에 충분하다. 이렇게 엘리자베스 여왕뿐만 아니라 물질문명이 지배하는 현대의 보통 여성들도 여전히 성폭행을 당하거나 성행위를 하는 것에 죄의식이 전혀 없다는 것을 템즈강 세 딸들의 고백을 통하여 엘리엇은 제시하고 있다. 이 세 딸들의 고백은 제5장 「『황무지』의 공간」에 상술되어 있으므로 생략하기로 한다.

III

지금까지 주로 『황무지』의 제2부 「체스 게임」과 제3부 「불의 설법」에 집중적으로 드러나 있는 왜곡된 성과 성애의 다양한 형태에 대해 고찰해 보았다. 즉 그리스 신화에 등장하는 테레우스 왕의 처제 필로멜라 성폭행, 오전에 온욕과 오후에 카섹스를 즐기는 유한 현대인들, 전쟁시의 릴과 남편 알버트의 일그러진 사랑, 템즈 강가에서 놀던 아가씨들과 한량들의 덧없는 사랑 놀음, 스위니와 포터 여사와 그녀의 딸의 1:2의 성관계, 상업주의와 물질주의를 표상하는 상인 유게니데스 씨를 통한 동성애, 여타자수와 화농 투성이 주택소개소 청년 서기의 기계적인 성행위, 심지어 영국의 처녀 여왕 엘리자베스와 레스터 백작의 불륜 관계 등에서 드러나는 시공을 초월하고 평화시에나 전시에 자행되는 부적절한 성애이다. 이러한 성애가 이 시의 씨줄로 작용하고, 또 다른 중요한 한 주제인 죽음, 즉 생중사生中死, death-in-life가 날줄로 교차적으로 짜짐으로써 불륜의 성이 곧 죽음과 직결된다. 이러한 성애의 불길에 휩싸이는 인간과 도시 문명은 파멸되고 구원이 불가능한 불타오르는 지옥임을 엘리엇은 제시한 것이다.

엘리엇은 『황무지』의 작시 동기를 "인생에 대한 개인적이고 아주 사소한 불만의 표출"(the relief of a personal and wholly insignificant grouse against life)이라고 밝혔다(WLF 1). 이것은 그와 비비엔과의 성적 부조화 그리고 그와 비비엔과 러셀의 삼각관계 등에서 드러난 당대 지성인들의 성적 타락상을 시에서 양성애를 추구한 그의 독특한 감수성으로 묘파한 것을 의미한다. 1947년에 패트릭 헤런Patrick Heron이 입체파적인 기법으로 그린 엘리엇 초상화의 제목은 "제킬과 하이드"Jekyll and Hyde인데, 엘리엇 내면의 양면성을 잘 포착한 그림으로 판단된다(Seymour-Jones 448-49). 20세기 최고의 시인으로 선정된 엘리엇은 제킬 박사의 밝고 긍정적이며 천사 같은 면모만 주로 알려져 왔고, 하이드 씨의 어둡고 부정적이며 악마 같은 측면은 가려진 채로 억압되어 온 것이 사실이다. 정도의 차이가 있겠지만, 엘리엇도 러셀과 같이 제킬 박사와 하이드 씨의 두 가지 모습을 소유하고 있었던 것이다. 러셀로부터 유혹과 버림을 받아 정신병자로 서서히 그 생명이 꺼져 가고, 도벽과 성격 부조화로 남편 엘리엇으로부터도 포용적인 사랑을 받지 못한 비비엔은 『황무지』에서 포터 부인의 딸로, 현대의 여타자수로, 고대의 필로멜라로, 수많은 여성 편력을 통하여 성애를 부단히 추구한 러셀은 스위니로, 주택소개소 청년 서기로, 테레우스 왕으로, 러셀의 정부 오토라인은 포터 부인과 필로멜라의 언니 프로크네로, 양성애와 동성애를 추구했지만 익사를 희구한 엘리엇은 테이레시아스와 유게니데스 씨의 초대 손님과 플레바스로, 엘리엇의 동성애에서 남성 역할을 한 것으로 추정되지만 익사한 베르드날은 유게니데스 씨로 전이·변신되고, 엘리엇의 뛰어난 상징적 표현으로 작품 속에서 용해·변용되어 불멸로 남아 있는 것이다.

3

『황무지』에 나타난 죽음

I

제3장은 엘리엇의 모더니즘 대표시 『황무지』에 나타난 주요 주제인 "죽음"을 집중적으로 조명한다. 케너는 그의 저서 『불가시의 시인: T. S. 엘리엇』(*The Invisible Poet: T. S. Eliot*, 1959)에서 "유럽의 죽음"The Death of Europe이라는 주제로 『황무지』와 「텅빈 사람들」("The Hollow Men," 1925)을 함께 거론하고 있고, 해롤드 블룸Harold Bloom은 그의 편저서 『T. S. 엘리엇의 『황무지』』(*T. S. Eliot's* The Waste Land, 1986) 속에 케너의 논문 「유럽의 죽음」을 그대로 옮기면서 서론과 결론을 삭제해 수록한 바 있다. 그러나 블룸은 「서문」("Introduction")에서 월트 휘트먼Walt Whitman의 링컨 대통령의 서거 추도시 「라일락꽃이 마지막으로 앞뜰에 피었을 때」("When Lilacs Last in the Dooryard Bloom'd," 1865)와 대조하면서 『황무지』를 문명과 그에 대한 불만보다는 애도와 우울증의 비가로 규정하고 있다(Bloom 2-5). 밀러 2세도 그의 『T. S. 엘리엇의 개인적 황무지: 마귀의 퇴출』에서

『황무지』가 테니슨의 친구 아서 핼럼Arthur Hallam의 죽음 『추도시』(*In Memorium*)와 휘트먼의 위 시와 상통한다고 보고, 이 시를 "현대문명의 비평"이라기보다는 개인적 "인생 한탄," 즉 엘리엇이 친구 베르드날의 죽음을 애도한 비가로 간주한 바 있다(*WLF* 1). 이러한 맥락에서 역사적으로 제1차 세계대전이 배경인 『황무지』는 "죽음의 무도"Danse Macabre, Dance of Death 시라고 해도 과언이 아닐 것이다. 죽음에 관한 고대 로마의 명언 "메멘토 모리"Memento mori는 "죽음을 기억하라"라는 의미로서 전장에서 언제 죽을지 모르는 절박한 인간의 죽음─타나토스Θάνατος, Thanatos의 명상, 즉 "타나톱시스"Thanatopsis를 반영하고 있다. 사실 죽음은 라틴어 격언인 "오늘은 내 차례, 내일은 네 차례"Hodie mihi, Cras tibi에서 보듯이, 또 휘트먼의 시구에서 보듯이 "낮에도, 밤에도, 모두에게, 각자에게 / 조만간"(In the day, in the night, to all, to each, / Sooner or later) 찾아오는 것이 엄연한 현실이다(Whitman 335).

　『황무지』의 삭제된 초고 단시들 중 「오페리온을 위한 노래」를 제외한 5편 「성 나르키소스의 죽음」, 「장례식」, 「공작부인의 죽음」, 「비가」, 「만가」 등은 모두 죽음과 직접 관련이 있는 시들이다. 「오페리온을 위한 노래」의 제4-5행인 "머릿속의 이 생각 이 망령 이 진자가 / 삶에서 죽음으로 흔들리고"(This thought this ghost this pendulum in the head / Swinging from life to death) 구절에서 보듯이, 『황무지』는 엘리엇의 죽음에 대한 사색을 농축하고 있는 시라는 것이 명백하다(*WLF* 99). 이 장에서는 "유럽의 죽음"이라는 거창한 주제보다는 『황무지』가 죽음에 대한 엘리엇 자신의 개인적 한탄을 토로한 시라는 관점에 근거하여 "부도덕한 성애가 죽음"이라는 간결한 명제를 단초로 『황무지』에 나타난 죽음을 심도 있게 천착하고자 한다.

II

『황무지』의 「제사」는 1세기 로마 작가 페트로니우스의 풍자 소설 『사티리콘』 제48장에서 화자인 트리말키오Trimalchio의 허풍으로써 무녀14)의 소원을 통하여 "죽음"의 주제를 선명하게 제시하고 있다(Brooker and Bentley 44).

> 쿠마에 무녀가 병 안에 매달려 있는 것을
> 내 눈으로 보았다. 그때 아이들이 *"무녀, 당신 소원이 무엇이오?"*
> 라고 묻자, 그녀는 *"난 죽고 싶다"*라고 대답했다.

> Nam Sibyllam quidem Cumis ego ipse oculis meis
> vidi in ampulla pendere, et cum illi pueri dicerent:
> $\Sigma \iota \beta \upsilon \lambda \lambda a$ τi $\Theta \acute{\epsilon} \lambda \epsilon \iota \varsigma;$ respondebat illa: $\dot{a} \pi o \Theta a \nu \hat{\epsilon} \nu$ $\Theta \acute{\epsilon} \lambda \omega.$ (*WLF* 133)

그리스 신화에서 무녀들은 예언의 능력이 있는 여인들이었지만, 이탈리아 쿠마에Cumae의 무녀가 가장 유명했다. 쿠마에 무녀에 대한 명화로는 안드레아 델 카스타뇨Andrea del Castagno, c. 1421-1457와 미켈란젤로Michelangelo, 1475-1564가 각각 그린 <쿠마에 무녀>(*Cumaean Sibyl*)가 있다. 이 무녀는 태양신 아폴론'Aπόλλων, Apollo의 여사제로서 영생을 허락받았으나, 계속 늙어서 몸이 쪼그라들고 예언의 능력이 떨어지자 *"난 죽고 싶다"*($\dot{a} \pi o \Theta a \nu \hat{\epsilon} \nu$ $\Theta \acute{\epsilon} \lambda \omega$), 즉 "죽음의 소원"death-wish을 단적으로 표출하고 있다. 무녀의 죽음에의 희구는 예언자의 관점에 비추어 영국 런던의 시인 엘리엇의 소원이기도 하다. 글자를 쓴 몇 줌의 나뭇잎을 동굴에서 바람을 향해 던져서 예언을

---

14) 무녀의 뜻인 영어 "시빌"Sibyl은 엘리엇이 인용하고 있듯이 고대 그리스어 "시빌라"οἰβυλλα에서 근원되었으며, 고대 불어 "시빌레"Sibile와 라틴어 "시빌라"Sibylla를 거쳐서 형성되었다.

읽어내는 무녀의 방법에서 엘리엇의 『황무지』를 "무녀의 단편들"sibylline fragments이라고 규정한 케너의 정의는 타당한 것이다. 부연해서 케너는 이 무녀가 뒤에서 고찰할 소소스트리스 부인Madam Sosostris이고, 로마 문명 말기의 심상이며, 유럽 정신이라고 해석하고 있다(Kenner 136-37). 그러나 무녀가 현대판 소소스트리스 부인인 것은 확실하나, 그 무녀를 유럽 정신과 동일시하는 것은 『황무지』의 주제를 "유럽의 죽음"으로 파악하는 것과 같이 다소 비약적인 해석이라고 할 수 있다. 엘리엇의 첫 번째 부인 비비엔이 『크라이티어리언』지에 기고할 때에 라틴어 시빌라의 필명을 사용한 것이 엘리엇의 무녀 원용에 영향을 끼쳤을 가능성도 있다(Southam 1994, 133-34). 한편, 파운드가 대폭적인 첨삭을 하기 전의 『황무지』 원고본의 「제사」는 콘래드의 소설 『어둠의 핵심』의 마지막 장면으로 백인 상아 수탈자인 커츠가 임종臨終 시에 어떤 형상이나 환상을 보고 "무서워! 무서워!"라고 헐떡이며 속삭인 듯 외친 것을 인용한 것이다. 그러나 죽음의 주제를 선명하게 제시하는 『황무지』 속의 신화 의식을 고려하면, 콘래드의 커츠보다는 페트로니우스의 무녀가 더욱 적절하고 명확한 것은 분명하다(Kenner 127; Brooker and Bentley 43-44). 또한 커츠가 비비엔의 성 수탈자인 러셀에 비유되는 것과 예언자 무녀가 시인 엘리엇에 비유되는 것은 상반되는 시점으로써 전자가 죽음의 공포를 느끼고, 후자가 죽음을 희구하고 있지만 생중사의 인물들에서는 동일한 것이다(*WLF* 3).

역시 죽음과 관련 있는 『황무지』 제1부의 제목 「사자의 매장」은 영국 국교회의 장례식 원제인 "사자의 매장 의식"The Order for the Burial of the Dead을 차용한 것인데, 망자亡者의 시신을 매장하는 풍습은 기독교적 부활을 강력히 시사하고 있다(Southam 1994, 138). 매장埋葬은 『황무지』 제4부의 「수사」에서 드러난 수장水葬과는 각각 부활과 변신이라는 의미에서 유사한 함의이다. 그러나 『황무지』에 언급된 매장과 수장은 고대 그리스와 불교의 장례

의식인 화장火葬과 다르고, 오늘날 선호하는 수목장樹木葬이나 티베트에서 사자의 시신을 독수리에게 먹이로 주는 천장天葬과도 또 다르다. 화장과 수목장과 천장은 인간의 죽음 이후에 자연의 한 요소인 흙으로 돌아가고, 식물과 동물에게 자양분과 먹이가 됨으로써 인간도 순환하는 자연의 일부라는 것을 제시하고 있기 때문이다.

『황무지』 제1부 제1행의 유명한 시구 "4월은 가장 잔인한 달"은 프랑스 시인이자 "예술을 위한 예술"의 제창자인 떼오필 고띠에Théophile Gautier, 1811-1872의 시 「감상적인 달빛」("Clair de Lune Sentimental")의 시어 "4월"l'avril과 "아주 잔인한"si cruel에서 암시를 받았을 것으로 여겨지는데, 전기비평으로 접근하면 시의 주제인 죽음을 심층적으로 내포하고 있음이 드러난다(Southam 1994, 140).

> 4월은 가장 잔인한 달,
> 죽은 땅에서 라일락을 키워내고.
> 추억과 욕망을 뒤섞으며,
> 봄비로 잠든 뿌리를 뒤흔든다. (Eliot 1988, 57)

> April is the cruellest month, breeding
> Lilacs out of the dead land, mixing
> Memory and desire, stirring
> Dull roots with spring rain. (*WLF* 135)

엘리엇에게 "4월이 가장 잔인"한 이유는 제1차 세계대전 기간인 1915년 4월 에게 해에서 전사한 케임브리지대 킹즈 칼리지King's College 출신의 시인 브루크와 동년 동월[15] 다다넬즈 해협에서 전사한 엘리엇의 동성애자인 프

---

15) 실제 베르드날은 1915년 5월 2일에 갈리폴리 진흙탕 전장에서 보조의무장교로서 부상병을

랑스 의사 베르드날에 대한 "추억"Memory 때문이다. 엘리엇과 브루크의 절친한 교제는 필자가 2004년 8월 16일 영국 케임브리지대 인근의 브루크 숙소였던 오처드 하우스Orchard House를 방문하면서 더욱 확신할 수 있었다. 엘리엇은 브루크, 러셀, 버지니아 울프Virginia Woolf, 포스터E. M. Forster, 철학자 비트겐슈타인Wittgenstein, 경제학자 케인즈Keynes 등과 조직한 그란체스터 그룹Grantchester Group의 모임에서 당대 최고의 지성인들과 교분을 쌓았다. 브루크의 시 「사자死者」("The Dead," 1914)를 수록하고 있는 유고 시집인 『1914년과 기타 시들』(1914 & Other Poems)의 「발문跋文」에는 그가 "1915년 4월 23일 에게 해에서 작고한"(Died in Ægean, April 23, 1915) 것을 밝히고 있다. 또한 과거의 명칭이 헬레스폰트Hellespont로서 그리스 전함이 트로이를 공격하기 위해 상륙하고, 오디세우스Ὀδυσσεύς, Odysseus, Ulysses가 귀향하려고 출발한 곳이 바로 베르드날이 익사한 다다넬즈 해협이다. 베르드날에 대한 헌정은 엘리엇의 시집 『프루프록과 기타 시들』(Prufrock and Other Poems, 1917)의 모두冒頭에서 "장 베르드날에게, 1889-1915년"(To Jean Verdenal, 1889-1915)로 등장하다가, 시집 『시 1909-1925년』(Poems 1909-1925, 1925)에서 "To"가 "For"로 바뀌고, "다다넬즈 해협에서 죽은" 표현이 추가되었다(Southam 1994, 44). 이렇게 4월의 시간 설정은 휘트먼이 1865년 4월 14일 성금요일Good Friday에 총격을 받고, 15일에 서거한 링컨 대통령 추모시 「라일락꽃이 마지막으로 앞뜰에 피었을 때」와 동일한 작가의 의도이다. 엘리엇의 『황무지』와 휘트먼의 「라일락꽃이 마지막으로 앞뜰에 피었을 때」의 공통점은 개인의 죽음으로 시작하여 시상이 확대되어 가는 전후 시로서 전자가 제1차 세계대전, 후자가 미국 남북전쟁의 참혹한

치료하다가 총상으로 사망했다는 기록이 있지만, 갈리폴리 연안의 해전에서 사망한 것으로도 주장되고 있다. 어쨌든 베르드날의 전사 부음이 엘리엇에게 늦게 전달되었을 것이고, 엘리엇이 그의 죽음을 4월로 기억했을 것으로 추정되는 것은 『황무지』 제1행뿐만 아니라, 친구가 전사하자 6월 26일에 비비엔과 갑자기 결혼했기 때문이다(Miller, Jr. 21-22).

종말인 죽음을 작품 속에서 재현하고 있는 것이다(Southam 1994, 140-41). 덧붙여 『황무지』 제2행에 등장하는 4월의 꽃 "라일락"은 휘트먼의 시에 등장하고, 브루크의 시 「그란체스터 고목사관」("The Old Vicarage, Grantchester," 1912)은 "바야흐로 라일락이 온통 피고"(Just now the lilac is in bloom)로 시작하며, 베르드날이 프랑스의 뤽상부르 공원에서 늦은 오후에 엘리엇을 보고 라일락꽃 가지를 흔들었던 "추억"의 꽃으로서 의미심장하다(Miller, Jr. 19).

『황무지』 제1부 제8행 "여름은 우리를 놀라게 했네, 슈타른베르거제 위로 찾아오면서"(Summer surprised us, coming over the Starnbergersee)에 등장하는 독일의 슈타른베르크 호수는 독일 음악가 빌헬름 리하르트 바그너Wilhelm Richard Wagner, 1813-1883의 후원자이자 바이에른 왕국Königreich Bayern, 1806-1918의 왕 루트비히 2세Ludwig II, 1845-1886가 17년 동안 막대한 경비를 투자하여 현재 퓌센Füssen에 위치한 세계에서 가장 아름다운 성인 "백조의 성"Schloss Neuschwanstein, New Swanstone Castle을 비롯한 3개의 성을 건설했지만, 궁정 의료진의 정신병자 판정으로 강제 폐위되자 빠져 죽은 호수이다. 이 슈타른베르크 호수는 엘리엇이 1911년 8월에 방문했고, 필자도 2008년 8월에 방문한 적 있는 바이에른 왕국의 수도 뮌센München16) 남부의 아름다운 빙하 호수이며, 루트비히 2세와 같이 미쳐서, 『황무지』를 집필할 당시에 정신 치료를 받으면서 체류한 스위스의 레망호Lac Léman에 빠져 죽고 싶은 엘리엇의 참담한 심정을 암시하고 있는 호수 심상인 것이다(안중은 2006, 172-73; 2012, 188).

이어서 『황무지』 제1부 제2연에 등장하는 황무지의 심상들은 죽음과 직결되어 있다고 할 수 있다.

---

16) 한국에서는 독일의 제2의 도시인 "München을 "뮌헨"으로 발음하지만, 필자가 방문하여 확인한 그 도시의 현지 독일인들의 발음을 존중하여 "뮌센"으로 표기한다.

이 엉겨 붙은 뿌리들은 무엇인가? 돌더미 쓰레기 속에서
무슨 가지가 자란단 말인가? 인간의 아들아,
너는 말할 수 없고, 추측할 수도 없느니라, 다만
부서진 우상의 무더기만을 알기에, 거기에 태양이 내리쬐고
죽은 나무 밑엔 그늘이 없고, 귀뚜라미의 위안도 없고
메마른 돌 밑엔 물소리 하나 없다. 다만
이 붉은 바위 밑에만 그늘이 있을 뿐,
(이 붉은 그늘 밑으로 들어오라),
그러면 내 너에게 보여주마,
아침에 네 뒤를 성큼성큼 따르던 너의 그림자도 아니고,
저녁 때에 네 앞에서 솟아서 너를 맞이하는 그 그림자와도 다른 것을,
한 줌 흙속의 공포를 보여주마. (Eliot 1988, 57-58)

What are the roots that clutch, what branches grow
Out of this stony rubbish? Son of man,
You cannot say, or guess, for you know only
A heap of broken images, where the sun beats,
And the dead tree gives no shelter, the cricket no relief,
And the dry stone no sound of water. Only
There is shadow under this red rock,
(Come in under the shadow of this red rock),
And I will show you something different from either
Your shadow at morning striding behind you
Or your shadow at evening rising to meet you;
I will show you fear in a handful of dust. (*WLF* 135)

위 시에서 "돌더미 쓰레기"(stony rubbish), "부서진 우상의 무더기"(A heap

of broken images), "태양이 내리쬐고"(the sun beats), "죽은 나무"(dead tree), "메마른 돌"(dry stone), "물소리 하나 없는"(no sound of water) 등의 시구들은 생명을 상징하는 물이 전혀 없는 건조한 황무지에서의 죽음을 연상시키기에 충분하다. "인간의 아들"Son of man로 호칭된 선지자 이지키엘Ezekiel에 비유되는 시인 엘리엇이 한때 브래들리F. H. Bradley의 지성을 연구한 철학자였지만, 제1차 세계대전으로 인간 이성을 상징하는 거대한 태양 신상의 파괴와 죽음만이 지배하는 황무지 같은 전후의 현실을 목격한 것이 암시되는 대목이다. 태양 신상은 구체적으로 고대 그리스의 태양신 아폴론과 고대 이집트의 태양신 라Ra를 지칭할 것이다. 인간의 이성을 지배하는 신으로 경배 받은 태양신 아폴론은 음악과 시와 치유의 신이었지만, 현대에서는 지성의 학문 영역인 철학, 수학, 과학, 의학 등과 동일시될 수 있을 것이다. 영어 "광선"Ray의 어원이 되는 태양신 라는 매의 머리에 태양 원반을 이고 있는 형상으로 고대 이집트에서는 흘린 눈물로 인간을 창조한 창조주로 경배 받았으며, 『사자의 서』(Book of the Dead)에 의하면 라가 자해해서 흘린 피가 두 지성─후Hu, 즉 권위와 시아Sia, 즉 정신을 창조했다고 한다. 이어서 2인칭 "너"(you)로 대변되는 엘리엇과 독자들에게 "아침"과 "저녁"에, 항상 "그림자"(shadow)로 상징되는 인간의 허상과 대척적인 실재, 즉 "한 줌 흙속의 공포"(fear in a handful of dust)를 제시하는 것이 이 시의 작시 의도로 파악될 수 있다. "흙"(dust)은 아담Adam의 의미로서 인간을 상징하고, 인간의 창조와 죽음이 "한 줌 흙"으로 시작해서 "한 줌 흙"으로 끝나므로 "한 줌 흙속의 공포"는 인간의 죽음에 대한 두려움을 함의한다. 『황무지』의 원래 「제사」에서 커츠가 죽음을 목전에 두고 "무서워, 무서워"라고 외친 소리와 연결되고, 대체된 「제사」에서 무녀의 죽음에의 희구와 역설적으로 상통한다. 따라서 "한 줌 흙속의 공포"는 엘리엇의 죽음에 대한 공포와 염원을 제시한다고도 볼 수 있다. 화자가 "한 줌 흙속의 공포"를 보여

주는 것은 인용시의 제26-30행과 매우 유사하게 시작하는 시 「성 나르키소스의 죽음」에서 불빛으로 잿빛 바위가 붉게 변하는 가운데, 순교한 성 나르키소스의 "피 묻은 옷과 사지四肢 / 그리고 입술의 잿빛 그림자"(bloody cloth and limbs / And the grey shadow on his lips)를 보여주는 것과 접맥된다(WLF 95; Smith 1974, 73).

한편, 『황무지』의 두 가지 주제인 부도덕한 성애와 죽음이 병치되어 있는 것은 "히아신스 정원"의 사건에서 암시되어 있다.

> "1년 전 당신은 나에게 히아신스를 주셨지.
> 그래서 사람들은 나를 히아신스 소녀라고 불렀답니다."
> ─그러나 그때 당신이 꽃을 한 아름 안고 이슬에 젖은 머리로
> 밤늦게 히아신스 정원에서 나와 함께 돌아 왔을 때,
> 나는 말이 안 나왔고 눈도 보이지 않았고, 나는
> 산 것도 죽은 것도 아니었고, 아무 것도 몰랐었다,
> 다만 빛의 핵심, 고요를 응시할 뿐이었다. (Eliot 1988, 58)

> "You gave me hyacinths first a year ago;
> They called me the hyacinth girl."
> ─Yet when we came back, late, from the Hyacinth garden,
> Your arms full, and your hair wet, I could not
> Speak, and my eyes failed, I was neither
> Living nor dead, and I knew nothing,
> Looking into the heart of light, the silence. (WLF 135-36)

그리스 신화에 의하면 히아신스는 태양신 아폴론이 사랑한 미소년 히아킨토스Yάκινθος, Hyacinthus이지만, 아폴론이 던진 원반에 맞아 죽을 때에 흘린 피에서 피어난 꽃이다. 히아신스는 여성 성기 모양의 진홍색 또는 분홍

색의 작은 꽃잎들이 남근 형태의 꽃대를 형성하여 몇 줄기의 잎에서 뻗어 나와 있는 형상이 발기한 남근의 형상으로서 양성애의 성적인 심상이 두드 러진다. 아울러 아폴론과 히아킨토스의 사랑은 불멸의 신과 필멸의 인간 사 이의 동성애를 표상한다. "히아신스 정원"을 창세기의 에덴동산이나 윌리 엄 블레이크William Blake의 순수의 세계, 즉 지복의 공간으로 간주하는 고던 같은 학자들이 있는 반면에, 성폭행을 당한 적대적 공간과 동일시하는 학자 들도 있다. 따라서 이 정원에서의 사랑은 히아신스 소녀가 꽃을 든 청순한 엘리엇의 연인 에밀리Emily에 비유되므로 순수한 낭만적인 사랑을 뜻하기도 한다(안중은 2007, 93; 2012, 283-84). 그러나 히아신스 정원 사건의 전후 맥락을 고려하고 죽음의 관점에서 고찰하면, 히아신스 정원이 적대적 공간 이라는 주장이 더욱 신빙성이 있다. 여성 화자는 히아신스 정원에서 새벽이 슬에 젖을 만큼 밤새도록 성폭행 당한 후에 말도 할 수 없고, 눈도 보이지 않아서 생사의 갈림길에 처한 상황이다. 이 상태에서 화자는 허무에 가득 차 "어둠의 핵심"과 역설적으로 동일한 함의가 있는 "빛의 핵심"(광심光心, heart of light), 즉 태양신 아폴론의 눈, 즉 "정적"(silence)으로 상징되는 죽 음을 응시하게 되는 것이다. "빛의 핵심"은 『네 사중주』의 첫 시 「번트 노 턴」에도 등장하며, 지식을 시사하는 "빛"은 "어두움"보다 더 가공스러울 수 있다(CPP 172; Brooker and Bentley 75). "빛의 핵심, 고요"는 죽음의 함의에서 바그너의 오페라 『트리스탄과 이졸데』(Tristan und Isolde, 1859) 에서 인용한 제42행의 "*황량하고 쓸쓸한 바다*"와 동일시될 수 있을 것이 다(Kenner 140). 위 인용시 앞의 "*시원하게 부는구나 바람은*"(Frisch weht der Wind)으로 시작되는 제31-34행도 바그너의 작품에서 인용된 것으로서 트리스탄과 이졸데의 낭만적인 사랑을 묘사하고 있다. 따라서 히아신스 정 원의 사건 사이에 트리스탄과 이졸데의 황홀하면서도 재앙적인 사랑 그리 고 콘월Cornwall의 마르케Marke 왕과 이졸데의 예정된 결혼이 절정을 이루고 있다(Brooker and Bentley 74). 부연하면, 트리스탄이 삼촌 마르케 왕의 신부가 될 이졸데를 아일랜드에서 콘월로 데리고 가는 동안 마법의 묘약으로 이들은 서로 사랑에 빠지게 된다. 그러나 콘월 성의 정원에서 밀회를 즐기던 트리스탄은 밀고한 마르케 왕의 충복 기사 멜로트Melot에 의해 화단에서 부상을 당하자, 브리타니Brittany로 가서 이졸데가 탄 배가 오기를 기다려 보지만, 결국 목동이 들려주는 "*황량하고 쓸쓸한 바다*"의 비보를 들으면서 죽게 되는 비극이다(Smith 1974, 75-76). 인용된『트리스탄과 이졸데』는『황무지』의 주제인 부도덕한 성애, 즉 불륜이 곧 죽음이라는 것을 다시 강조하고 있는 것이다. 여기서 엘리엇이 히아신스 정원과 바다를 병치시킴으로써 죽음을 함의하는 두 적대적 공간이 상통하는 것을 알 수 있다.

한편,『황무지』의 제38-41행은 애인의 준수한 용모에 압도된 여성 화자의 체험을 묘사하고 있고, 출처는 에드먼즈J. M. Edmonds가 1922년에 편찬한『그리스 서정시』(*Lyra Graeca*) 제1권에 수록된 그리스 서정시인 사포Σαπφώ, Sappho, BC 612-570의 단시이다. 이 단편들은 고대 로마 서정시인 카툴루스 Catullus, BC 84-54에 의해 라틴어로 번역되었고, 바이런Byron은『카툴루스 번역시: 레즈비아 예찬』("Translation from Catullus: Ad Lesbiam")으로 그 단편들을 중역重譯하였다. 후자의 번역시를 살펴보면, 여성 화자가 동성애자 레즈비아Lesbia의 눈부신 미모에 매혹되어 극단적인 감정을 표출하고 있는 것이 대조적이다(Southam 1994, 146).[17] 여기서 그리스의 레스보스Λέσβος,

---

17)『카툴루스 번역시: 레즈비아 예찬』의 일부는 다음과 같다.

> Ah! Lesbia! though 'tis death to me,
> I cannot choose but look on thee;
> ....
> My eyes refuse the cheering light,
> Their orbs are veil'd in starless night:
> Such pangs my nature sinks beneath,
> And feels a temporary death.

Lesbos 방언으로 시를 쓴 사포의 원시를 고려하고, 위 시에 등장하는 "당신"(You)을 남성이 아닌 여성 화자로 간주할 경우에 히아신스 소녀가 등장하는 시행들은 부도덕한 성애의 하나인 여성동성애Lesbianism의 표출로 볼 수도 있을 것이다.

한편, 『황무지』의 두 가지 주제인 죽음과 부도덕한 성애를 병치하는 시행들은 소소스트리스 부인이 제시하는 타로Tarot 카드에서도 드러난다.

> 자 이것이
> 당신의 궤요, 익사한 페니키아 선원,
> (보세요! 전날의 그의 눈은 변하여 진주로 되었지요.)
> 이것은 벨라돈나, 암반의 여인
> 상황의 여인.
> ....
> 익사를 조심하시오.
> 떼를 지어 빙빙 돌고 있는 군중이 보이네요. (Eliot 1988, 58-59)

> Here, said she,
> Is your card, the drowned Phoenician Sailor,
> (Those are pearls that were his eyes. Look!)
> Here is Belladonna, the Lady of the Rocks,
> The lady of situations.
> ....
> Fear death by water.
> I see crowds of people, walking round in a ring. (*WLF* 136)

엘리엇이 타로 카드의 운세 점을 알게 된 것은 1921년 당대 선풍적인 신비주의자 우스펜스키P. D. Ouspensky, 1878-1947의 특강과 강신술을 접하고 나서

이다. 제1차 세계대전 이전의 영국에서 성행했던 점들은 타로 카드를 비롯하여 조지 버나드 쇼George Bernard Shaw가 『비탄의 집』(*Heartbreak House*, 1919)의 「서문」에서 지적했듯이, 교령술交靈術, table rapping, 체현 강신술體現降神術, materialization séances, 천리안clairvoyance, 수상술手相術, palmistry, 수정점crystal-gazing 등으로서 온갖 유형의 점쟁이와 점성가 및 무자격 치료사들이 판을 치고 있었던 것이다. 이것은 당시 아일랜드의 신화와 신비주의에 심취한 예이츠를 연상시키며, 그가 1919년 8월 『다이얼』지에 묘사한 블라바츠키 부인Madam Blavatsky은 엘리엇의 소소스트리스 부인 창조에 영감을 주었을 것이다(Southam 1994, 144-48 재인용).

소소스트리스 부인이 제시한 주제카드Significator Card인 "익사한 페니키아 선원"(drowned Phoenician Sailor)은 실제 78장의 라이더Rider 타로 팩이나 웨잇-스미스Waite-Smith 타로 팩에는 없고, 엘리엇이 고안한 타로 카드로서 인간의 죽음을 관장하는 말 탄 해골 형상의 사신死神 카드이며, 엘리엇 자신을 암시한다고 하겠다(Smith 1974, 77; 1985, 92; 안중은 1998, 158, 172; 2008, 70, 82). 물론 "익사한 페니키아 선원"은 오늘날 레바논과 시리아 지역으로 지중해 동부 연안의 고대 페니키아의 무역상이며, 이 지역에서 해마다 바다에 던져짐으로써 여름의 죽음과 이듬해 새봄의 부활을 상징하는 풍요신 타무즈Tammuz의 한 유형으로 볼 수도 있다(Southam 1994, 149). 제48행인 (보세요! 전날의 그의 눈은 변하여 진주로 되었지요.)("Those are pearls that were his eyes. Look!")은 파운드가 삭제를 권유했으나 엘리엇이 『황무지』 초고 그대로 둔 것으로 페니키아 선원처럼 익사하고 싶지만, "커다란 변화"sea-change를 통하여 영롱한 진주, 즉 영원한 예술품으로 바뀌고 싶은 심정을 표출하고 있는 것이다. 이어서 두 번째 제시되는 타로 카드인 "벨라돈나"Belladonna는 이탈리아어로 "아름다운 여인"의 뜻이지만, 상대에 따라서 변심하는 "상황의 여인"(lady of situations)인 비비엔을 함의하는 카드로서 러셀과의 부도덕한 성애를 표상한다. 동시에 소문자 "벨라돈나" belladonna는 여성의 동공을 확대하기 위해 사용한 독초(학명: *Atropa belladonna*)이다. 아울러 제55행의 "익사를 조심하시오"(Fear death by water)는 고대켈트십자법으로 해석하면 하나의 타로 카드이고, 앞에서 고찰한 시구 "한 줌 흙속의 공포"의 변형이며, 제4부 「수사」의 제목으로 다시 등장한다. 제56행의 "떼를 지어 빙빙 돌고 있는 군중"(crowds of people, walking round in a ring)은 제63행의 런던교 위로 흘러가는 "군중"으로 다시 등장하면서 실존하는 사람들이 아닌 죽은 자들의 유령을 함의한다.

이어서 보들레르Baudelaire의 『악의 꽃』(*Les Fleurs du mal*, 1857)에 수록된 「일곱 노인들」("Les Sept Vieillards")과 단테의 『지옥편』 제3곡 제55-57행[18])을 원용한 『황무지』 제60-75행은 죽음의 심상을 확연하게 드러내고 있다.

> 공허한 시티,
> 겨울 새벽 갈색 안개 속으로
> 군중이 런던교 위로 흘러간다, 저렇게 많이,
> 나는 죽음이 저렇게 많은 사람을 죽게 했다고는 생각지 못했다.
> 때로 짤막한 한숨이 터져 나오고,
> 각자 자기 발 앞에 시선을 집중하고 간다.
> 언덕을 오르고 킹 윌리엄가로 내려가,
> 성 메리 울노스 성당이 꺼져 가는 종소리로
> 아홉시의 마지막 예배 시간을 알리는 곳으로 흘러갔다.
> 거기서 내가 아는 한 사람을 보았다. "스텟슨!"하고 소리 질러 그를
>   세웠다.

---

18) 엘리엇이 「주석」에서 인용하고 있는 단테의 이탈리아어 시행에 대해서는 필자의 저서 『T. S. 엘리엇과 상징주의』 참조(안중은 2012, 78).

"자네 밀레 해전 때 나와 같은 배에 있던 친구로군.

"자네가 작년에 정원에 묻었던 시체에선

"싹이 트기 시작했던가? 올해에 꽃이 필까?

"아니면 갑자기 서리가 내려 그 꽃밭이 망쳐졌는지?

"아, 인간의 친구이지만, 개를 가까이 해서는 안 되네,

"그렇지 않으면 또 발톱으로 파헤칠 것이니. (Eliot 1988, 59)

Unreal City,

Under the brown fog of a winter dawn,

A crowd flowed over London Bridge, so many,

I had not thought death had undone so many.

Sighs, short and infrequent, were exhaled,

And each man fixed his eyes before his feet.

Flowed up the hill and down King William Street,

To where Saint Mary Woolnoth kept the hours

With a dead sound on the final stroke of nine.

There I saw one I knew, and stopped him, crying "Stetson!"

"You who were with me in the ships at Mylae!

"That corpse you planted last year in your garden,

"Has it begun to sprout? Will it bloom this year?

"Or has the sudden frost disturbed its bed?

"Oh keep the Dog far hence, that's friend to men,

"Or with his nails he'll dig it up again! (*WLF* 136-37)

"공허한 시티"(Unreal City)는 런던의 금융과 상업의 중심지인 시티 지역이
지만, 비실존의 공간, 즉 죽음의 공간이자 죽음이 지배하는 적대적 공간이
다. 휘트먼이 「라일락꽃이 마지막으로 앞뜰에 피었을 때」 제15부 제4-5연

에서 남북전쟁 당시에 죽은 수많은 병사들의 주검을 파노라마처럼 펼쳐지는 환상으로 목격하는 것과 같이 엘리엇 또한 런던교 위로 흘러가는 수많은 망자들의 유령을 환상적으로 목도한다. 이들은 죽음의 소망도 없이 살았던 사람들이고, 진실로 살아 본 적이 없는 불행한 생중사의 삶을 살았던 사람들이다. 이들은 생전에 선과 악을 선택하지 않아서 천국이나 지옥에도 가지 못하는 자들을 위해 준비된 지옥문Ante-Hell 앞에 거주하게 된 것이다. 이 유령들은 열차표를 들고 시티로 흩어져 들어가는 아침 출근 시의 군중이다(Southam 1994, 151; Brooker and Bentley 35, 83). 또한 이러한 심상들은 마태복음Matthew 제23장 제37절에서 예수 그리스도가 예루살렘을 바라보고 도시의 멸망을 예언하면서 "예루살렘아, 예루살렘아 선지자들을 죽이고 네게 파송된 자들을 돌로 치는 자여"라고 비통해하던 구절을 연상케 한다. "공허한 시티"는 제3부 「불의 설법」 제207행에서 다시 등장하는데, 시간은 "겨울 새벽 갈색 안개"에서 "겨울 정오 갈색 안개"로 바뀐다. 이 구절은 동성애, 즉 부도덕한 성애를 추구하는 "유게니데스 씨, 스미르나의 상인"(Mr. Eugenides, the Smyrna merchant)를 소개하고 있다(WLF 140). 제1부와 제3부에서 엘리엇이 "공허한 시티" 심상을 중첩시킨 것은 죽음과 부도덕한 성애가 동일하다는 것을 시사하고 있는 것이다. 아울러 시어 "공허한"은 제5부 「천둥이 말한 것」의 제374-76행 "예루살렘 아테네 알렉산드리아 / 비엔나 런던 / 공허하구나"(Jerusalem Athens Alexandria / Vienna London / Unreal)에 다시 등장하여 죽음과 도시 문명의 파멸의 의미를 강화하고 있다. 군중이 흘러 들어가는 "성 메리 울노스 성당"(Saint Mary Woolnoth)에서 예배시간을 알리는 9시 종소리도 꺼져 가는 소리(dead sound)의 마지막 일격(final stroke)으로서 죽음의 청각적 심상이다. 9시, 즉 햇빛이 비치는 9번째 시각인 오후 3시는 예수 그리스도의 십자가 위에서의 죽음을 시사하고 있다(Southam 1994, 153).

이어서 제69행에서 화자가 유령 군중 속에서 발견한 "스텟슨"(Stetson)은 기원전 260년에 고대 로마와 카르타고의 제1차 포에니 전쟁 초기 밀레 Mylae 해전에 참전하여 전사한 지인에 대한 호칭이지만, 도날드 차일즈 Donald J. Childs가 지적한대로 제1차 세계대전 당시에 호주와 뉴질랜드 병사들이 사용했으며, 런던에서 친숙한 중절모中折帽를 지칭하기도 한다. 따라서 "모든 전쟁은 한 전쟁"(All wars are one war)이므로 과거 전쟁과 현대 전쟁의 병치를 통하여 엘리엇은 모든 전쟁의 참혹한 동질성과 다다넬즈 해전에서 전사한 베르드날을 포함한 참전 용사들의 죽음을 강조하고 있는 것이다(Southam 1994, 154 재인용). 제71-72행의 화자의 대화인 "자네가 작년에 정원에 묻었던 시체에선 / 싹이 트기 시작했던가? 올해에 꽃이 필까?"를 통하여 엘리엇은 식물신植物神 오시리스Osiris의 매장 후의 풍작, 즉 죽음 이후의 부활을 암시하고 있다. 여기서 예수가 마태복음 제8장 제22절에서 "죽은 자들이 그들의 죽은 자들을 장사하게 하고"라고 지적하면서, 부활이요 생명인 자신을 따르라고 권유한 것과 비교할 만하다. 정원에 시체를 심은 스텟슨은 생중사의 인물이고, 제329행에 등장하는 살아 있었지만 죽어가는 인간들의 표상이기 때문이다(Thormählen 38). 제74행에 대한 엘리엇의 「주석」은 존 웹스터John Webster의 『하얀 악마』(*The White Devil*) 제5막 제4장에서 코넬리아Cornelia가 부르는 「만가」("Dirge")에서 원용한 것이라고 밝히고 있다(*WLF* 147). 그녀가 부르는 「만가」는 "친구 없어서 매장되지 않은 사람들의 시신을 위한"(For the friendless bodies of unburied men) 노래이다. 엘리엇은 "그러나 늑대를 멀리하시오, 그놈은 사람의 적이고, / 발톱으로 시체를 다시 파낼테니까요"(But keep the wolf far thence, that's foe to men, / For with his nails he'll dig them up again)의 시어인 "적"을 "친구"(friend)로, "늑대"를 "개"(Dog)로 바꾼 것이다. 구약에서 개는 인간의 적으로서 인간의 시신을 먹는 부정한 짐승이다. 시편Psalms 제22편 제20절에 "내 생명을 칼에서 건지시며, 내 사랑을 개의 세력에서 구하소서"와 빌립보서Philippians 제3장 제2절에서 "개들을 삼가고, 행악하는 자들을 삼가라"에서와 같이 개는 가끔 행악자行惡者에 비유되고 있다(Southam 1994, 155-56). 웹스터 시대에는 시체를 파내는 것이 늑대였지만, 오늘날에는 다정한 개이다. 엘리엇뿐만 아니라 제임스 조이스James Joyce를 비롯한 모더니즘 작가들은 "God"의 철자의 순서를 바꾸어 "Dog"으로 쓰고 있는데, 매장된 신이나 영웅을 파내고 그 본체를 제시함으로써 신화의 비신화화를 조장하는 현대에 만연하는 과학만능주의를 희화화하고 있는 것이다(Brooker and Bentley 36).

『황무지』제2부「체스 게임」의 원제는「새장 안에서」인데,「제사」의 무녀와 접맥되는 죽음의 심상이다. 수정한 제목인「체스 게임」은 성애 심상이므로 제2부에서는 주로 유혹과 강간 등의 부도덕한 성애가 전개될 것이라는 것을 예고하고 있다. 제2부 제115-26행은 전기비평으로 접근하면 엘리엇과 비비엔의 불행한 결혼이 죽음으로 치닫고 있는 파국을 두 사람의 대화로 표출하고 있다.

> 죽은 사람들의 뼈들이 없어지는
> 쥐들의 통로에 우리가 있다고 생각한다.
> ....
> "자 저 소리는 무엇이에요? 바람이 무얼 하는가요?"
>   아무 것도 아무 것도 아니지.
>   "아무 것도
> 모르시나요? 아무 것도 안보이나요? 아무 것도
> 기억 안나나요?"
>   나는 기억하고 있다,
> 전날의 그의 눈은 변하여 진주가 되었느니라.

"당신은 살아 있는가요? 죽었는가요? 머리가 텅 비었는가요?

(Eliot 1988, 61)

I think we are in rats' alley
Where the dead men lost their bones.
....
"What is that noise now? What is the wind doing?"
                    Nothing again nothing.
                                        "Do
"You know nothing? Do you see nothing? Do you remember
"Nothing?"
    I remember
Those are pearls that were his eyes.
"Are you alive, or not? Is there nothing in your head?" (*WLF* 138)

그러나 두 사람의 대화에서 화자인 엘리엇의 답변은 인용부호가 없으므로 마음속의 응답이다. 따라서 이미 엘리엇과 비비엔의 대화는 단절되고, 비비엔의 질문도 신경질적인 단음절이다. 이들은 자신들의 두뇌 속에 고독하게 갇혀 있기 때문에 어떤 소통이나 초월적 경험도 하지 못하므로 브래들리의 소위 "관계적 경험"relational experience의 전범적 실례가 되는 것이다 (Brooker and Bentley 106). 이미 두 사람의 관계는 소통되지 않고 회복할 수 없는 극한의 상태로 치닫게 되어서 "죽은 사람들의 뼈들이 없어지는 / 쥐들의 통로"(in rats' alley / Where the dead men lost their bones.)를 연상시킨다. 다시 말해, 화자와 상대방은 절체절명絕體絕命의 절망과 죽음의 막다른 골목에 도달한 것이다(Davidson 119). 시구 "쥐들의 통로"가 제1차 세계대전의 서부전선 병사들이 참호를 지칭한 은어인 것은 그곳에 불결한 쥐들이 득실대었기 때문이다. 여기서 엘리엇이 어머니에게 1915년 11월 18일 자로 보낸 편지에서 처남 모리스 헤이우드Maurice Haigh-Wood의 전선 참호 경험을 밝힌 "북부 프랑스에서는 쥐들과 해충이 득실거리는데, 쥐들은 고양이만큼 크다"는 진술을 참고하는 것이 적절할 것이다(*LE* 132). 위의 제 115행은『황무지』원고본에는 "쥐들의 통로에서 우리가 처음 만났다고 생각한다."(I think we first met in rats' alley.)로 나와 있어서 엘리엇과 비비엔의 조우가 처음부터 죽음에 에워싸여 있지만, 엘리엇의 수정으로 이들의 과거를 초월한 현재의 고독한 생중사의 모습이 더욱 부각되고 있다(*WLF* 17; Brooker and Bentley 107-8). 위의 인용시에서 시어 "아무 것도 아닌 것"(nothing)이 6번 반복되는데, 곧 죽음을 강조하고 있다. 이것은 "바람이 무얼 하는가요?"(What is the wind doing?)에 대한 화자의 답변이 "아무 것도 아무 것도 아니지"(Nothing again nothing) 대신에『황무지』원고본에서는 "하찮게 / 사소한 죽은 자들을 멀리 데려가지"(Carrying / Away the little light dead people) 시행들에서 확인할 수 있다(*WLF* 19). 후자의 시행들은 단테가『지옥편』제5곡에서 바람에 가볍게 함께 날려가는 죽은 자들에게 말하고 싶은 심정의 암유라고『황무지』원고본의 편저자이자 엘리엇의 두 번째 부인인 발레리가 지적한 바 있다(Brooker and Bentley 109). 따라서 "아무 것도 아닌 것"은 죽음을 함의하고, 지옥을 표상하는 셈이다. 제 120-26행은 웹스터의『말피의 공작부인』(*The Duchess of Malfi*) 제4막 제2장에서 사형집행자를 기다리는 카리올라Cariola와 공작부인의 대화[19]를 원용하고 있다. 물론 "머리가 텅 비었는가요?"(Is there nothing in your head?) 시행은 격분한 비비엔이 엘리엇에게 퍼부은 말이지만, 엘리엇의 시

---

19) Cariloa: What think you of, madam?
    Duchess: Of nothing; When I muse thus, I sleep.
    Cariloa: Like a madman, with your eyes open?

「텅빈 사람들」의 제4행 "짚으로 채워진 머리통"(Headpiece filled with straw)과, 콘래드의 『어둠의 핵심』에서 서술자 말로우Marlow가 커츠를 "골수까지 텅빈"(hollow to the core) 사람이라고 규정한 것과 상통한다 (Southam 1994, 162; Brooker and Bentley 105).

또한 『황무지』 제2부 제156-62행의 선술집에서 릴과 여성 화자의 대화에서도 죽음의 심상을 엿볼 수 있다.

> 그렇게 나이 들어 보여선 부끄러운 일이에요, 라고 내 말해 주었지요.
> (그런데 릴은 겨우 서른 한 살)
> 그러나 할 수 있나요, 라고 하면서 릴은 찡그리며,
> 지워보려고 약을 쓴 탓이지요, 라고 말하는 것이었어요.
> (그에게는 이미 어린애가 다섯, 그리고 막내 조지 때는 거의 죽을 뻔
>   까지)
> 약사는 별일 없으리라고 했지만, 난 아무래도 전과 같지 않아요, 라고
>   말하기에
> 당신은 *정말* 바보구료, 라고 내 말해 주었지요. (Eliot 1988, 63)

> You ought to be ashamed, I said, to look so antique.
> (And her only thirty-one.)
> I can't help it, she said, pulling a long face,
> It's them pills I took, to bring it off, she said.
> (She's had five already, and nearly died of young George.)
> The chemist said it would be alright, but I've never been the same.
> You *are* a proper fool, I said. (*WLF* 139)

이 구절은 제1차 세계대전에 참전한 남편 알버트Albert의 귀환에 대한 친구와의 대화로서 31세에 조로한 릴의 상황이 죽음에 근접해 있음을 시사하고

있다. 릴은 이미 다섯 아이의 엄마이지만 "막내 조지"를 낙태약으로 유산시키려다가 산모인 자신의 생명까지 위협받는 처지에 도달한다. 여성의 이름 "Lil"은『황무지』제2행의 꽃인 라일락lilac 또는 부활절 꽃인 백합lily의 마지막 철자(들)를 삭제한 이름으로써 못다 핀 꽃의 은유이다. 그녀의 남편 이름 "알버트"는 빅토리아 여왕 시대에 부군의 이름을 딴 여느 사내아이 이름이며, 아들 "조지"는 영국 국왕 조지 5세George V의 이름을 따서 만든 제1차 세계대전에 참전한 영국 군인들의 많은 아들들의 이름이다. 릴은 현재 건강하지 못하며, 낙태약으로 불임의 상태이므로 부활이 없는 죽음의 심상에 걸맞은 이름이다(Brooker and Bentley 112, 115). 런던의 하층민 여성을 대변하는 릴에게 낙태를 통한 태아의 죽음을 유도하는 "약사"(chemist)가 제조해주는 낙태약은 제87행에서 상류층 여성을 대변하는 귀부인의 "이상한 합성 향료"(strange synthetic perfumes)로서 부도덕한 성욕을 촉진하는 최음제와 상통하는 심상이므로 결국 부도덕한 성애가 죽음이라는 주제를 함의하고 있다(Kenner 135). 엘리엇은 전쟁시에 전방에서 생명의 위협을 받는 알버트나 후방에서 생명의 위협을 받는 릴이 어떤 의미에서는 동일하다는 것을 제시하고 있는 것이다.

『황무지』제2부의 마지막 시행 "굿나잇 귀부인들. 굿나잇, 아름다운 아가씨들, 굿나잇, 굿나잇"(*WLF* 139)은 미쳐서 물에 빠져 죽는 오필리아의 작별 인사로서 역시 죽음을 투영하고 있다. 사랑하는 햄릿Hamlet의 양광佯狂을 실제로 오해하고, 자신을 창녀로 비난하면서 "매음굴"(nunnery)로 가라고 한 햄릿에 대한 원망으로 오필리아가 미쳐서 연못에 빠져 죽는 사건은 앞에서 살펴본 루트비히 2세가 슈타른베르크 호수에 미쳐서 익사하는 사건과 중첩되며 죽음의 의미를 강화하고 있다. 미쳐서 물에 빠져 죽는 오필리아와 루트비히 2세는 죽음의 소망을 피력한 무녀와 동일시되는 엘리엇의 죽음에 대한 인식과 다름 아닌 것이다.

한편, 『황무지』 제3부 「불의 설법」 제185-95행에서도 죽음과 부도덕한
성애가 병치되어 있다.

> 그러나 나는 등 뒤에서 찬바람 속에
> 해골이 부딪는 소리와 입이 찢어질 듯한 킥킥대는 웃음소리를 듣는다.
>
> 쥐가 한 마리 살며시 풀숲 속으로
> 끈적거리는 배때기를 끌며 둑 위로 기어갔다.
> 겨울 어느 날 저녁 때 가스 공장 뒤 편에서였다.
> 흐릿한 운하에서 나는 낚시하면서
> 난파한 형왕兄王의 일이며
> 그 이전에 죽은 부왕父王의 일을 명상하였다.
> 허연 시체는 축축한 낮은 땅 위에 알몸으로 노출되고,
> 낮은 추녀 밑 작은 다락방에 버려진 메마른 해골들은
> 해마다 쥐 발에만 걸려 덜그럭거릴 뿐이다. (Eliot 1988, 64-65)

> But at my back in a cold blast I hear
> The rattle of the bones, and chuckle spread from ear to ear.
>
> A rat crept softly through the vegetation
> Dragging its slimy belly on the bank
> While I was fishing in the dull canal
> On a winter evening round behind the gashouse
> Musing upon the king my brother's wreck
> And on the king my father's death before him.
> White bodies naked on the low damp ground
> And bones cast in a little low dry garret,
> Rattled by the rat's foot only, year to year. (*WLF* 140)

제185-86행은 시간, 즉 인간에게 죽음을 가지다 주는 "아버지 시간"Father Time 크로노스Κρόνος, Cronus의 임박함을 제시하고 있는 앤드루 마블Andrew Marvell의 *카르페 디엠*(*carpe diem*)의 시 「수줍은 연인에게」("To His Coy Mistress")의 시행들인 "그러나 나의 등 뒤에서 항시 듣노라, / 시간의 날개 돋친 전차가 급히 가까이 질주해 오는 것을"(But at my back I alwaies hear / Time's winged Charriot hurrying near:) 원용한 것이다(Brooker and Bentley 132). 위 시의 지배적인 심상은 "해골이 부딪는 소리"(The rattle of the bones)와 "웃음소리"(chuckle)로 표상되는 청각적 심상과 쥐의 "끈적거리는 배때기"(slimy belly)와 "축축한 낮은 땅"(low damp ground)에서 드러나는 촉각적 심상이다. 또한 "풀숲 속으로"(through the vegetation) "쥐가 기어가는" 운동 심상kinetic image은 낚시하면서 죽음의 상념에 잠긴 "어부왕"(Fisher King)의 정지 심상static image과 선명하게 대비되면서 자연계와 인간계를 지배하는 죽음의 의미를 더욱 강화시킨다. 죽음의 심상이 "찬바람"(cold blast)과 "해골" 및 "쥐"(rat)의 시어에서 드러나 있다. 바람, 즉 "돌풍"(blast)은 이사야Isaiah 제19장 제7절에 "보라 내가 그에게 돌풍을 보내리니"로 나와 있듯이 신의 처벌을 의미한다. 제186-90행은 조이스의 『율리시즈』(*Ulysses*, 1922)의 "지옥"Hades 에피소드 중 패디 딕넘Paddy Dignam의 장례식장으로 가면서 블룸Bloom이 "돌 위로 그의 유골이 덜거덕거리는" (Rattle his bones / Over the stones) 마차 소리를 회상하는데, 쥐 한 마리가 공동묘지에서 기어 다니고, 장례식 행렬이 운하 부근 더블린 가스 공장 옆에서 멈추는 장면을 연상시킨다(Smith 1974, 84; 1985, 111-12). 위 인용시의 화자가 "어부왕"이라는 것은 그가 "낚시하면서"(fishing) "난파한 형왕" (the king my brother's wreck)과 "그 이전에 죽은 부왕"(the king my father's death before him)에 대한 상념에 잠긴 대목에서 알 수 있다. 엘리엇은 셰익스피어Shakespeare의 『폭풍우』(*The Tempest*, 1611)의 제1막 제2

장에서 나폴리Naples의 페르디난드Ferdinand 왕자가 요정妖精 에어리얼과의 만남에서 말한 제390행 "난파한 부왕을 다시 애도할 때"(Weeping again the King my father's wreck)를 원용한 것이다(Smith 1974, 84). 전기비평으로 접근하면, 부왕의 죽음은 엘리엇의 부친 헨리 웨어 엘리엇Henry Ware Eliot이 1919년 1월에 작고한 것을 암시하는 듯하다. 어부왕이 낚시하는 물고기fish는 남근, 다산, 예수 그리스도를 상징하고, 웨스턴에 의하면 생명과 성배와 동일시될 수 있으므로, 어부왕의 낚시하는 행위는 불모와 죽음이 지배하고 있는 상황에서 생산과 구원을 희구하고 있는 것이다(125; Cirlot 106-7; Southam 1994, 167). 그러나 어부왕의 명상의 결과는 "허연 시체"(White bodies)와 "버려진 해골들"(bones cast)의 시구에 집약되어 어부왕과 동일시되는 엘리엇이 "흐릿한 운하"(dull canal), 즉 템즈강에서 익사하고 싶은 심정을 표출하고 있다. 이어서 제196-201행에는 스위니를 태울 자동차의 "경적과 모터 소리"의 청각적 심상이 우물에서 목욕하는 포터 여사와 그녀의 딸에게 "비추는 밝은 달빛"(the moon shone bright)의 시각적 심상과 중첩되어 있고, 이들의 부도덕한 성애가 암시되어 있다. 엘리엇은 죽음과 부도덕한 성애를 역시 병치시킴으로써 이들이 동일하다는 것을 역설하고 있는 것이다. 또한 엘리엇의 시 「나이팅게일에 에워싸인 스위니」와 「똑바로 일어선 스위니」 등에 등장하는 스위니는 육체의 정욕에 사로잡힌 생중사의 인간을 의미하고, 요정들과 함께 우물에서 목욕하고 있던 사냥과 순결의 여신 아르테미스(디아나)의 나신을 보고 욕정을 느낀 결과 처벌로서 사슴으로 변신시켜 사냥개들의 먹이가 된 사냥꾼 악타이온과 동일시되며 끔찍한 죽음을 함의한다(Smith 1974, 85; Southam 1994, 168; Davidson 128; Brooker and Bentley 134).

이와 같이 부도덕한 성애와 죽음을 병치시키는 엘리엇의 시적 기교는 제209-14행에 등장하는 "유게니데스 씨, 스미르나 상인"의 시구 "호주머니

가득 건포도(pocket full of currants)의 / 런던착 운임 및 보험료 지불 보증 일람불어음"에서도 드러난다. 동성애로 유혹하는 상인의 건포도 운송 및 보험료 지불 보증 일람불어음은 그의 생식 기능이 결여됨을 상징함으로써 비도덕적인 성애와 상업주의의 죽음을 함의하고 있다. 이어서 부도덕한 성애와 죽음의 병치는 제243-46행에서 언급된 고대 그리스 도시 테베의 예언자 테이레시아스의 경험에서도 드러난다.

> (그리고 나 테이레시아스는 이 긴 의자, 즉 침대에서
> 일어난 모든 일을 경험한 바다.
> 테베 시의 성벽 밑에서 앉아도 봤고
> 비천한 주검 사이를 걸어도 본 나다). (Eliot 1988, 66)

> (And I Tiresias have foresuffered all
> Enacted on this same divan or bed;
> I who have sat by Thebes below the wall
> And walked among the lowest of the dead.) (*WLF* 141)

양성兩性의 장님 예언자 테이레시아스, 즉 베르드날과 동성애 그리고 비비엔과 이성애, 즉 양성애兩性愛를 경험한 시인 엘리엇은 화농투성이의 청년과 여타자수의 "긴 의자, 즉 침대에서 일어난 모든 일"(all / Enacted on this same divan or bed)을 혜안으로 파악하고 있는 것이다. 엘리엇의 테이레시아스와 테베의 언급은 소포클레스Σοφοκλῆς, Sophocles, BC 496-406의 비극『오이디푸스 왕』(*Οἰδίπους Τύραννος, Oedipus Rex*)에 등장하는 테이레시아스와 존 드라이든John Dryden의 극『오이디푸스』(*Oedipus*, 1679)의 시행인 "테베의 / 성벽을 은신처로 삼고"(Under covert of a wall ... / Of Thebes)에 근거하고 있다. 테베가 황폐하고 사람들이 성불구로 저주 받은 것은 자신도

모르게 테베의 부왕 라이오스Λάϊος, Laius를 죽이고, 어머니 이오카스테Ἰοκάστη, Jocasta와 결혼한 오이디푸스 왕의 대죄大罪의 결과이다(Smith 1985, 100; Southam 1994, 174). 동시에 "비천한 주검 사이를 걸어도 본," 즉 호메로스의 『오디세이아』 제11권 제90행 이후에 죽음의 왕국인 지옥에서 불행한 영혼으로 등장하는 테이레시아스는 예언의 능력은 여전하지만 오디세우스의 익사 예언을 하지 않는다(Thormählen 77). 테이레시아스는 오비디우스 Ovidius, BC 43-AD 17의 『변신담』(變身譚, *Metamorphoses*)에서는 뱀들의 교접을 보고서 성적 변신을 하게 된다(Kenner 144). 양성의 테이레시아스가 간파한 청년과 여타자수의 사랑 없는 정사情事의 결과는 죽음이라는 것은 제253행에서 골드스미스의 소설 『웨이크필드의 목사』 제24장에서 올리비아 Olivia가 부르는 「여인」("Woman")[20]으로 알려져 있는 노래의 첫 시행인 "아리따운 여인이 어리석음에 빠져서"를 인용한 것과, 이 노래의 마지막이 "죽는 것"(to die)으로 끝나는 데에서 암시되고 있다(127-28; Southam 1994, 174). 여타자수는 런던의 유혹녀 세이렌과 동일시됨으로써 인생이라는 바다를 항해하는 남성들을 매혹적인 노래로 유혹해서 익사시키는 벨라돈나이자 요부妖婦, 즉 운명의 여인femme fatale인 셈이다(Kenner 146).

이와 같이 부도덕한 성애의 대표적인 집단 성폭행과 죽음을 동일시하는

---

20) 「여인」 시의 전문은 다음과 같다.

> When lovely woman stoops to folly,
>   And finds too late that men betray,
> What charm can soothe her melancholy,
>   What art can wash her guilt away?
>
> The only art her guilt to cover,
>   To hide her shame from every eye,
> To give repentance to her lover,
>   And wring his bosom is—to die.

것은 제300-5행의 "마게이트 백사장"(Margate Sands)에서 벌어진 사건으로서 템즈강 세 처녀 중 마지막 여인의 고백을 통해 암시되고 있다.

> "마게이트 백사장에서였지.
> 나는 무엇이 무엇인지
> 기억나지 않아.
> 더러운 양 손의 갈라진 손톱,
> 아무 것도 기대하지 않는
> 비천한 인간들" (Eliot 1988, 68)

> "On Margate Sands.
> I can connect
> Nothing with nothing.
> The broken fingernails of dirty hands.
> My people humble people who expect
> Nothing." (*WLF* 143)

위 인용시는 바그너의 오페라 『니벨룽의 반지』(*Der Ring des Nibelungen*) 제4부 『신들의 황혼』(*Götterdämmerung, The Twilight of the Gods*)에 등장하여 비탄의 노래 "바이아랄라"(Weialala)를 부르는 라인강 딸들Rheintöchter 인 보크린데Woglinde, 벨군데Wellgunde, 플로스힐데Flosshilde와 상응하는 템즈강 세 딸들 중 마지막 여성 화자의 비참한 성폭행 고백이다(*WL* 32). 이 여성은 남성을 성적으로 유혹하여 죽이는 세이렌이나 벨라돈나와는 달리 성폭행의 희생자인 것이다. 또한 생명의 상징인 템즈강이 역설적으로 죽음의 상징이 되는 것은 콘래드의 콩고Congo강과 같은 맥락이다(Smith 1974, 89; Brooker and Bentley 144). 집단 성폭행을 당한 여성 화자의 기억으로 "나는 무엇이 무엇인지 / 기억나지 않아."(I can connect / Nothing with nothing.)의 시행은 앞에서 고찰한 히아신스 소녀의 "아무 것도 몰랐었다"(I knew nothing)와, 비비엔의 질문에 대한 엘리엇 내면의 답변인 "아무 것도 아무 것도 아니지"와 연결된다. 시어 "무"(Nothing)는 *허무Nada*로서 죽음의 또 다른 변형일 뿐이다. 결국 성폭행, 즉 부도덕한 성애가 죽음이라는 엘리엇의 시적 주제가 다시 확인되는 셈이다.

　『황무지』의 제4부 「수사」는 앞에서도 언급했지만 제목 자체가 죽음의 한 형태인 익사와 직결된다. 타로 카드의 "익사한 페니키아 선원" 플레바스의 죽음이 구체적으로 드러나 있다.

　　　　페니키아 사람 플레바스는 죽은 지 보름,
　　　　갈매기 울음도 깊은 바다의 놀도
　　　　이득도 손실도 다 잊었다.
　　　　　　　　　　바다 밑의 조류가
　　　　소곤대며 그의 유골을 수습했다. 솟구쳤다 가라앉을 때
　　　　그는 노년과 청년의 뭇 층계를 지나
　　　　소용돌이에 휩쓸렸다.
　　　　　　　　　　이교도이건 유태인이건
　　　　오 그대 타륜舵輪을 잡고 바람머리를 내다보는 자여,
　　　　플레바스를 추념하라, 그대와 같이 한때 미남이었고 키가 컸던 그를.

　　　　　　　　　　　　　　　　　　　　　　(Eliot 1988, 69)

　　　　Phlebas the Phoenician, a fortnight dead,
　　　　Forgot the cry of gulls, and the deep sea swell
　　　　And the profit and loss.
　　　　　　　　　　A current under sea
　　　　Picked his bones in whispers. As he rose and fell

He passed the stages of his age and youth
Entering the whirlpool.

              Gentile or Jew
O you who turn the wheel and look windward,
Consider Phlebas, who was once handsome and tall as you.

                                                    (*WLF* 143)

제314행 "이득과 손실"(profit and loss), 즉 무역에 능통한 페니키아 상인 플레바스는 센코트의 전기 『T. S. 엘리엇: 회고』에서 언급한 베르드날이 아니라, 로이즈 은행에서 8년 정도 근무한 엘리엇과 동일시될 수 있다(Miller, Jr. 11). 또한 제321행 "한때 미남이었고 키가 컸던"(who was once handsome and tall) 플레바스를 작가 엘리엇과 동일시할 수 있는 것은 한국 T.S.엘리엇학회장을 역임한 김종길(치규) 고려대 명예교수와 심명호 서울대 명예교수의 엘리엇 면담 회고가 도움이 될 것이다. 특히 김 교수는 그의 저서 『내가 만난 영미 작가들』에서 엘리엇을 "훤칠하면서도 날카롭고 유능해 보이는 준수"한 시인으로 회상하고 있기 때문이다(14). 플레바스의 영어 "Phlebas"는 남근인 "phallus"의 대격對格 복수형인 "phalluses"를 의미할 수 있으므로 제임스 조지 프레이저 경Sir James George Frazer, 1854-1941의 『황금 가지』(*The Golden Bough*, 1890)에 나와 있는 남근 신들 특히 오시리스와 유사성이 있다(Smith 1985, 106-7). 익사한 지 보름 만에 플레바스는 "갈매기 울음"과 "깊은 바다의 놀," 즉 청각과 촉각의 공감각으로 파악되는 현상계와 "이득도 손실도," 즉 인간의 치밀한 상업적 의식도 모두 사라지게 되고, "그의 유골"(his bones)은 조류에 떠밀려 "노년과 청년의 뭇 층계"(the stages of his age and youth)"를 소급하게 된다. 「수사」의 거의 대부분은 엘리엇의 프랑스 시 「식당에서」("Dans le Restaurant," 1918)를 그대로 영역한 것인데, "노년과 청년의 뭇 층계"는 "그의 전생의 단계들"(étapes de sa vie antérieure)의 번안으로서 바로 전생을 적시한다. 플레바스는 마치 워즈워스Wordsworth의 유명한 시구 "어린이가 어른의 아버지"(The child is father of the man)처럼 전생으로 돌아가는 "소용돌이"(whirlpool)에 휩싸인다. 또는 플레바스를 삼키는 소용돌이는 제320행의 "타륜"(wheel)과 함께 불교 사상인 전생의 업보業報, karma[카르마]로 인하여 그의 무시무종無始無終 고통스런 생사윤회生死輪廻, samsara[삼사라]를 상징할 수도 있다(Thormählen 181). 다시 말해, 플레바스는 제47행의 타로 카드인 "익사한 페니키아 선원"과 제125행의 남성 화자의 생각에서 드러난 "눈이 변하여 진주로 되는" 커다란 변화를 체험하지 못하고 물속에서 "한때 미남이었고 키가 컸던" 시신이 부패하는 것이다. 여기서 양성인 테이레시아스의 육안肉眼은 헤라에 의해 장님이 되지만, 제우스에 의해 예언의 능력을 부여받아 오이디푸스 왕이 존속살인과 근친상간의 흉악범이라고 지적하나 믿지 않던 오이디푸스 왕이 결국 자신의 두 눈을 빼버리면서 속죄의 길로 떠나는 그리스 신화와 비교하는 것도 좋을 것이다. 엘리엇도 비비엔의 러셀과의 부도덕한 성애를 간파한 그의 육안이 익사를 통하여 영롱한 진주로 변용됨으로써 사리사욕私利私慾을 추구하는 현실을 벗어나서 영겁의 예술품이 되고 싶은 욕구를 표출하고 있다. 이것은 예이츠가「비잔티움」에서 욕망에 찌든 자신의 육신이 "황금새"(golden bird)라는 영원한 예술품으로 변신하고 싶은 소망과 같은 것이다. 이러한 변화는 마치 성폭행 당한 필로멜라가 나이팅게일로, 언니 프로크네가 제비로, 이들을 쫓던 테레우스 왕이 매로 변신하는 것과 같은 맥락이다. 플레바스의 익사는 곧 엘리엇이 물에 빠져 죽고 싶은 심정을 대변한다고 볼 수 있다. 여기서 쥘르 라포르그Jules Laforgue의 익사에 관한 시「수족관」("L'Aquarium")에서 익사가 안락사安樂死라는 것과,『율리시즈』에서 블룸이 말한 "익사가 최고의 안락사라더라"(Drowning is they say the pleasantest)와 같은 죽음의 정의를 고려해보는 것도 좋을 것이다(Brooker and Bentley 162; 안중은 2012, 254). 웨스턴에 의하면, 매년 알렉산드리아 Alexandria에서는 고대 이집트의 생명-죽음-재생의 신 아도니스Adonis 또는 죽음과 부활의 신 오시리스의 파피루스 두상을 사제들이 자연력自然力의 죽음의 상징으로 나일강에 던지는 의식이 있었다. 이 두상은 조류에 의해서 1주일 만에 페니키아의 최고最古 도시이자 영어 알파벳의 기원지인 비블로스Byblos까지 실려 가서 그곳에서 부활신의 상징으로 숭배된다고 한다. 그러나 플레바스는 익사한 지 보름이 되고, "바다 밑의 조류가 / 소곤대며 그의 유골을 수습"하며, 소용돌이를 통해 전생으로 돌아갔으므로 재생하지 못하고 영생의 소망이 전혀 없는 것이다. 또한 엘리엇은 윌리엄 모리스 William Morris, 1834–1896의 시집 『이아손의 생애와 죽음』(*Life and Death of Jason*, 1867) 제4권에서 아르고호 용사들Argonauts에게 오르페우스Ὀρφεύς, Orpheus가 부르는 노래에서 페니키아 선원을 바다의 희생자로 언급한 것을 원용했을 것이다(Smith 1974, 92; 1985, 108; Southam 1994, 183). 제319행 "이교도이건 유태인이건"(Gentile or Jew)의 시구는 『율리시즈』의 블룸을 지칭하며, "네스토르"Nestor 에피소드에서도 등장한다. 블룸은 익사하지 않지만, 조이스의 율리시즈의 원형들은 익사하는 선원들이고, 단테의 율리시즈도 바다에서 익사한다. 이 구절에서 바다에 익사한 페니키아 선원 플레바스가 만인萬人, Everyman이며, "이교도이건 유태인이건" 종교를 초월한 모든 독자들도 그를 추념하는 만인이라는 것을 함의하고 있다(Brooker and Bentley 168).

한편, 『황무지』의 제5부 「천둥이 말한 것」에서도 죽음에 대한 명상이 "의식의 흐름"(stream of consciousness)의 기법으로 쉼표나 마침표 없이 이어지고 있다.

살아 있던 그 분은 이미 죽었고
살아 있던 우리는 지금 죽어 간다
가냘프게 견뎌 보긴 하지만 (Eliot 1988, 70)

He who was living is now dead
We who were living are now dying
With a little patience (*WLF* 143)

예수가 기도하던 겟세마네Gethemane 동산과 십자가에 처형된 해골산 골고다Golgotha가 암유되고, 사랑을 추구하는 탐색자의 실패가 암유됨으로써 죽음이 생명을 지배하는 시행들이 대비되고 있다(Smith 1974, 93). 신인神人, 즉 창조주이자 인간인 예수 그리스도의 과거의 실존과 현재의 죽음이 인간 과거의 역사와 현재의 종언終焉과 극명하게 대조되고 있는 것이다. 물론 "이미 죽은"(is now dead) 자는 그리스도뿐만 아니라 살해당한 식물신이므로 아도니스와 오시리스와 오르페우스이기도 하다. 예수를 이교異敎 신들과 동일시하는 것은 현대 비교 종교학에서 파생된 통합일 뿐만 아니라 풍요 의식과 성배 로맨스 사이의 연결 고리인 것이다(Southam 1994, 186-87). 그러나 종국에는 죽음이 가냘픈 인간과 역사를 강력하게 지배하고 있는 현실을 제시하고 있다.

이어서 제335-45행에서는 생명수가 고갈된 바위산 황무지에는 "정적"(silence)이나 "고독"(solitude) 마저 없고, 죽음의 심상만이 지배하는 음산한 분위기가 연출되고 있다.

바위 틈에 다만 물만 있다 해도
썩은 이빨의 죽은 산 아가리는 물을 뿜지 못한다
여기에서 우리는 설 수도 누울 수도 앉을 수도 없다
산 중엔 정적마저 없고
비 내리지 않는 메마른 불모의 우뢰가 있을 뿐
산 중에 고독마저 없고
다만 금간 흙벽집 문에서
시뻘건 음산한 얼굴들이 비웃으며 소리 지른다 (Eliot 1988, 70)

If there were only water amongst the rock
Dead mountain mouth of carious teeth that cannot spit
Here one can neither stand nor lie nor sit
There is not even silence in the mountains
But dry sterile thunder without rain
There is not even solitude in the mountains
But red sullen faces sneer and snarl
From doors of mudcracked houses (*WLF* 144)

생명수의 원천이 못되는 "썩은 이빨의 죽은 산 아가리"(Dead mountain
mouth of carious teeth)는 의인화로서 죽음을 함의한다. 황무지의 하늘에는
"비가 내리지 않는 메마른 불모의 우뢰"(dry sterile thunder without rain)
소리만 들리고, 인간이 살던 흔적을 보여주는 "금간 흙벽집 문"(doors of
mudcracked houses)에는 유령 같은 "시뻘건 음산한 얼굴들"(red sullen
faces)의 비웃음 소리만이 들린다. 엘리엇은 청각적·시각적 심상을 통하여
황무지의 음산한 천지현황天地玄黃을 한 폭의 초현실주의적 그림 같이 묘사
하고 있다.

한편, 제359-65행에 등장하는 "항상 그대와 나란히 걷는 제삼자"(who

walks always beside you)와 "항상 그대와 나란히 걷는 또 한 사람"(always another one walking beside you)과 "후드를 쓰고, 갈색 망토에 싸여 발자국 소리도 없는"(Gliding wrapt in a brown mantle, hooded) 사람은 부활 이후 제자들과 함께 "엠마오"Emmaus로 가는 예수 그리스도가 아니라, 타로 카드의 주제 카드처럼 항상 인간을 따라 다니는 두건 쓴 죽음의 신을 지칭한다. 죽음을 예찬하는 휘트먼의 「라일락꽃이 마지막으로 앞뜰에 피었을 때」 제15부 제121-23행21)이 제시하고 있는 "죽음의 인식"(knowledge of death)과 "죽음의 사상"(thought of death)을 좌우에 대동하고 걷는 화자의 모습과 매우 유사하기 때문이다(WLF 144; Smith 1985, 115).

이어서 제366-76행에서 현재 황무지의 하늘과 땅의 죽음을 함의하는 청각적 심상은 과거의 죽음을 애도하는 청각적 심상과 접맥됨으로써 예수 그리스도의 죽음을 슬퍼하는 성모 마리아의 비탄, 즉 *피에타Pieta*를 연상시킨다.

> 공중에 높이 들리는 저 소린 무엇인가
> 모성적인 슬픔의 울음소리
> 끝없는 벌판 위에 떼 지어 가는 후드를 쓴 무리들은 누구인가
> 다만 평평한 지평선에 에워싸여
> 갈라진 대지에서 고꾸라지며 가는 그들은 누구인가
> 산 너머 저 도시는 무엇인가
> 보랏빛 대기 속에서 깨지고 다시 서고 터진다
> 무너지는 탑들
> 예루살렘 아테네 알렉산드리아

---

21) Then with the knowledge of death as walking one side of me,
   And the thought of death close-walking the other side of me,
   And I in the middle as with companions, and as holding the hands of companions,
   (Whitman 334)

비엔나 런던

공허하구나 (Eliot 1988, 71-72)

What is that sound high in the air

Murmur of maternal lamentation

Who are those hooded hordes swarming

Over endless plains, stumbling in cracked earth

Ringed by the flat horizon only

What is the city over the mountains

Cracks and reforms and bursts in the violet air

Falling towers

Jerusalem Athens Alexandria

Vienna London

Unreal (*WLF* 145)

"끝없는 벌판 위에 / 떼지어 가는 후드를 쓴 무리들"(those hooded hordes swarming / Over endless plains)은 1917년 러시아 볼셰비키 혁명 당시에 잘 조직되지 않은 군중을 함의하고 있다(Southam 1994, 189). 그들은 "평평한 지평선에 에워싸여 / 갈라진 대지에서 고꾸라지면서"(stumbling in cracked earth / Ringed by the flat horizon) 죽음을 맞이하고 있다. 결국 혁명으로 제정帝政 러시아를 무너뜨린 무리들은 타로 카드에서 원을 그리며 돌아가는 군중과, 런던교 위로 흘러가는 수많은 유령 군중과 함께 죽음의 심상에서 동일한 것이다. "모성적인 슬픔의 울음소리"(Murmur of maternal lamentation)는 성모의 *피에타*와 그리스도의 죽음을 슬퍼하는 막달라 마리아 같은 여인들의 통곡소리일 뿐만 아니라 타무즈, 오시리스, 아티스Attis를 위해 우는 여인들의 울음소리이며, 예루살렘의 멸망을 통탄하는 이스라엘 여인들의 곡성哭聲인 동시에 볼셰비키 혁명을 비탄하는 모국 러시아Россия-Матушка, Mother Russia의 슬픔의 절규로 볼 수 있다(Kenner 149; Smith 1974, 94; Southam 1994, 189).

또한, 제385-90행에서 황무지 "산간의 이 황폐한 공동"(this decayed hole among the mountains)과 "성당 주변의 / 나자빠진 무덤들"(the tumbled graves, about the chapel) 역시 죽음의 음산한 분위기를 제시하고 있다.

> 산간의 이 황폐한 공동
> 희미한 달빛에 싸여 성당 주변의
> 나자빠진 무덤들 위에서 풀이 노래하고 있다.
> 텅빈 성당, 바람의 집만 있을 뿐.
> 창도 없고 문은 흔들거린다,
> 마른 해골들은 아무에게도 해를 주지 않는다. (Eliot 1988, 72)

> In this decayed hole among the mountains
> In the faint moonlight, the grass is singing
> Over the tumbled graves, about the chapel
> There is the empty chapel, only the wind's home.
> It has no windows, and the door swings,
> Dry bones can harm no one. (*WLF* 145)

"텅빈 성당"(empty chapel)은 앞에서 언급한 성 메리 울노스 성당으로 수많은 유령 군중이 예배하러 운집해 들어가는 모습과는 대조적이다. 죄인 구원이라는 성당 본래의 목적을 상실한 황무지에서 죽음만이 드리워진 정황이 다시 한 폭의 그림 같이 드러난다. "텅빈 성당"은 웨스턴의 『제식에서 로맨스로』의 성배 전설에 등장하는 "위험 성당"Chapel Perilous을 지칭한다

(Weston 178). "나자빠진 무덤들"(tumbled graves)은 말로리Malory의 『아서 왕의 죽음』(*Le Morte d'Arthur*)에 의하면, 성배 탐색 기사들인 갤러헤드 경 Sir Galahad과 퍼시벌의 용기를 시험하기 위한 60기基 여인들의 무덤들로서 죽음의 심상이다(764). "마른 해골들"(Dry bones)은 앞에서 고찰한 "죽은 사람들의 뼈들"과 "버려진 해골들"에 비유되고, 죽음의 음산한 효과를 공통적으로 발산하는 시어들이다. "위험 성당" 부근에 접근하는 기사를 공격하는 제379행 "아기 얼굴의 박쥐들"(bats with baby faces) 등의 악몽 같은 공포들로 득실거린다. 한 폭의 초현실주의 그림 같은 이 시구에 대해 엘리엇은 20세기 에스빠냐 화가 살바도르 달리Salvador Dali, 1904–1989 같은 초현실주의 예술가들에게 커다란 영향을 끼친 15세기 네덜란드 화가 히에로니무스 보스Hieronymus Bosch, 1450–1516 유파의 그림에서 영감을 받은 것이라고 밝힌 바 있다(Smith 1974, 95 재인용). 이를 입증하듯이 보스의 유화 <지옥>(*Hell*)에는 거꾸로 기는 인간들의 모습이 커다란 박쥐 모양의 해골 아래에 그려져 있다.

한편, 『황무지』 제5부 마지막 부분에서 황폐국 어부왕의 명상과 무너지는 "런던교" 및 3편의 이탤릭체 시행들이 죽음의 심상을 고조시키고 있다.

> 나는 강가에 앉아
> 낚시질했다, 뒈엔 메마른 벌판
> 최소한 내 땅이나마 정돈할까?
> 런던교가 무너진다 무너진다 무너진다
> *그리고서 그는 정화의 불 속에 뛰어들었다*
> *언제 나는 제비처럼 될 것인가—오 제비여 제비여*
> *폐허의 탑 속에 갇힌 아뀌뗀느 왕자*
> 이러한 단편들로 나는 나의 폐허를 지탱해 왔다
> 그러면 당신 말씀대로 합시다. 이에로니모가 다시 미쳤다.

다따. 다야드밤. 다미야따.
　　샨티 샨티 샨티 (Eliot 1988, 73)

　　　　I sat upon the shore
Fishing, with the arid plain behind me
Shall I at least set my lands in order?
London Bridge is falling down falling down falling down
Poi s'ascose nel foco che gli affina
Quando fiam ceu chelidon－O swallow swallow
Le Prince d'Aquitaine à la tour abolie
These fragments I have shored against my ruins
Why then Ile fit you. Hieronymo's mad againe.
Datta. Dayadhvam. Damyata.
　　Shantih shantih shantih (*CPP* 74-75)

이사야 제38장 제1절에 히스기아 왕King Hezekiah에게 들리는 하나님의 말씀
인 "너는 네 집에 유언하라 네가 죽고 살지 못하리라"(Set thine house in
order; for thou shalt die, and not live)를 연상시키는 어부왕의 "내 땅이나
마 정돈"(set my lands in order), 즉 죽음을 대비하려는 생각은 비장하기까
지 하다(Smith 1974, 96). 엘리엇은 자신을 함의하는 어부왕의 죽음에서 출
발하여 런던교가 무너지고, 공허한 도시 런던이 파괴되며, 죽음만이 지배하
는 황무지의 묵시록적 환상을 제시하고 있다. 공허한 도시 런던, 환영幻影
같은 런던 시민들, 무너지는 런던교, 안개 속으로 사라지는 건물들의 환상
은 러셀이 꾼 악몽으로, 엘리엇에게 들려준 것을 『황무지』 작시에 원용한
것이라고 러셀은 회상한 바 있다(Southam 1994, 185, 190 재인용). 그런데
"이러한 단편들"(These fragments), 즉 『황무지』를 압축하고 있는 런던교에

관한 동시, 3편의 이탤릭체 시행들, 제비에 관한 테니슨과 스윈번Swinburne 의 시행, 토마스 키드Thomas Kyd, 1558-1594의 『스페인의 비극』(*The Spanish Tragedie*), 마지막 2행인 우뢰소리와 "샨티"(Shantih) 등이 엘리엇 자신의 파멸을 지탱해온 버팀목이라는 것을 함의하고 있다(Brooker and Bentley 201, 206). 여기서는 특히 개인의 죽음과 관련 있는 3편의 이탤릭체 시행들 을 살펴보자. 제427행 "*그리고서 그는 정화의 불 속에 뛰어들었다*"(*Poi s'ascose nel foco che gli affina*)는 단테의 『연옥편』(*Purgatorio*) 제26곡 제 148행을 인용한 것으로 단테가 연옥의 산Mount of Purgatory을 오를 때에 12 세기의 가장 위대한 음유시인 아르노 다니엘Arnaut Daniel이 "때가 되면 나의 고통을 기억해 달라"(sovegna vos a temps de ma dolor)고 말하면서 정욕 의 정화를 위해 연옥의 불속으로 뛰어드는 상황을 가리킨다. 제428행 "*언 제 나는 제비처럼 될 것인가*"(*Quando fiam ceu chelidon*)는 엘리엇이 파운 드의 『로맨스의 정신』(*The Spirit of Romance*, 1910)에 수록된 4세기 작가 불명의 시 「비너스 전야제」("Pervigilium Veneris")에서 인용한 것이다. 이 는 테레우스 왕의 아내 프로크네처럼 제비로 변신해서 러셀에게 아내 비비 엔을 빼앗긴 자신의 처지를 노래, 즉 시로 들려주고 싶은 엘리엇의 절박한 심정을 표출하고 있는 것이다(Southam 1994, 196-98). 제429행 "*폐허의 탑 속에 갇힌 아뀌뗀느 왕자*"(*Le Prince d'Aquitaine à la tour abolie*)는 필자 가 저서 『T. S. 엘리엇과 상징주의』에서 상술하고 있듯이, 프랑스 최초의 상징주의 시인이자 몽상가였으나 추운 1월에 목매어 자살한 제라르 드 네 르발Gérard de Nerval, 1808-1855이 정신착란으로 정신병원에 감금된 상태에서 작시한 소네트 「폐적자」(廢適者, "El Desdichado," 1853)의 제2행을 그대로 인용한 것이다(Kenner 153-54; 안중은 2012, 186-88). 인용한 3편의 시행 들은 정화, 변신, 유폐를 각각 함의하는데 그 공통점은 죽음이다. 다시 말 해, 정화의 불길에서 정욕을 불태우고, 제비로 변신하여 성폭행의 피해를 당한 노래를 부르며, 탑 속에 갇혀서 몰락하는 엘리엇 자신을 드러내고 있는 것이다. 제431행 "이에로니모가 다시 미쳤다"(Hieronymo's mad againe)는 키드의 『스페인의 비극』의 부제를 그대로 인용하였다. 이에 따르면, 이에로니모는 자신의 정원에 심은 나무에서 교수형에 처해져 죽은 아들 오라띠오Horatio가 어떻게 자라는지 알고 있지만, 『황무지』에서 보듯이 여러 가지 언어로 된 극중극을 완성할 때까지 발설하지 않는다(Kenner 144; Smith 1974, 98). 아들의 살해로 미쳤으나 살인자들에게 극중극을 써서 복수한 후에 혀를 깨물고 뱉어내어 자살하는 이에로니모처럼 엘리엇도 다시 미쳐서 죽고 싶은 죽음에의 희구를 표출함으로써 자신의 비탄을 영원한 시로 승화시키고 있는 것이다.

III

죽음은 그리스 · 로마 신화와 호메로스의 서사시 『일리아스』(Ἰλιάς, Iliad)와 『오디세이아』에서부터 영국 르네상스 시대의 극작품과 낭만주의 영미시를 거쳐서 현대의 모더니즘 문학에 이르기까지 주요 주제와 소재가 되어 왔다. 예컨대, 친구의 익사를 비탄하는 존 밀턴John Milton의 「리시다스」("Lycidas," 1638), 친구 존 키츠John Keats의 병사를 비통해하던 퍼시 비쉬 셸리Percy Bysshe Shelley의 「아도네이스」("Adonais," 1821), 테니슨의 『추도시』 그리고 위인 링컨 대통령의 서거를 비통해 하는 휘트먼의 「라일락꽃이 마지막으로 앞뜰에 피었을 때」와 「오 선장님! 나의 선장님!」("O Captain! My Captain!," 1865) 등이 있다. 또한 윌리엄 컬런 브라이언트William Cullen Bryant의 죽음을 관조한 명상시 「타나톱시스」("Thanatopsis," 1817)가 있다. 이 중에서 「리시다스」는 밀턴이 1637년 8월 10일 케임브리지대학교의 친구이자 시인 에드워드 킹Edward King이 탄 배가 웨일즈에서 아일랜드로 항해 도중 암초에 부딪혀 파선하여 익사한 비극을 애도하는 193행의 목가적 비가로서 엘리엇의 『황무지』 433행에 나타난 죽음의 심상과 비교될 수 있을 것이다.

지금까지 엘리엇의 『황무지』에 나타난 죽음을 주로 전기비평과 부도덕한 성애가 죽음이라는 테이레시아스의 실체적 관점에서 조명해보았다. 히아신스 정원, 마게이트 백사장, 선술집에서 릴의 대화, 위험 성당, 밀레 해전 등의 장면과, 바다, 템즈강, 런던교, 시티와 런던, 예루살렘, 아테네, 알렉산드리아, 비엔나 등에서 성폭행, 죽음 또는 멸망이 병치·직조되어 죽음의 함의와 상징성을 강화시키고 있다. 요컨대, 엘리엇은 『황무지』에서 제1차 세계대전 중 에게 해에 익사한 친구들인 브루크와 다다넬즈 해협에서 익사한 베르드날 뿐만 아니라 죽음의 기원을 하는 쿠마에 무녀, 슈타른베르크 호수에 미쳐서 익사한 루트비히 2세, 익사한 페니키아 선원의 타로 카드, 즉 플레바스, 밀레 해전에서 익사한 스텟슨, 미쳐서 연못에 빠져 죽은 오필리아, 궁전이 파괴되어 흙속에 파묻힌 첨탑에 유폐되어 몰락한 아뀌뗀느 왕자, 다시 미치고 자살하는 이에로니모 등과 같이 미쳐서 물에 빠져 죽고 싶은 죽음에의 염원을 암시적·상징적으로 표백表白함으로써 죽지 않고 재생의 방법을 찾게 된 것이다.

이와 같이 엘리엇이 『황무지』에서 탐색한 죽음의 주제는 "죽음을 꿈꾸는 왕국"(death's dream kingdom)을 그리고 있는 「텅빈 사람들」과 "결국 죽음인 / 동물의 황홀에 빠지는 자들"(Those who suffer the ecstasy of the animals, meaning / Death) 등을 노래하는 「머리나」("Marina," 1930)에서도 지속되고 있어 이에 대한 추가 연구의 여지를 남겨 두고 있다.

4

타로 카드: 『황무지』의 해석 기법

I

엘리엇의 『황무지』 제43-59행(원고본 제96-113행)까지에는 작품의 해석에서 매우 중요한 타로 카드가 소개되어 있다. 이 타로 카드에 대한 해석은 난해한 시 해석만큼이나 학자들마다 견해가 다양하다. 엘리엇의 초기 비평가인 매시슨은 일찍이 "나는 타로 팩을 본 적이 없다. 엘리엇도 못 보았다는 데에 돈을 걸겠다"라고 호언장담을 했었다(Matthiessen 50). 이러한 매시슨의 단정은 엘리엇이 『황무지』의 「주석」에서, "나는 타로 카드 팩의 정확한 구성에 친숙하지 않다"(*WL* 28)라고 밝힌 것에 근거를 두고 있음을 쉽게 추론할 수 있다. 그러나 1950년경부터 스미스를 필두로 한 타로 연구가 시간의 경과와 더불어 진척됨에 따라서, 매시슨의 이 단정은 그의 식견이 부족했다는 것이 확연히 드러났다. 필자는 위의 엘리엇의 고백이 위장이라는 견지에서 연구되어 온 글들을 중심으로, 엘리엇의 『황무지』 해석에 하나의 중요한 단초가 되고, "어떤 의미에서는 시 전체"의 의미를 함축하며,

"풍성한 심상의 근원"인 타로 카드의 "원형적 의미"를 천착함으로써 작품 해석에 새로운 지평을 제시하고자 한다(Brooker and Bentley 77; Ward 86; Smith 1985, 94).

타로 카드의 기원은 나일 강물의 범람과 밀접한 연관이 있는 고대 이집트의 신비한 의미가 있는 풍요의식과 민간전승의 식물신화에서 비롯되었다는 주장이 지배적이다(Brooks 142; Southam 1981, 89). 이 타로 카드의 원화가 이집트의 세라-페이온 신전의 벽화였고, 타로 점이 집시에 의하여 널리 퍼졌다는 이집트 설이 가장 유력하다. 이집트 말로 "왕도"王道의 의미가 있는 타로 카드는 각 장마다 신비성과 환상이 담겨 있다. 이 이집트의 점성술적 그림의 타로 카드는 중세를 거치면서 가톨릭적 요소가 가미된 것으로 여겨진다. 1392년 프랑스 왕 샤를르 6세Charles Ⅵ를 위하여 만들어진 몇 장의 현존하는 타로 카드가 가장 오래된 것이고, 15세기 이탈리아에서는 최초의 권위 있는 *따로키*/tarrochi 카드가 나타난다. 18-20세기 초엽 당시 영국에서 구입할 수 있는 유일한 타로 카드는, 베네치아에서 만들어진 프랑스 카드가 그 기원일 것이다. 20세기에 와서 78장으로 구성되어 있는 이탈리아 및 프랑스의 타로 카드들은 신비한 의미를 지니고 있는 상징적 형태인 타로Tarot로 격상되어 있었다. 또한 유럽과 미국의 신비주의가 전성기였던 1880-1920년 사이에, 타로 팩은 전설적인 점성술 책인 『헤르메스 트리스메기스투스, 즉 토트신의 서』(*Book of Hermes Trismegistus, or Thoth*)로 간주되었다. 타로는 단순히 저속한 운명을 예언하는 장치가 아니라, 인간의 경험 세계와 영원한 영적 세계를 연결하는 모든 "밀봉된 상응의 비밀 열쇠"라는 것이다(Gibbons 565).

이와 같은 타로 카드에 대하여 최초로 대중의 관심을 사로잡은 책은 19세기 프랑스의 신비주의자인 엘리파스 레비Eliphas Levi의 주장이 제랄드 앙꼬스Gerald Encausse에 의하여 상술된 『보헤미안인들의 타로』(*Le Tarot des*

Bohemiens, 1889)이고, 3년 후에 모턴A. P. Morton에 의하여 영역본이 출판되었다. 이후 1910년에 아서 에드워드 웨잇Arthur Edward Waite이 집필하고, 파멜라 콜먼 스미스Pamela Colman Smith가 디자인한 타로 팩을 수록한 『타로의 열쇠』(*The Key to the Tarot*)와, 스미스가 흑백으로 도안한 타로 카드를 웨잇이 출판한 『타로의 그림 열쇠』(*The Pictorial Key to the Tarot*)는 타로 연구가들에게 원용되어 왔다(Currie 724). 상징성을 내포하고 있는 이 타로 안내서를 엘리엇이 알았는지의 문제는 차치하고라도, 그의 시에 원용함으로써 그 상징성은 더욱 분명하게 되었다고 할 수 있다. 한편, 엘리엇 자신이 영향을 받았다고 밝힌 웨스턴의 『제식에서 로맨스로』의 제6장 「상징」("The Symbols")에서는 특히 타로의 기원과 상징성이 잘 나와 있다. 다음 절에서는 『황무지』에서의 타로 카드에 관한 엘리엇의 언급을 살펴보고, 시에서의 상징적 해석 기법을 고찰하기로 하자.

II

오늘날 서구에서 인간의 운명을 예언하는 하나의 수단으로 인기 있다는 전통적인 타로 팩은 78장으로 구성되며, 이것들은 22장의 주요 트럼프Major Trumps, 즉 Major Arcana와 14장 4벌Four Suits, 즉 Minor Arcana로 되어 있다. 전자는 상수패Keys, *atouts* 카드로써 0번부터 21번까지 상징적 그림과 제목이 붙여져 있는데, 학자들에 따라서 카드의 명칭과 순서가 약간 다르지만 대충 다음과 같다. 0: 바보/조커Fool/Joker, 1: 마술사/요술사Magician/Juggler, 2: 여교황/여사제Female Pope/High Priestess, 3: 여제Empress, 4: 황제Emperor, 5: 교황/대사제Pope/High Priest, 6: 연인/결혼Lovers/Marriage, 7: 전차/집시 포장마차Chariot/Gypsy Caravan, 8: 힘Fortitude, 9: 수도자/현자Hermit/Sage, 10: 운명의 수레바퀴Wheel of Fortune, 11: 정의Justice, 12: 매달린 남자Hanged Man, 13: 죽음

Death, 14: 절제Temperance, 15: 악마Devil, 16: 탑/성전/병원Tower/House of God/ Hospital, 17: 별Star, 18: 달Moon, 19: 태양Sun, 20: 최후의 심판Last Judgment, 21. 세계World가 곧 그것이다(Greene 47; Gibbons 561). 타로 카드의 그림에는 기독교적 상징물 및 이교도의 점성술적 상징물이 다 같이 나오고 있다. 전자는 "교황," "여교황"(전설적인 여자 교황 잔느), "수도자," "악마," "최후의 심판," "세계"에서, 후자는 "달," "태양," 12궁좌의 상징인 "천칭궁"(Libra, 11번: 정의), "사자궁"(Leo)과 "처녀궁"(Virgo, 8번: 힘)에서 상징적 그림이 나타난다. 여기에서 타로 카드는 정통 기독교적 요소와 천궁도天宮圖의 점성술적 요소가 결합된 상징적인 형국임을 쉽게 알 수 있을 것이다(Currie 722-24).

또한 상수패 이외의 4벌 타로 카드는 잔Cups, 지팡이Wands, 칼Swords, 별표Pentacles 또는 Pentangles의 상징을 제외하고는 전통적인 놀이 카드와 유사하다(Gibbons 561). 이 4벌의 카드는 이집트의 타로 카드에 새겨진 산스크리트와 힌두스탄의 기원을 나타내고 있으며, 다음과 같이 성배의 상징체계로 요약할 수 있을 것이다(Weston 77; Smith 1985, 91).

잔   (성작[聖爵, Chalice] 또는 받침 달린 잔[Goblet])−하트패
     (Hearts).
창   (지팡이, 또는 홀[笏, Sceptre])−다이아몬드패(Diamonds).
칼   −스페이드패(Spades).
접시 (원형[Circles], 오각형[Pentangles] 또는 동전[Coins] 등 여러 형
     태)−클럽패(Clubs).

위의 전설적인 성배의 상징체계의 잔, 창, 칼, 접시는 타로 카드에서 잔, 지팡이, 칼, 별표로 연결되어 나타난다(Gibbons 565). 외형적 모습을 통해서

성적인 마력을 나타내고자 하는 이 카드들은, 정신분석학적 비평에서 창과 칼은 남근을, 잔과 접시는 여근을 각각 상징하는 것이다(Smith 1974, 77). 따라서 『황무지』에서 이 4벌의 타로 카드를 통하여 엘리엇이 나타내는 두드러진 상징 중의 하나가 불모지에서의 남녀의 성적 쾌락만 추구하는 비정상적인 성행위는 결국 죽음의 행위라는 것이다.

그러면 실제 『황무지』 제1부 「사자의 매장」에서 엘리엇이 소소스트리스 부인을 통하여 제시하고 있는 타로 카드를 살펴보자. 아래 인용시에 파운드가 삭제 권유한 원고본의 시행들은 실선으로, 시구는 대괄호로 표기하였다.

> 소소스트리스 부인은 유명한 천리안,
> 독감에 걸려 있긴 했지만, 그래도
> 유럽에서 제일 지혜로운 여인으로 통하고,
> 신통한 트럼프 점을 친다던 부인. 그녀의 말—
> 자 이것이 당신의 괘卦요, 익사한 페니키아 선원,
> (보세요! 전날의 그의 눈은 변하여 진주로 되었지요.)
> 이것은 벨라돈나, 암반의 여인,
> 상황의 여인.
> 이것은 세 개의 장대와 남자 [낚시하는 왕 / 어부왕], 그리고 이것은
>   수레바퀴,
> 이것은 외눈의 상인, 그리고 이 무패는
> 이 상인이 짊어지고 있는 그 무엇인데,
> 내겐 못 보게 되어 있어요. 그리고
> 매달린 남자는 [찾아도] 보이지 않는군요. 익사를 조심하시오.
> 떼를 지어 빙빙 돌고 있는 군중이 보이는군요.
> (나 요한은 이것들을 보고 들었다)
> 고맙습니다. 만일 에퀴톤 부인을 만나시거든
> 천궁도는 내 자신이 가지고 간다고 말해 주세요.

요새는 조심해야 하니까요.

Madame Sosostris, famous clairvoyante,
Had a bad cold, nevertheless
Is known to be the wisest woman in Europe,
With a wicked pack of cards. Here, said she,
Is your card, the drowned Phoenician Sailor,
(Those are pearls that were his eyes. Look!)
Here is Belladonna, the Lady of the Rocks,
The lady of situations.
Here is the man with three staves [King fishing / fisher King], and
  here the Wheel,
And here is the one-eyed merchant, and this card,
Which is blank, is something he carries on his back,
Which I am forbidden to see. I do not find [I look in vain]
The Hanged Man [For the Hanged Man]. Fear death by water.
I see crowds of people, walking round in a ring.
(I John saw these things, and heard them)
Thank you. If you see dear Mrs. Equitone,
Tell her I bring the horoscope myself:
One must be so careful these days. (*WL* 5-6; *WLF* 7-9)

　　점괘를 문의하러 온 탐색자에게 타로 카드를 펼쳐 보이는 "현대판 무녀"
인 소소스트리스 부인은 양성인데 남성의 이름을 사용한 점에서 작가의 의
도가 다분히 들어 있다(Brooker and Bentley 77). 뱀이 혀를 움직일 때의
소리와 같은 치찰음 "s" 소리가 나는 소소스트리스란 이름은 그리스의 역
사가 헤로도토스Ηρόδοτος, Herodotus BC c. 484-425에 의해 그 공적이 기록된

이집트의 제12왕조의 세소스트리스Sesostris 왕으로부터 차용한 것보다는, 엘리엇이 읽었다고 밝힌 올더스 헉슬리Aldous Huxley의 관념 소설인 『크롬 옐로』(*Crome Yellow*, 1921)에서 스코건 씨Mr. Scogan가 집시의 여장을 하고 은행 휴일 바자회에서 길흉을 예언하면서 플래카드로 자신을 홍보한 "엑바타나Ecbatana의 점술사, 세소스트리스"에서 인용됐을 것으로 추정된다 (Smith 1954, 491; Smith 1974, 76; Southam 1981, 89). 이 스코건 씨를 모델로 한 "유럽에서 제일 지혜로운" 양성의 소소스트리스 부인은 엘리엇의 첫 번째 아내인 비비엔과의 불륜의 사랑으로 엘리엇과 그 가정에 엄청난 불행을 안겨 준 당시 유럽 최고의 철학자인 러셀과도 전혀 무관한 것은 아닐 것이다(Schwarz 102). 소소스트리스의 남녀 양성의 특성은 테이레시아스의 양성과 같이 전체성에 대한 보편적인 상관물이다. 엘리엇이 테베의 장님 예언자에 대해 "테이레시아스가 *간파*하는 것이 실제로 시의 실체이다." (What Tiresias *sees*, in fact, is the substance of the poem.)라고 규정한 이 언급은 단편적으로 소소스트리스 부인에게도 적용된다고 볼 수 있다(*WLF* 148). 따라서 "유명한 천리안"인 그녀가 제시하는 타로 카드의 상징성은 『황무지』의 주제를 알 수 있게 하는 동시에, 그녀가 보지 못하는 "매달린 남자"의 타로 카드가 가장 중요한 상징이라는 뜻이기도 하다(Ward 88).

원래 『황무지』 원고본에 있던 것을 파운드가 삭제하라고 충고했으나 엘리엇이 그대로 살려 출판한 것은 "(보세요! 전날의 그의 눈은 변하여 진주로 되었지요.)"의 시행이고, "세 개의 장대와 남자"를 [낚시하는 왕]에서 다시 [어부왕]으로 바꾸라는 충고를 무시하고, 원고본 그대로 표기한 점은 특기할 사항이다. 전자의 소괄호 안의 내용은 소소스트리스 부인보다는 탐색자가 발견하여 마음 속으로 외친 것이다. 또한 파운드의 충고대로 (나 요한은 이것들을 보고 들었다)의 시행을 엘리엇이 완전히 삭제한 점에 유의해야 할 것이다. 이 부분도 역시 소괄호로 표시함으로써 천리안인 소소스트리스 부인의 불완전한 능력을 풍자하는 역설적인 방백傍白의 역할을 하고 있다(Ward 88). 쿠마에 무녀, 타로 카드로 점치는 현대 유럽의 천리안 소소스트리스 부인, 테베의 예언자 테이레시아스 등의 예언 능력을 능가하는 사도 요한St. John이 기록한 요한계시록Revelation 제22장 8절을 엘리엇이 원고본의 제110행으로 인용한 것은, 사도 요한이 최후 심판의 장면들을 목격하고 들었던 것은 아무리 "이것들"이 환상적이라 하더라도, 실존할 현상으로 확신했기 때문이다.

위에 나타나는 타로 카드는 자세히 볼 때에 "익사한 페니키아 선원," "벨라돈나," "세 개의 장대와 남자," "수레바퀴," "외눈의 상인," "무괘," "매달린 남자," "군중" 등 8장이지만, 보다 정확한 숫자는 뒤에서 밝혀질 것이다. 이 중에서 "수레바퀴"와 "매달린 남자"는 각각 위에서 살펴본 타로의 10번 카드의 "운명의 수레바퀴"와 12번 카드와 일치한다. 또한 괘가 전혀 없는 "무괘"는 타로 카드가 78장이 아닌 80장, 즉 상수패 22장, 14장 4벌 카드와 무괘 2장으로 구성되는 라이더Rider 팩이지, 웨잇-스미스Waite-Smith 팩이 아님을 암시하고 있다(Currie 728; Nänny 335). 엘리엇이 원용한 타로 카드에서 "세 개의 장대와 남자"(the man with three staves)를 "지팡이 세 개"(The Three of Wands)의 카드로 동일시하면, 웨잇-스미스의 정통적 타로 카드와는 명칭이 거의 일치하는 것은 4장뿐이고, 나머지는 독자의 연상으로 엘리엇의 타로 카드를 실제의 것과 면밀하게 대조하여 해석해야 할 것이다. 위에 인용한 시 이외의 『황무지』시 전체에서 엘리엇은 타로 카드를 직접 언급하거나 암시하고 있는 사실을 배제할 수 없다. 직접 언급한 것으로는 태양(제22, 225행), 죽음(제55, 63행), 세계(제102행), 바보(제162행), 달(제199행), 연인(제250행), 수레바퀴(제320행), 수도자(제356행), 탑(제373, 394, 429행), 황제(제66, 191, 192행), 여제(제258행) 등이다. 또한 암시적으로 나타나는 것으로서 "바보"는 시인 자신과 동일시되고 소소스트리스 부인의 점괘를 묻는 탐색자이며, "여사제"는 "유럽에서 제일 지혜로운 여인으로 통하는 소소스트리스 부인"일 것이다(Smith 1985, 93; Gibbons 564).

한편, 엘리엇이 「주석」 46번에서 타로 카드의 구성에 관한 그의 식견과, 상징 및 연상을 밝힌 것에 유의해야 할 필요가 있다. 특히 타로 카드에 관해 친숙하지 못한 독자에게는 그 상징적 해석의 실마리를 제공해 주기 때문이다.

나(엘리엇)는 타로 카드 팩의 정확한 구성에 친숙하지 않는데, 이것으로부터 명백히 벗어나서 내 편리함에 맞도록 하였다. 전통적인 팩의 한 구성소인 매달린 남자는 두 가지 측면에서 나의 목적에 부합된다. 즉 그는 내 마음속에서 프레이저의 매달린 신과 연상되며, 또 나는 그를 제5부의 엠마오로 가는 제자들의 시행에 나오는 두건 쓴 인물과 연결하기 때문이다. 페니키아 선원과 상인은 뒤에도 등장하고, "군중"도 그러하며, 「수사」는 제4부에서 이루어진다. 세 개의 장대와 남자(타로 팩의 확실한 구성소)를 나는 아주 임의적으로 어부왕 자신과 관련시킨다.

I am not familiar with the exact constitution of the Tarot pack of cards, from which I have obviously departed to suit my own convenience. The Hanged Man, a member of the traditional pack, fits my purpose in two ways: because he is associated in my mind with the Hanged God of Frazer, and because I associate him with the hooded figure in the passage of the disciples to Emmaus in Part V. The Phoenician Sailor and the Merchant appear later; also the "crowds of people," and Death by Water is executed in Part IV. The Man with Three Staves (an authentic member of the Tarot pack) I associate, quite arbitrarily, with the Fisher King himself. (*WLF* 147; *WL* 28)

엘리엇이 타로 카드의 구성을 잘 모른다고 밝혔지만, 이것은 엘리엇의 별명인 "늙은 주머니쥐"답게 하나의 위장일지 모른다. 자신이 친숙하지 않은 타로 카드의 정확한 구성에서 "명백히 벗어나서"라는 말과 "매달린 남자는 나의 목적에 부합된다."는 표현에서 엘리엇의 몰개성 시론을 다시 한 번 확인할 수 있기 때문이다(Reeves 45). 사실 황무지를 주도면밀하게 읽으면, 엘리엇은 그가 인정한 것보다 신비주의 문헌에 관하여 훨씬 더 많은 것을 알고 있었음이 드러난다. 위의 「주석」에서 엘리엇은 자신의 시 창작의 목적에 맞게 타로 카드를 원용했음을 밝히고, "매달린 남자," "페니키아 선원," "상인," "군중," "세 개의 장대와 남자"의 5장의 카드에 대해서만 언급하고 있다. 여기에서 앞의 엘리엇의 인용시와 「주석」의 설명에서 카드의 수가 일치하지 않기 때문에, 과연 소소스트리스 부인이 몇 장의 카드를 제시했는가가 풀어야 할 문제이다. 이 문제에서 학자들의 주장이 아주 다양하게 나타나는데, 타로 카드의 수를 압두Abdoo는 5장, 브루커와 벤틀리는 6장, 커리와 내니Nänny는 7장, 기번즈는 7장 이상, 크릭모어Creekmore는 주제 카드를 포함하여 11장으로 보고 있다. 그러나 일반적으로 소소스트리스 부인을 통해서 점치는 방식은 타로 카드가 주제 카드를 포함하여 8장일 경우에는 육망성형법六芒星形法, Hexagramic Method of Divination일 것이겠지만, 11장일 경우에 고대켈트십자법Ancient Celtic Method of Divination의 방식으로 해석해야 할 것이다.

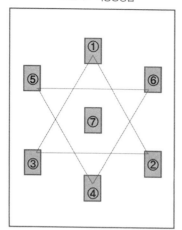

<도표 1> 육망성형법

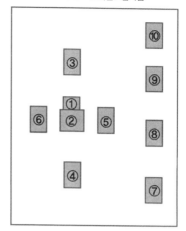

<도표 2> 고대켈트십자법

　　그러면 타로 카드로 인생의 운명을 점치는 이 대표적인 두 가지 방식을 위와 같이 도표를 통하여 알아보자. <도표 1>의 육망성형법은 두 개의 정삼각형이 서로 마주보는 다윗의 별의 형상이지만, <도표 2>의 고대켈트십자법은 왼쪽 부분의 1-6번 카드가 2중 십자가의 형상을 이루고 있다. 전자는 주제 카드와 1) 과거의 상황, 2) 현재의 상황, 3) 미래의 전망, 4) 대비책, 5) 주위의 상황, 6) 자신의 소망, 7) 최종 결과의 카드 점괘로 구성된다. 또한 후자는 주제 카드와 1) 현재의 상황, 2) 방해 요인, 3) 영광, 이상, 목표, 4) 의지하는 물질, 현재의 배경, 5) 최근의 사건, 6) 미래의 전망, 7) 자신의 모습, 8) 자신의 집 또는 주위의 환경, 9) 자신의 소망이나 공포, 10) 최종 결과의 카드로 구성된다(Waite 305). 여기서 주제 카드는 1번 카드의 아래에 놓이게 되어 위의 도표 상으로는 나타나지 않고 있다. 특히 주의할 것은 타로 카드를 잘 섞은 후에 뒷면이 보이게 엎은 뒤에 반드시 왼쪽에서 오른쪽으로 뒤집어야 한다는 것이다. 또한 카드의 그림이 정위치 또는 역위치에 따라서 해석 방식이 완전히 뒤바뀌는데, 정위치란 점치는 사람의 위치에서

볼 때에 바른 위치를 말한다. 여기서 필자는 일반적으로 학자들이 간과하는 육망성형법과, 내니와 크릭모어 등이 주장하는 고대켈트십자법의 두 가지 방식을 다 같이 원용하여 타로의 상징을 해석하는 것이 옳다고 생각한다 (Nänny 338; Creekmore 910). 그러나 편의상 소소스트리스 부인이 제시하는 타로 카드를 고대켈트십자법의 해석에 비중을 두면서, 웨잇-스미스 팩의 타로 카드와의 상관 관계 및 그 카드들의 상징적 해석을 천착하기로 하자. 참고로 이 해석의 이해를 돕기 위하여 결론 부분에 <도표 3>으로 타로 카드의 그림을 첨가하였다.

주제 카드 (트럼프 13, "죽음"): 소소스트리스 부인의 첫 괘인 "익사한 페니키아 선원"(제47행)은 웨잇-스미스의 타로 카드에는 나오지 않고 엘리엇이 만든 카드이지만, "익사한"의 시어에서 "죽음"의 카드와 상응하는 것으로 여겨진다. 주제 카드는 항상 탐색자가 선택하는 것이므로 고대켈트십자법의 해석에서 가장 개인적으로 나타나는 것으로 미루어, 이 "죽음"이라는 주제 카드가 상징하는 것이 『황무지』에서 엘리엇이 나타내려고 한 바로 그 주제를 그대로 반영하고 있음을 알 수 있다(Nänny 339; Smith 1985, 92). 따라서 소소스트리스 부인에게 찾아와서 점괘를 묻는 탐색자를 엘리엇과 동일시할 경우에, 그의 점괘 전체는 곧 "죽음"임을 의미하는 것이다. 주제 카드를 "익사한 페니키아 선원," 즉 "죽음"으로 선정한 것은 「제사」에서 쿠마에 무녀의 "*난 죽고 싶다*"라는 죽음의 소망을 인용한 것이나, 제1부의 제목을 「사자의 매장」으로 표현한 엘리엇의 의도와도 맞아떨어지기 때문이다. 이 카드의 그림에는 바다에 누워 죽은 남자, 페니키아 상선을 연상시키는 배, 백마를 타고 있는 남성도 여성도 아닌 반쯤 두건을 쓴 "사신"의 모습, "사신"이 들고 있는 꽃문장이 그려진 깃발이 담겨 있다. 또한 이 꽃은 중앙에 독성의 밀랍과 진주 형상의 구球가 있는 벨라돈나인 것으로 다음 카드와의 밀접한 관계를 나타내고 있다(Creekmore 911). 이 "익사한 페니키아 선원"의 카드가 제4부 「수사」에 등장하는 "페니키아인 플레바스"와 연결된다는 엘리엇의 언급은 이미 살펴보았다. "익사한"과 "플레바스"는 유사어는 아니지만, 밀접한 관계가 있는 것이 라틴어 동사 형태인 "flebas" (즉, fleo [나는 운다]의 2인칭 단수 과거형 [너는 울었다]를 뜻하는)에서 "f" 대신에 "페니키아인"을 연상시키기 위하여 "Ph"로 대체했기 때문이다 (Nänny 339). "익사한 페니키아 선원"은 미국에서 대서양을 건너가서 영국의 로이즈 은행의 외국정보부 서기로 근무한 외국 작가인 엘리엇 자신을 나타낸다고 볼 수 있다. 은행원으로서 그는 "페니키아인 플레바스"가 잊어버렸을 "이득과 손실"(제314행)에 관심을 가졌던 것이다(Nänny 340). 또한 플레바스의 바다에서의 익사는 제315-16행 "바다 밑의 조류가 / 소곤대며 그의 뼈를 수습했다"(A current under sea / Picked his bones in whispers)의 시행에서 드러난다.

한편, 죽음이 재생의 심상으로 변하는 것은 "눈이 변하여 진주가 된" 선원의 모습에서 알 수 있다. 따라서 "익사한 페니키아 선원"은 풍요의식에서 여름의 죽음의 상징으로서 매년 그 형상이 바다 속으로 던져져서 이듬해 봄에 재생하는 풍요신의 유형이 되기도 한다(Brooks 142). 인용시의 제48행인 "(전날의 그의 눈은 변하여 진주로 되었지요)"는 셰익스피어의 『폭풍우』 제1막 제2장에서 요정 에어리얼Ariel이 나폴리의 왕자 페르디난드에게 부왕 알론조Alonso가 바다 깊이 익사하여 "뼈가 산호로 되었고," "눈이 진주로 변한," "풍요롭고 기이한 것으로 바뀐 커다란 변화"를 불러 주는 노래의 한 절이다. 사실 페르디난드의 생각과는 달리 알론조는 익사하지 않았고, 에어리얼이 부르는 노래는 페르디난드를 사랑하는 프로스페로Prospero의 딸 미란다Miranda와 맺어 주려는 위로의 노래인 것이다(Southam 1981, 90). 여기에서 "익사한 페니키아 선원"의 표현은 1915년 다다넬즈 해협에서 익사한 엘리엇의 친구인 베르드날이나 1919년 사망한 엘리엇의 부친의 영향이 작용하여 시적 변용을 했다는 주장은 설득력이 있다(Schwarz 102). 또한 엘리엇이 그의 「주석」 제218번에서 "페니키아 선원"은 카드 4에 나오는 "건포도 상인인 외눈의 상인을 내포하며, 나폴리의 왕자 페르디난드와도 아주 무관하지 않다"(WL 31)고 밝힌 것에 유의해야 할 것이다. 그런데 소소스트리스 부인에게 영향을 주는 것이 에어리얼의 노래가 아니라 오히려 그 역으로 작용한다. 천리안 소소스트리스 부인은 눈과 보는(예언) 것에 관계하지만, 실제 그녀가 뒤집는 타로 카드의 패는 "외눈의 상인"이며, 그녀에게는 "못 보게 되어 있고" 또 "[찾아도] 보이지 않는다."는 것은 다분히 역설적이기 때문이다(Reeves 46).

카드 1 ("별표 여왕" <Queen of Pentacles>) <역위치>: 소소스트리스 부인이 펼치는 주제 카드를 제외한 첫 번째 카드인 "벨라돈나"는 앞에서 살펴본 주제 카드인 "죽음"을 상징하는 "익사한 페니키아 선원"의 카드를 덮음으로써 직접 영향을 주는 패이다. 이 "벨라돈나"는 역시 웨잇-스미스 타로 카드의 상수패에는 나오지 않지만, 4벌 중 하나인 "별표 여왕"의 패에 상응한다. 그녀는 자신의 상징인 별표를 응시하면서 그 속에 들어 있는 모든 세계를 볼 수 있으므로 "상황의 여인"인 것이다. 이 "벨라돈나"는 여성의 원형으로 엘리엇이 소소스트리스 부인의 타로 카드에 삽입함으로써 특별한 의미를 부여하고 있다. 이탈리아어로 "벨라 돈나"Bella Donna는 "아름다운 여인"의 긍정적인 뜻이지만, 영어의 보통 명사인 "벨라돈나"는 황무지의 박토에 자라는 독성 식물로서 부정적인 의미를 지니고 있다. 또한 "별표 여왕"은 암석으로 장식된 옥좌 위에 앉아 있기 때문에 "암반의 여인"이기도 하다. "암반의 여인"은 월터 페이터Walter Pater가 그의 『르네상스』(The Renaissance)에서 "요동치는 물의 장엄한 효과"(Smith 1985, 95)에 취한 레오나르도 다 빈치Leonardo da Vinci의 걸작인 얼굴에 기이한 미소를 띠고 있는 모나리자로 더 잘 알려진 라 지오콘다La Gioconda를 언급하면서 "그녀는 앉아 있는 바위보다 더 나이가 많아, 흡혈귀처럼 그녀는 여러 번 죽었고, 무덤의 비밀을 알았고, 심해에 잠수했으며, 동양 상인과 이상한 그물을 밀거래 했다"라고 음산하게 표현한 것을 엘리엇이 염두에 두었음을 상기할 일이다(Southam 1981, 90). 또한 "암반"의 의미도 "확실한 기초나 지지 또는 피난처와 보호를 제공하는 것"이라는 긍정적인 의미와, "위험과 파괴의 근원이 되는 암초"와 같은 부정적인 의미를 동시에 함축하고 있다. 엘리엇은 이 두 가지의 속성을 아내 비비엔에게서 발견했는지 모른다. "벨라돈나"를 "암반의 여인"으로 묘사한 것은 『황무지』 전반에 걸쳐서 엘리엇이 사용하는 "암석"과 "물"이 서로 변증법적인 관계임을 짐작할 때, 아서왕King Arthur 의 로맨스에서 펠리노어왕King Pellinore이 "아름다운 여인"(fayre lady)으로, 트리스트람Tristram이 "아름다운 아가씨"(fayre damesell)로 부른 "호수의 여인"(Lady of the Lake)을 연상시킨다(Nänny 342). 또 "암석"은 미국어 속어로 "금강석"을 의미하기 때문에 『황무지』 제2부 「체스 게임」의 벨라돈나의 보석을 연상케 하며, 이런 의미에서 "암반의 여인"은 앞에서 살펴본 타로 카드의 마법의 "지팡이," 즉 "별표"를 잡고 있는 "별표 여왕"과 연결된다(Smith 1985, 95). 또 이 카드는 「체스 게임」의 서두에 나오는 클레오파트라(Cleopatra)를 묘사한 제77행 "찬란한 옥좌"(burnished throne)와 제79행 "열매 맺은 포도 넝쿨"(fruited vines) 및 제80행 "큐핏"(cupidons) 등의 시구와 시어를 연상케 하는 모습이다.

한편, 벨라돈나는 그 독성의 잎에서 화장품이 만들어지며, 이것은 여성 눈의 동공을 확대시키거나 눈매를 아름답게 하기 위하여 사용되었다. 따라서 이러한 화장품의 사용과 화장한 여인들의 유혹은 밀접한 관계가 있는 것이다. 시 전반부에 걸쳐서 엘리엇은 제86행 화장대의 "상아 병과 색유리병"(vials of ivory and coloured glass)와 제87행 "이상한 합성 향료" 등의 표현으로 인위적 및 피상적인 현대의 성생활을 암시하고 있다. 이 벨라돈나는 자신의 방을 제89행 "향기로 감각을 마비시켜서"(drowned the sense in odours) 오디세우스를 유혹하는 키르케Κίρκη, Circe를 연상시킨다. 제112행 벨라돈나의 "말 좀 해줘요. 왜 말 안하세요. 말하세요."(Speak to me. Why do you never speak. Speak.)의 대화 상대자는 언어적으로나 성적으로 대응할 수 없는 어부왕을 의미하는데, 물론 전기비평적 접근에서 해석하면 벨라돈나는 신경쇠약증에 걸린 비비엔과, 어부왕은 엘리엇 자신과 동일시할 수 있을 것이다(Sicker 424-25; Smith 1985, 96). 이 벨라돈나는 엘리엇에게 현재 생중사의 삶을 영위하면서 죽음을 갈구하도록 생활에 악독한 영향을 준 아내라고 지적하는 데에 많은 비평가들의 견해가 일치한다. 따라서 "상황"(situations)이라는 시어는 비비엔이 신경질적이고 히스테리적이며 만성 질병으로 괴로워했다는 점을 고려할 때에, 특히 여성의 "신체적 조건"을 의미한다고 볼 수 있다(Nänny 341). 결국 페니키아 선원의 눈이 진주로 변하는 것은 실제 불가능한 예술적 변용을 말하며, 엘리엇 자신의 창작력이 벨라돈나로 상징되는 아내 비비엔에 의하여 방해를 받는다는 괘로 볼 수 있다(Nänny 343). 이 벨라돈나는 제2부의 「체스 게임」이라는 유혹의 시합에서 "상황의 여인"은 목적을 달성하기 위하여 어떤 자세도 취하며, 어떤 무기—심지어 자신의 노이로제까지 이용하는 여인이다. 이 카드는 정위치로 나올 경우에 긍정적인 괘이지만, 역위치일 경우에는 "악, 의심, 전율, 불신"의 괘가 그 특징이다(Creekmore 912).

카드 2 ("지팡이 세 개"): 이 카드는 주제 카드와 십자의 형태를 형성함으로써 탐색자를 방해하는 괘로 나타나며, 소소스트리스 부인이 제시한 "세 개의 장대와 남자"의 괘는 4벌 카드의 하나이자, 엘리엇이 「주석」에서 주장한 타로 카드의 "확실한 구성소"인 "세 개의 장대와 남자"의 카드와 상응한다. 이것은 앞의 인용시에서 보았듯이 파운드가 제시한 "어부왕"이란 표현 대신 "세 개의 장대와 남자"를 엘리엇의 원래 의도대로 표기를 하고,

「주석」에서는 대문자로 표기함과 동시에 "아주 임의적으로 어부왕 자신과 관련" 있다는 말을 다시 상기하면, 어부왕은 죽음과 재생의 대표적 원형이기 때문에 아주 중요한 괘일 것으로 판단된다. 『황무지』에서의 중요한 죽음과 재생의 신화는 고대의 풍요 신화에 그 기원이 있는 바로 어부왕의 전설인 것이다. 원탁의 기사인 퍼시벌Perceval, Percivale은 어부왕의 성城에서 성불구인 어부왕으로부터 후대를 받는다. 퍼시벌은 어부왕에게 "성배는 무엇이며, 누가 그것의 대접을 받는가?"라는 질문을 하지 않고, 피가 창끝에서 뚝뚝 떨어지는 것을 보고도 묻지 않는다(Abdoo 51). 그 다음 날 퍼시벌은 여행하다가 만난 한 처녀로부터 어부왕은 창 시합에서 넓적다리(또는 정확하게 허리)에 부상을 입어 말을 탈 수 없고 성불구가 되었다는 이야기를 듣는다(Weston 22; Abdoo 55). 그래서 어부왕이 하는 유일한 오락은 낚시라는 것이다. 또 그녀는 퍼시벌이 피가 떨어지는 창과 성배의 상징적 의미를 질문했더라면 어부왕은 건강을 회복하고, 황무지가 비옥하게 되었을 것이라는 말을 하게 된다. 여기서 창과 성배는 각각 남근과 여근의 상징이고, 전자에서의 피는 생명을 또한 상징하므로 생명을 창조하는 남근의 분출로, 성배는 신비롭고 거룩한 인간 생명의 근원으로 볼 수 있다. 물론 성배는 이러한 육적인 의미 이외에도 영적인 의미가 있는데, 그리스도의 최후의 만찬 때와 십자가 위에서 흘린 피를 담기 위하여 사용되었기 때문이다. 따라서 의식적儀式的 질문을 하는 퍼시벌과 같은 구원자가 나타나지 않으면 어부왕은 계속 무의미한 낚시질만 할 것이고, 황무지는 구원의 희망이 없다는 것이다.

또한 엘리엇이 어부왕과 연결하는 "세 개의 장대와 남자"는 "운명의 수레바퀴"와 연결되고, "지팡이 세 개"는 "수레바퀴"의 세 개의 엇갈린 살로서 삼위일체의 기독교 신을 상징한다고도 볼 수 있다. 기독교 성화에서의 "수레바퀴"는 하나님의 보좌를 이동하는 불타는 수레바퀴와 연상이 가능하다. 또한 어부왕과 예수 그리스도의 관련성은 물고기를 뜻하는 그 이름의 상징적 의미에서 유추가 가능할 것이다. 이런 의미에서 "세 개의 장대와 남자"의 괘는 동방 정교회의 영향을 받은 턱수염이 나고 삼중 십자가Triple Cross를 들고 있는 상수패 제5번 카드의 "교황"과 동일시할 수도 있을 것이다(Smith 1974, 77; Smith 1985, 95). 이 "세 개의 장대와 남자"의 카드의 그림은 한 남자가 등을 뒤로 한 채, 벼랑 끝에서 바다를 지나가는 세 척의 배를 굽어보는 침착한 모습이고, 세 개의 장대는 땅에 심겨져 새순이 일부 돋아나고, 그는 오른쪽 장대를 붙들고 있는 상태이다(Waite 192; Currie 728). 새순의 돋아남은 생명의 재생, 즉 죽음으로부터의 부활을 암시한다. 그러나 다른 모든 카드의 바다가 푸른색인 반면에, 이 카드는 모래사막과 같은 데 유의해야 할 것이다(Creekmore 913). 따라서 현재 생산 능력이 없는 엘리엇의 작가 정신이 성불구 상태의 어부왕에 비유되며, 현재의 죽음에서 미래의 부활을 소망하는 모습을 암시한다고 볼 수 있다. 또한 이 타로 카드에서 벼랑이나 언덕 위에 세워진 세 나무를 기독교적 의미로 해석할 때에 갈보리의 세 십자가의 의미로까지 생각할 수 있다. 이 "지팡이 세 개"의 카드는 세속적 가치인 "확고한 힘, 사업, 노력, 무역, 상업, 발견" 등을 의미하는 아주 좋은 카드이지만, 여기서 이것들은 방해하는 요소로 해석된다(Waite 192). 따라서 이 카드는 인간의 노력과 사업은 황무지의 생중사로부터 벗어나는 데 방해가 되고, 여성은 사랑보다는 정욕의 도구가 된다는 의미이다. 한편, 이 "지팡이 세 개"의 카드가 역위치될 경우를 가정하면, "신경쇠약, 의사 표현의 불능, 상상계와 현실계와의 혼돈, 성취할 수 없는 큰 계획" 등을 의미한다(Douglas 162; Nänny 344). 이 해석은 엘리엇이 아내와 러셀과의 불륜의 사랑으로 받은 충격 때문에 신경쇠약에 걸려서 정신 요양을 하고 있던 사실을 진단하고 있으며, "암반의 여인"의 영향 아래에 있는 "익사한 페니키아 선원"이 방해를 받는 상황에 어울리는 괘인 것이다. 그래서 소소스트리스 부인의 "세 개의 장대와 남자"의 카드는 역위치로 나타났는데 엘리엇이 언급하지 않았을 가능성도 배제할 수 없다.

　카드 3 (트럼프 10, "운명의 수레바퀴"): 이 카드는 주제 카드의 위쪽에 위치함으로써 탐색자에게 영광이 되게 하는 괘로서 탐색자의 목적과 이상 및 환경에서 얻을 수 있는 최상의 것을 나타낸다(Waite 301). 소소스트리스 부인의 제51행 "수레바퀴"(Wheel) 카드와 상응하는 이 "운명의 수레바퀴" 카드는 "순환적이고 반복적인 인생"을 상징한다(Traversi 29). 또 이 카드에 는 이집트의 상징인 스핑크스와 에제키엘(에스겔)Ezekiel이 환상 중에 목격 한 네 생물들인 사람, 사자, 소, 독수리의 형상이 그려져 있고, 위의 카드 2 의 가치와 같이 "원리, 다산, 영예, 지배권" 또는 "운명, 재물, 성공, 승진, 행운, 행복" 등의 세상적 속성들을 가진다. 이 카드는 환각의 세계를 표상 하는 불교의 윤회 바퀴의 의미 또는 출생, 죽음, 재생의 끊임없는 영원의 윤 회를 말하는 힌두교적 상징성을 내포하고 있다(Smith 1974, 78; Smith 1985, 96; Schwarz 106). 또한 이 카드가 융의 만다라를 상징한다고 주장하 는 알프레드 더글라스Alfred Douglas에 의하면 "새로운 출발," "심리적 통일 감과 내면의 질서," "마음의 평화," "죄악의 해결" 등으로 해석이 가능하다 (78). "수레바퀴" 타로 카드의 두 가지 해석을 모두 수용할 경우에 엘리엇 에게 필요한 것이 무엇인지 짐작 가능케 한다. "세 개의 장대와 남자"와 다 음 카드인 "외눈의 상인" 사이에 출현한 이 "수레바퀴" 타로 카드는 엘리엇 이 지속적인 상업적 행위, 즉 은행 일을 계속해 나갈 것임을 암시하고 있다. "수레바퀴"의 카드는『황무지』제4부의「수사」에 나오는 제320행 "키 바퀴 를 돌리고 있는 그대"(you who turn the wheel)를 연상케 하며, 여기서의 "그대"는 소소스트리스 부인을 찾아간 탐색자, 즉 시인 자신인 동시에 독자 를 암시함으로써 만인을 상징한다고 볼 수 있다. 이런 의미에서 타로 카드 의 상징성이 보편성을 띄게 되는 것이다.

　카드 4 ("별표 6개" <Six of Pentacles>): 이 카드는 주제 카드의 아래쪽에 위치함으로써 탐색자의 의지가 되게 하는 괘로서 "탐색자가 자신의 소유로 만든 물질의 기초"나 "현재 상황의 배경"의 의미가 된다. 소소스트리스 부인의 제52행 "외눈의 상인" 카드에 상응하는 4벌 카드 중 하나인 "별표 6개"의 그림은 상인이 저울로 돈을 달아서 가난한 사람들에게 나눠주는 모습이다. 그 모습이 옆모습이어서 한 쪽 눈만 보이게 되므로, "외눈"의 표현이 생긴 것이고, "별표"가 그림에는 원형으로 나타나서 앞에서 고찰한 성배의 상징체계를 상기하여 "동전"과 대체할 경우에 "상인"과의 연상은 쉽게 될 것이다(Gibbons 563; Smith 1985, 94). 그의 행위는 그의 착한 심성뿐만 아니라 인생에서의 성공을 입증한다. 이 카드는 물질 문제에 있어서 수지 균형을 맞추고, 적자 보던 거래의 수레바퀴가 매끄럽게 반전되는 박애주의자의 카드이다. 따라서 이것은 "박애, 동정, 친절한 마음, 선물, 상금, 위로부터의 도움, 후원" 등을 나타낸다(Douglas 196). 여기에서 "외눈의 상인"을 당시 엘리엇이 교제를 한 시력이 약해서 검은 렌즈를 꼈던 조이스로 간주하는 주장이 무리임을 알 수 있다(Schwarz 107). 오히려 이 카드는 엘리엇 자신의 물질을 말하는 것으로서 그가 은행에서의 새로운 일과 파운드와 퀸의 도움으로 경제적인 어려움을 극복해 나가기 시작한 것으로 보아야 할 것이다.

한편, 이 카드는 『황무지』 제3부 「불의 설법」 제209행에서 "유게니데스 씨, 스미르나의 상인"으로 나타나고, 앞에서 살펴본 엘리엇의 진술뿐만 아니라 역사적으로 신비 의식을 확산시킨 페니키아 상인과 시리아 상인과의 연상 작용을 통하여 주제 카드의 "익사한 페니키아 선원"과 연결된다. "유게니데스 씨, 스미르나의 상인"의 이름이 "좋은"Eu과 "유전자"gene의 합성어로 "좋은 태생"의 뜻과, 그가 풍요의 상징인 무화과 산지인 스미르나의 출신임을 고려할 때에 원래의 의미는 풍요를 뜻하는 것임을 알 수 있다(Moorman 200). 그런데 스미르나의 상인은 "외눈"에다 "수염이 시꺼멓고"

(Unshaven), "저속한 프랑스어"를 말하는 불결하고 속된 모습이다. 또한 "호주머니 가득 건포도의 / 런던착 운임 및 보험료 지불 보증 일람불어음"에서 건포도가 생명력이 말라 버린 남성의 고환을 상징하므로 성불능을 뜻하는 것으로 볼 수 있다. 저속한 프랑스어로 밀회의 장소로 유명한 브라이턴의 메트로폴Metropole 호텔에서의 주말 휴가와, 캐넌 스트리트 호텔에서의 오찬 초대(*WL* 14)로 유혹하는 그의 동성애적 모습에서 엘리엇은 현대 물질적 상업주의의 성적 타락상을 나타내고 있는 것이다. 이 경우에 "스미르나의 상인"으로 귀결되는 "외눈의 상인"의 물질적인 성공도 결국 탐색자가 의지해서는 안 될 것으로 여겨진다. 다시 말해, 세상 보화를 습득하고 부의 확대를 목적으로 하는 상거래는 생명력이 없는 것으로서 황무지에서 의지해서는 안 되는 것임을 시사하고 있는 것이다. 이 카드는 비록 "선물, 만족, 현재의 번영" 등의 의미이지만, 그 현재는 의지해서는 안 된다는 괘이다(Waite 270). 여기에서 "외눈의 상인"을 아무 근거도 제시하지 않고 다음 카드 5의 "바보"로 보는 스미스의 주장은 오류임이 드러난다(Smith 1974, 77).

카드 5 (트럼프 0, "바보"): 이 카드는 주제 카드의 뒤쪽에 위치함으로써 탐색자의 과거의 영향으로 나타나며, 제52행 "무괘"無卦, blank로 나오는 트럼프 0번의 "바보" 카드는 탐색자의 과거의 것을 말하고 있다(Waite 302). 이 "무괘"는 "상인"과 연관이 있는 점에서, 물질세계에서 탐색자인 시인이 기대할 수 있는 보상이 전무하다는 것을 암시하고 있다(Smith 1985, 96). 이 탐색자는 바보 같은 시인 자신을 기다리는 것이 벼랑가라는 것도 모르는 채 현재의 상태까지 온 것이다. "바보"는 이 세상에 여행 온 다른 세계의 왕자이며, 그가 입고 있는 튜닉의 10군데 꿰맨 곳에는 운명의 수레바퀴의 그림이 있다. 이 수레바퀴를 인간적인 노력으로 반전시키면서 은행 업무를 통한 물질적인 안정과 비비엔과의 불화로부터 정신적인 평화를 갈구해

온 엘리엇에게 "무괘"는 그의 노력의 물거품을 드러내는 것이다. "무괘"의 카드는 세상 만물이 왔다가 다시 허무로 돌아가는 "무"no thing의 원리를 의미하므로, 황무지에서 좋은 것으로 믿어지는 "열광, 사치, 술 취함, 광란" 등은 지금 극복되어야 할 장애물인 것이다(Waite 286).

카드 6 (트럼프 12, "매달린 남자") <역위치>: 이 카드는 주제 카드의 앞쪽에 위치함으로써 탐색자의 가까운 미래에 작용할 영향을 나타낸다(Waite 302). "매달린 남자"의 모습은 T자 십자가의 형틀에 죽을 때까지 목이 매여 있는 것이 아니라, 한 쪽 다리가 십자가에 매달려 살아 있는 사람인데 그 형상이 만卍자 십자가의 모습이다. 또한 희생의 나무는 이파리가 나온 것으로 살아 있는 나무이고, 그 얼굴 표정은 고통이 아니라 깊은 황홀을 표현하며, 전체적으로 이 모습은 "매달려 있는 생명, 즉 죽음이 아닌 생명," "부활의 신비," "재생과 구원"을 암시하고 있다(Waite 116, 119; Douglas 85; Gibbons 564; Nänny 347). 역위치의 후광이 뚜렷한 "매달린 남자"의 그림은 엘리엇의 「주석」에서 재생하기 위하여 죽어야 하는 프레이저의 "매달린 신," 제5부 「우뢰가 말한 것」에서 엠마오로 가는 두 제자들에게 부활후 현시한 두건 쓴 예수 그리스도와 연결됨은 이미 살펴본 바이다. 모든 타로 카드 중에서 엘리엇이 정확하게 명칭을 그대로 사용한 것은 바로 이 "매달린 남자"의 카드뿐이고, 「주석」에서 제일 먼저 언급한 "구원의 몰개성적 원형"을 상징하는 것으로 미루어 보아 엘리엇이 가장 중시한 카드로 여겨진다(Nänny 347). 소소스트리스 부인이 [찾아도] 보이지 않는 것은, 사망을 이기고 부활하여 후광을 두건으로 가린 예수 그리스도는 타로 카드를 통하여 점을 치는 현대판 무녀의 능력을 초월해 있다는 역설적인 의미이기도 하다. 소소스트리스 부인의 능력에 한계가 있다는 것은 바로 "독감에 걸려 있다"는 시행에서 암시되며, 그녀 자신도 결국 죽어야 하고, 쿠마에 무녀처럼 죽음에의 희구를 하는 필멸의 인간이기에 죽음을 초월하는 불멸의 희생

신을 알아보지 못한다는 뜻일 것이다. 역위치로 나타난 이 카드의 괘는 결국 탐색자의 미래에는 신에 의한 재생은 있을 수 없고, 주제 카드와 같이 죽음만이 지배하는 절대 절망을 엘리엇은 상징적으로 제시하고 있는 것이다. 다시 말해, "매달린 남자"의 카드가 행방불명되었다는 것은 어쩌면 황무지에서의 구원이 불가능함을 의미하는 것일지 모른다(Brooker and Bentley 80). 소소스트리스 부인이 찾지 못하는 이 카드의 역위치의 괘는 탐색자의 미래의 전망이 암울함을 말하고 있는 것이다. 엘리엇은 「우뢰가 말한 것」의 제328행 "살아 있던 그분은 이미 죽었고"(He who was living is now dead)라고 이 카드에 대하여 부연하고 있다.

카드 7 (트럼프 20, "최후의 심판"): 탐색자 자신을 말해 주는 카드로서 소소스트리스 부인이 제55-56행 "익사를 조심하시오. / 아아, 떼를 지어 빙빙 돌고 있는 군중이 보이는군"이라고 한 말에서 "최후의 심판" 카드와 상응하는 "군중"의 카드를 언급하고 있다. 이 "군중"의 카드는 제62행 "런던교 위로 흘러 들어가는" 무수히 많은 죽은 "군중"(A crowd flowed over London Bridge)의 환영과, 제427행 "런던교가 무너진다 무너진다 무너진다"(London Bridge is falling down falling down falling down)라는 동요의 의미와 일맥상통하며, 주제 카드의 "사신"에 의하여 죽은 군중의 모습을 연상케 한다. 앞에서 언급했지만 엘리엇이 초고에서 기록한 사도 요한이 환상적으로 체험한 최후의 심판의 장면과, 그의 「주석」에서 "군중"을 하나의 카드로 간주한 사실을 유념할 때, "군중"의 카드는 바로 "최후의 심판"의 카드와 일치하는 것이다. 이 카드의 그림에는 최후의 심판 때 육체의 부활이 요약되어 있다. 구름에 에워싸인 천사장이 십자가 깃발이 달린 나팔을 불 때, 물위에 뜬 관으로부터 사람들이 나와 원형으로 둘러서서 "경이와 사랑과 환희"의 모습으로 천사장을 쳐다본다(Waite 148). 죽은 자들은 죽음의 구속을 더 이상 받지 않고 부활하기 위하여 최후의 심판을 기다리고 있다.

"익사를 조심해야"할 것은 죽은 자들이 영광으로 부활하지 않고, 그들의 관으로부터 나와서 다시 물속에 빠짐으로써 심판이 구원보다는 저주가 될 수도 있다는 가능성 때문이다. 탐색자도 자신의 육체의 죽음 이후에 심판대에 서게 될 것이고, 심판이 구원이나 저주를 가져올 수 있다는 인식을 가지게 된다. 이 카드는 탐색자가 내면으로부터 천상의 부름에 응답했음을 의미하고, 결국 그는 자신의 재생의 변화를 체험하게 될 것이지만, "익사를 조심하시오."라는 소소스트리스 부인의 경고에서 재생에는 또다시 익사의 위험이 도사리고 있음을 동시에 암시하고 있다. 이 카드 7에서 소소스트리스 부인의 점은 끝나는데, 그녀의 제57행 "고맙습니다."(Thank you.)라는 표현은 탐색자로부터 복비卜費를 받은 데 대한 답례이기 때문이다.

지금까지 제시된 8장의 카드를 육망성형법으로 해석할 경우에 주제 카드인 "익사한 페니키아 선원"은 "죽음," 카드 1은 과거의 상황으로서 "벨라돈나"는 지금까지 비비엔으로부터 받은 정신적 고통, 카드 2는 현재의 상황이므로 "세 개의 장대와 남자"는 성불구인 어부왕에 비유되는 창작력이 고갈된 엘리엇, 카드 3은 미래의 전망을 예고하므로 "운명의 수레바퀴"는 극적인 현실의 반전, 카드 4는 대비책을 제시하므로 "외눈의 상인"의 괘는 고통과 가난에서 벗어나서 누리는 물질적인 부, 카드 5는 주위의 상황을 말하므로 "무괘"라는 것은 전혀 변함없는 주위의 상황, 카드 6은 자신의 소망을 반영하므로 "매달린 남자"의 역위치의 괘는 죽음과 같은 현실로부터의 도피 및 생중사하는 자신으로부터의 부활의 절망, 카드 7은 최종 결과이므로 "군중"의 괘는 결국 탐색자도 다른 사자의 무리와 같이 "최후 심판"을 받음으로써 수사의 공포에 휩싸인 부활의 가능성 등을 각각 시사하고 있다. 이 육망성형법 이외에 고대켈트십자법으로 해석할 경우에 다음과 같이 카드 3장을 추가로 해석해야 할 것이다.

카드 8 (트럼프 11, "정의"): 이 카드는 "그의 집, 즉 그의 환경과 절친한 친구의 영향'을 나타내는데, 제57행 "에퀴톤 부인"이라는 말로 탐색자의 친구임을 확인하면서 소소스트리스 부인은 그 괘를 밝히고 있다(Waite 303). 라틴-그리스어의 신조어인 "에퀴톤"Equitone은 카드의 그림에 나오는 정의의 균형 잡힌 저울을 암시함으로써 이 카드는 트럼프 11번인 "정의"와 상응하고 있다. 이 "정의"는 주인공에 대한 가까운 친구들이 주장하는 판단의 원리이고, 영적 정의와 유사하나 신의 선택의 어떤 여지도 없다. 또 이 "정의"는 세속적 정의로서 예정, 선택을 의미하는 영적 정의와는 다른 것이며, 세속적 정의의 평등, 의로움, 성실은 자신의 업적에 따라서 각자가 받는 도덕률이다. 그래서 이것이 황무지의 지배 원리인 한 초월되어야 한다는 것이다.

카드 9 (트럼프 2, "여사제"): "탐색자의 소망이나 공포"를 나타내는 괘로, 제58행 "천궁도는 내가 가지고 간다고 말해 주시오"의 말에서 천궁도를 가지고 있는 소소스트리스 부인이 "여사제"로 암시된다는 것은 앞에서 이미 언급한 바이다. "천궁도"horoscope는 그리스어로 "시간"hora 또는 "연"年, horos과 "응시하다"skopein의 혼합적 의미이고, 이것은 "모든 것이 별 안에 있다"라는 신념에서 파생된 점성술적 기구이다(Schwarz 101). 따라서 "천궁도"와 타로의 상징성에서 비학秘學, Occult Science을 상징하는 "여사제"와의 관계는 밀접한 것이다. 탐색자의 "소망과 공포"는 "유럽에서 제일 지혜로운 여인으로 통하는" 소소스트리스 부인이 아직 계시되지 않은 미래를 예언할 수 있다는 가능성에 대한 기대감이나 두려움을 가진다는 것이다. 타로 카드의 그림에서 십자가를 가슴에 부착한 점에서 성모를 의미하기도 하는 여사제가 심판과 부활에 대한 필요한 요소인 영적 "정의"와 신의 선택을 제시하듯이, 소소스트리스 부인은 재생으로 통하는 죽음을 "익사"의 경고적 방법으로 제시한 것이다.

카드 10 (트럼프 16, "탑"): 소소스트리스 부인이 탐색자에게 타로 카드

점괘의 "최종 결과"를 말해 주는 고대켈트십자법의 마지막 카드로서 "요새 는 조심해야 하니까요"의 말로 급히 서둘러 10번째 카드인 트럼프 16번인 번개를 맞은 "탑"을 내놓으면서 점을 마친다. 이 "탑"은 악이 창궐할 때 생 명의 집이 몰락하는 모습이다. 「우뢰가 말한 것」에는 이 카드에 관하여 세 가지 언급이 나오는데, 제373행 "무너지는 탑들"(Falling towers), 제383행 "전도되는... 탑들"(upside down... towers), 카드의 그림에 나와 있는 제394 행 "번갯불의 번쩍임"(flash of lightning) 등이 그것이다(Creekmore 919). 탐색자에게 닥칠 결과는 "비참, 슬픔, 역경, 가난, 재앙, 치욕, 기만, 몰락"의 괘이다(Waite 286). 황무지에서 가치 있다고 여겨지는 것들은 사라질 것이 나, 탐색자는 몰락에서 재생할 수 있을 것이다. 그런데 재생보다 선행해야 하는 죽음의 형태는 완전 붕괴이고, 기본적 가치와 신념의 처절한 파괴가 필연적이다. 즉 주제 카드에 나타난 "죽음"에 대체될 수 있는 것으로서 이 마지막 카드 안에 담겨 있는 영생은 파멸을 통해서 나타난다. "탑"이 남근 의 상징성을, "무너지는"과 "전도된"의 시어는 남성 생식력의 파괴를 나타 낸다고 볼 수 있다. "무너지는 탑"과 "전도되는 탑"들은 마치 하나님에게 도전하는 인간들이 쌓아올린 바벨탑의 허물어짐을 연상시켜 준다. 제 374-76행 "예루살렘 아테네 알렉산드리아 / 비엔나 런던 / 공허하구나"에서 유태인, 그리스인, 회교인, 고대와 현대를 막론하고, 세속적 문명의 표상인 도시 국가를 형성한 인간의 문명이 파괴되어 감을, 엘리엇은 마치 환상으로 세계 종말을 투시하는 사도 요한과 같이 예언자적 입장에서 담담히 표출하 고 있다. 『황무지』에서의 남녀의 비정상적인 성행위는 인간의 죽음을 상징 하고, 결국 공허한 도시 문명의 종말로 연결되어 다시 황무지로 폐허화된다 는 것이다. 새 하늘과 새 땅의 천년 왕국의 건설은 죽음이 지배하는 황무지, 즉 생명이 고갈되고, 성적인 타락으로 생식력이 결여된 이 세상의 묵시록적 완전 파멸을 통해서 가능할 것이라는 것을 엘리엇은 고대켈트십자법의 마지막 카드를 통하여 상징적으로 말하고 있다.

　지금까지 제시된 11장의 타로 카드를 고대켈트십자법의 해석 방식에 따라서 요약하면, 주제 카드인 "익사한 페니키아 선원"은 "죽음," 카드 1은 현재의 상황을 말하므로 "벨라돈나"인 비비엔으로부터 받는 정신적인 고통, 카드 2는 방해 요인이므로 세속적 성공의 괘인 "세 개의 장대와 남자"는 생중사의 황무지에서 피해야 할 요소들을 의미한다. 카드 3은 이상, 목표, 영광을 말하므로 "운명의 수레바퀴"는 엘리엇이 지속적인 은행 업무에 종사하는 인간적인 노력을, 카드 4는 의지하는 물질을 제시하므로 "외눈의 상인"의 괘는 나누어주는 물질적인 부를 의미한다. 카드 5는 최근의 사건을 말하므로 "무괘"라는 것은 이러한 물질적 추구의 노력도 허사임을, 카드 6은 미래의 전망을 예지하므로 "매달린 남자"의 역위치의 괘는 죽음과 같은 현실로부터의 도피와 생중사의 자신으로부터의 부활의 불가능성을 말하고 있다. 카드 7은 자신의 모습을 반영하므로 죽은 "군중"과 같이 "최후 심판"을 받는 모습을, 카드 8은 주위의 환경을 말하는데 "에퀴톤 부인"의 괘는 사회에서 이루어지는 "정의"로운 일을 나타낸다. 카드 9는 자신의 소망과 공포를 말하는데 "여사제"의 괘에서 탐색자의 재생에의 소망과 죽음에의 공포를, 카드 10은 탐색자에게 최종 결과를 말하는 번개 맞은 "탑"에서 완전 파멸로 해석이 가능할 것이다. 주제 카드의 "죽음"이 마지막 카드의 파멸로 연결되어 황무지에서는 죽음만이 지배하고, 물질적 추구와 인간적인 노력도 허무로 돌아가며, 재생이나 구원도 죽음이 선행해야 가능한 것임을 엘리엇은 타로 카드의 상징성을 통하여 표출하고 있는 것이다.

III

　이상으로 엘리엇이 『황무지』에서 표명하고 있는 죽음의 주제가 소소스트리스 부인을 등장시켜 사용한 타로 카드의 상징성에 함축되어 나타나는 것을 고찰하였다. 엘리엇은 1927년 영국 국교로 개종하기 전 『황무지』를 집필할 즈음에 벌써 타로 카드를 비롯한 신비주의에 깊이 심취한 것으로 여겨지고, 이것을 시로 변용시킬 때에 독특한 상징으로 나타난 것이다. 또한 엘리엇은 타로의 신비적 상징을 통하여 그의 아내 비비엔과의 불화, 경제적 어려움 등 개인적인 고통을 몰개성적으로 표백하고, 죽음과 재생의 우주적 윤회를 제시하려고 한 것이다(Gibbons 565). 이상에서 논의한 타로 카드를 통한 『황무지』의 해석 기법을 요약하면 다음과 같을 것이다.

첫째, 엘리엇은 『황무지』 해석에 매우 중요한 타로 카드의 구성의 인식을 부인한 고백과는 달리, 그의 시에서 아주 치밀하게 타로 카드의 정확한 의미를 활용하고 있다. 엘리엇은 78장의 웨잇-스미스 팩 및 80장의 라이더 팩의 타로 카드의 구성에 정통했을 뿐만 아니라, 그것을 『황무지』의 주제에 걸맞도록 적절하게 변용시킨 것이다. 육망성형법이나 고대켈트십자법으로 사용되는 주제 카드를 포함한 8장 또는 11장의 카드와 정확하게 그 명칭이 일치하는 카드는 "매달린 남자" 뿐이고, 거의 유사한 카드는 "세 개의 장대와 남자," "수레바퀴," "무괘" 등 3개의 카드이지만, 다른 카드들은 엘리엇이 그의 독창적인 상상력으로 변형시키고 있다.

둘째, 엘리엇이 『황무지』에서 강조하고자 하는 "죽음"의 주제가 여러 타로 카드에 상징적으로 나타나 있다. 타로 카드의 주제 카드인 "죽음"과 상응하는 "익사한 페니키아 선원"의 물에 의한 죽음, 카드 1의 "별표 여왕"으로 상응되는 "벨라돈나"의 꽃의 독성에 의한 죽음(Wilks 36), 카드 7의 "최후의 심판"에 상응하는 "군중"은 런던교 위를 거니는 죽은 환영들, 카드 10의 "탑"이 상징하는 성적 불모성과 무너지는 도시 문명의 반복적인 "죽음" 등은 한 개인의 죽음에서 영국 사회의 파멸과 전 세계의 종말로 점증적으로 확산되어 나타난다.

<도표 3> 타로 카드

주제 카드

카드 1

카드 2

카드 3

카드 4

카드 5

THE FOOL.

카드 6

카드 7

THE HANGED MAN.

JUDGEMENT.

카드 8

카드 9

카드 10

셋째, "죽음" 이후의 "재생"의 주제도 소소스트리스 부인의 카드에 암울하게 제시되고 있다. 주제 카드의 "익사한 페니키아 선원"의 눈이 변하여 진주가 되는, 즉 사망한 시신의 눈이 영롱한 보석으로의 "커다란 변화"의 변신, 카드 2의 "지팡이 세 개"와 상응되는 "세 개의 장대와 남자"의 카드가 연상하는 현재는 성불구이지만 퍼시벌과 같은 구원자를 기다리는 어부왕, 카드 6의 "매달린 남자"가 상징하는 재생하기 위해 교살당하는 식물신들과, 인간을 구원하기 위하여 십자가에서 처형당한 후 부활한 예수 그리스도를 통해서 재생의 주제를 제시하고 있으나 모두가 암울하다. 가장 중시되는 "매달린 남자" 카드는 역위치로 나왔고, "세 개의 장대와 남자"의 카드도 역위치 되었을 가능성이 있고, 재생은 죽음이 필연코 선행하기 때문이다.

　넷째, 소소스트리스 부인의 "신통한" 타로 카드를 통하여 엘리엇과 동일시되는 탐색자에게 제시되는 점괘를 엘리엇은 절대적으로 신뢰하지 않고 있을 뿐만 아니라, "외눈의 상인"이 짊어지고 있는 것을 못보고, "매달린 남자"를 [찾아도] 발견하지 못하지만, 사도 "[(요한은 보고 들었음)]" 등을 통하여 "천리안"인 그녀의 투시 능력까지 조소의 대상으로 삼고 있다.

　결론적으로, 불완전한 인간의 점성술의 능력이지만, 소소스트리스 부인이 제시하는 상징적인 타로 카드를 육망성형법이나 고대켈트십자법으로 해석할 경우 두 가지 모두 "죽음"과 상통하고, 물질적 추구와 인간적인 노력도 허무로 돌아가며, 결국 황무지에서의 모든 인간과 도시 문명의 파멸로 연결되기 때문에 『황무지』는 결국 재생이나 부활도 사망이 전제되어야 하는 "지옥"임을 엘리엇은 역설적으로 강조하고 있는 것이다.

5

『황무지』의 공간

I

한국에서 함축적인 언어 장르인 영시를 연구하고 해석하는 데 봉착하는 제일 큰 난관 중의 하나는 작품 속에 등장하는 공간, 즉 장소에 관한 이해일 것이다. 예컨대, 엘리엇의 『황무지』에 등장하는 "큐"Kew라는 지명을 막연히 "큐"라고 번역하여 학생들에게 가르치는 것보다는 직접 그 장소를 방문하여 "큐 정원"Kew Gardens임을 육안으로 관찰하고, 작품의 사건과 그 배경이 이곳에서 벌어진 것을 알면 더욱 생생한 시 이해에 큰 도움이 될 것이다. 엘리엇의 시에 나타난 공간은 우선 『황무지』에서 "슈타른베르거제," "호프가르텐," "캐넌 스트리트 호텔," "메트로폴," "템즈강," "런던교," "런던," "하이베리Highbury," "리치먼드Richmond," "큐," "무어게이트Moorgate," "마게이트," "갠지스Ganga," "히말라야Himavant" 등의 다양한 고유지명으로 나타나 상징성을 시사하고 있다. 또한 「풍경들」("Landscapes")의 제목 하에 「뉴햄프셔」("New Hampshire"), 「버지니아」("Virginia"), 「어스크」("Usk"),

「래노크」("Rannoch"), 「앤곶」("Cape Anne") 등 5편의 단시들도 공간을 소재로 삼은 시들이다. 그리고『네 사중주』의 「번트 노턴」, 「이스트 코우커」, 「드라이 샐베이지즈」 및 「리틀 기딩」 등 4편의 시들 제목 역시 공간의 상징성을 함축하고 있다. 필자는 엘리엇의 시에 등장하는 모든 장소를 방문할 수는 없었지만, 엘리엇의 시 중 특히『황무지』에 등장하는 장소를 일부 답사, 제시함으로써 엘리엇의 공간 의식을 고찰하고자 한다.

엘리엇, 파운드, 조이스 및 프루스트Proust 등의 현대 작가들의 작품에 드러난 공간에 관한 최초의 논문은 1945년 조지프 프랭크Joseph Frank가 『스와니 리뷰』(The Sewanee Review)지에 발표한 「현대 문학에서의 공간의 형태」("Spatial Form in Modern Literature")일 것이다. 또한 엘리엇 자신은 1960년에 『디덜러스』(Daedalus)지에 기고한 「시인에게 주는 풍경의 영향」("The Influence of Landscape upon the Poet")에서 자신의 풍경은 도시 심상으로서 그의 출생지인 세인트루이스St. Louis와, 파리 및 런던이고, 자연 풍경으로는 미시시피강이며, 시골 풍경으로는 특히 6월부터 10월까지의 뉴잉글랜드 해안이라고 밝히면서 풍경, 즉 공간의 중요성을 시사하고 있다(Eliot 1960, 422). 원숙기의 시에 나타난 이러한 공간의 배경 훨씬 이전에 엘리엇은 이미 16세에 세인트루이스에서 쓴 「한 편의 서정시」("A Lyric")에서 시간과 공간을 노래하고 있으며, 그의 「고래 이야기」("A Tale of a Whale")와 「왕이었던 그 사람」("The Man Who Was King")의 단편 소설들이 남태평양South Pacific을 배경으로 하고 있음은 공간에 대한 상상력과 감수성이 그의 내면에 내재해 있다는 강력한 반증인 것이다(Braybrooke 378-80). 이러한 언급에 부응이나 하려는 듯이 칼 말코프Karl Marlkoff가 적절히 표현했듯이 "시간의 시인"poet of time인 동시에 "공간의 시인"poet of space이며, 헬런 가드너Helen Gardner가 규정한 "장소의 시인"poet of places인 엘리엇의 시에 나타난 공간에 대한 연구는 1968년에 가드너가 「엘리엇 시의 풍경들」("The

Landscapes of Eliot's Poetry")과 동년에 존 보이드John D. Boyd가 「「드라이 샐베이지즈」: 지형의 상징」("'The Dry Salvages': Topography as Symbol")의 발표로 공간에 대한 관심을 촉구하였다(Gardner 330). 이어서 1976년 라이브탄즈J. M. Reibetanz는 「장소의 시 『네 사중주』」("*Four Quartets as Poetry of Place*")를 발표하였고, 1978년 낸시 뒤벌 하그로브Nancy Duvall Hargrove는 1972년 발표한 「T. S. 엘리엇의 「풍경들」에 나타난 상징성」("Symbolism in T. S. Eliot's 'Landscapes'")과 1974년 발표한 「T. S. 엘리엇의 『재의 수요일』에 나타난 풍경의 상징」("Landscape as Symbol in T. S. Eliot's *Ash-Wednesday*")을 토대로 『T. S. 엘리엇 시의 풍경 상징』(*Landscape as Symbol in the Poetry of T. S. Eliot*)이란 압권을 출판함으로써 공간에 관한 괄목할만한 업적을 이루어 놓았다. 한편, 1981년 존 솔도John J. Soldo가 「'자연의 힘과 공포': T. S. 엘리엇의 미국 풍경들의 의미」("'The Power and Terror of Nature': The Significance of American Landscapes in T. S. Eliot")를 발표하였고, 이듬해 존 세리오John N. Serio가 「엘리엇 시의 풍경과 목소리」("Landscape and Voice in T. S. Eliot's Poetry")를 발표하였고, 1985년 로버트 프랜시오시Robert Franciosi가 「『황무지』의 시적 공간」("The Poetic Space of *The Waste Land*")을 발표하였다. 이후 1991년 스티브 엘리스Steve Ellis가 『영국적 엘리엇: 『네 사중주』의 구도, 언어 및 풍경』(*The English Eliot: Design, Language and Landscape in Four Quartets*)을 출판하였다. 또 1992년 수전 펠치Susan M. Felch가 「자연 상징: T. S. 엘리엇의 초기시에 나타난 자연의 심상」("Nature as Emblem: Natural Images in T. S. Eliot's Early Poetry")을 발표하였고, 그 이듬해 피터 퍼초우Peter Firchow가 「호프가르텐의 햇빛: 『황무지』와 1914년 이전의 뮌센」("Sunlight in the Hofgarten: *The Waste Land* and Pre-1914 Munich")을 발표하였다. 또한 1998년과 1999년 사이에 잉게 라임버그Inge Leimberg가

「T. S. 엘리엇의『네 사중주』와 장소 재고再考」("The Place Revisited in T. S. Eliot's *Four Quartets*")를, 엘리노 쿡Eleanor Cook이 「『네 사중주』와 T. S. 엘리엇의 장소 의식」("T. S. Eliot's Sense of Place in *Four Quartets*")을 발표하였다. 그리고 2000년에는 샤말 백치Shyamal Bagchee가 「미국적「풍경들」시: 1930년대의 엘리엇」("The American 'Landscapes' Poems: Eliot in the 1930's")을 발표함으로써 엘리엇의 시에 나타난 공간에 대한 연구가 반세기 이상 지속되었음을 알 수 있다. 필자는 이와 같이 국외에서는 활발하게 진행되어온 연구가 국내에서는 전무한 엘리엇의『황무지』에 나타난 공간, 즉 장소와 풍경들의 의미와 상징성을 기존의 연구를 바탕으로 좀 더 심도 있게 종합적으로 천착하여 난해한 엘리엇 시를 보다 쉽게 해석하는 단초를 제공하고자 한다.

II

엘리엇이 1921년 가을, 신경쇠약 치료차 방문한 영국의 마게이트와 스위스의 로잔에서 요양하며 구상하여 집필하였고, 윌리엄 스파노스William Spanos가 규정한 "공간의 시"spatial poem인『황무지』에 나타난 명시적 · 암시적 고유 지명들을 중심으로 공간의 의미와 상징성을 모색하기로 한다(Franciosi 17 재인용). 우선『황무지』의 제1부「사자의 매장」의 첫 시 단락에는 독일의 지명인 "슈타른베르거제"(슈타른베르거호湖: Starnberger See)와 "호프가르텐" 공원이 등장한다.

> 여름은 소낙비를 몰고 슈타른베르거제를 건너 와
> 우리를 놀라게 했다. 우리는 주랑柱廊에 머물렀다가,
> 해가 나자 호프가르텐에 들어가
> 커피를 마시고 한 시간 동안 얘기했다. (Eliot 1988, 57)

Summer surprised us, coming over the Starnbergersee
With a shower of rain; we stopped in the colonnade,
And went on in sunlight, into the Hofgarten,
And drank coffee, and talked for an hour. (*WL* 3: ll. 8-11)

슈타른베르거제는 독일의 최동남단에 위치한 베르히테스가든Berchtesgaden 의 남쪽 바로 아래에 있고, 북쪽으로는 호수 명칭이 유래된 슈타른베르크 Starnberg 마을이 있으며, 바이에른Bayern주의 주도州都 뮌센 가까이 위치해 있다. 또 알프스Alps산이 멀리 보이는 남북 길이가 21km, 동서 폭이 3-5km, 최장 수심이 127m인 커다란 빙하 호수로서 요트 놀이를 즐기며, 호숫가의 간이 의자에 앉아서 휴식할 수 있는 공간이다(Hargrove 1978, 218). 또한 이 슈타른베르거제에서 20마일도 채 안 되는 거리인 뮌센의 중심지에 위치 한 호프가르텐은 예전에는 왕의 소유지였는데, 1615년 하인리히 쇤Heinlich Schön이 건축한 달의 여신 디아나에게 바친 정자가 있고, 잘 손질된 나무와 꽃들이 자라며, 분수가 치솟고, 벤치에서 독서를 하거나 멋진 카페에서 커 피나 차를 마시며 지친 몸을 쉴 수 있는 공간이다(Greene 57). 실제 호프가 르텐 안에 들어서 있는 건물은 주랑으로 연결되어 있어서 엘리엇의 시적 의미의 박진감을 고조시키고 있다. 엘리엇은『황무지』초고에서 이 슈타른 베르거제를 베르히테스가든 인근과 오스트리아 국경의 알프스산 높은 곳에 위치해 있는 "쾨니히스제"Königssee로 표기했다가 현재의 지명으로 변경했 다(*WLF* 7). 이렇게 엘리엇이 수정한 이유를 하그로브는 쾨니히스제가 슈 타른베르거제보다 뮌센에서 좀 더 멀기 때문이라는 다소 궁색한 주장을 하 고 있다(Hargrove 1978, 218). 그러나 필자는 독일어로 왕을 의미하는 "쾨 니히"König와 바다, 호수를 의미하는 "제"see의 합성어인 실제 지명인 "쾨니 히스제"가 신화적인 어부왕을 직접 연상시키는 우려를 불식하려는 엘리엇의 의도에서 수정했을지 모르며, 어쩌면 슈타른베르거제에서 1886년 바이에른(바바리아Bavaria) 왕국의 루트비히 2세 왕이 익사한 사실이 엘리엇이 그의 시적 모티프에 더 적합한 공간으로 판단하여 수정했을 개연성이 높다는 퍼초우의 주장이 더욱 설득력이 있다고 본다(Firchow 448-50). 그런데 하그로브와 퍼초우는 엘리엇이 원고본에 표기한 "쾨니히스제"를 "쾨니히제"Königsee로 오기誤記함으로써 원전비평의 관점에서 과오를 범하고 있으나, 후자의 표기도 인정이 되는 현실을 감안하는 것도 좋을 듯하다. 실제 쾨니히스제와 호프가르텐과의 거리는 슈타른베르거제와 호프가르텐과의 거리보다 훨씬 멀고, 후자의 두 공간도 육안으로 서로 볼 수 없는 거리에 위치해 있다. 그러나 엘리엇은 시에서 이 두 공간이 아주 지척에 있는 것처럼 표현하고 있다.

이어서 제15-16행 "그는 말했어요, 마리, / 마리 꼭 붙들어."(He said, Marie, / Marie, hold on tight.)에 등장하는 화자는 마리Marie인데, 이 여성은 1913년 『나의 과거』(*My Past*)를 출판하여 당시에 며칠 동안 『뉴욕 타임즈』(*The New York Times*)지로부터 집중적인 조명을 받은 실존 인물인 마리 라리슈 백작부인Countess Marie Larisch, 1858-1940으로 오스트리아의 황후 엘리자베스Elisabeth의 질녀이자 친한 친구였던 것으로 추정된다. 엘리엇은 관심을 가진 이 여인을 1914년 여름 헤센Hessen주의 마르부르크Marburg로 가던 도중에 만났다. 마리의 자서전은 종형 루트비히 2세가 슈타른베르거제에서 익사한 사건을 수록하고 있는데, 이것은 『황무지』의 「수사」의 모티프가 된 것으로 여겨진다(Firchow 451; Jain 153). 또한 슈타른베르거제와 호프가르텐의 공간은 뮌센과 관련이 있고, 이 도시는 남녀의 비극적인 사랑을 다룬 오페라 『트리스탄과 이졸데』의 작가인 바그너의 음악 극장이 있던 최초 고장으로, 바그너의 가장 위대하고 부유한 후원자인 루트비히 2세가 거주한 곳이었다. 또한 호프가르텐에서의 "호프"Hof는 루트비히 궁정을 지칭하며, 슈타른베르거제에 미쳐서 익사한 루트비히 2세는 『황무지』의 주요 심상들인 어부왕, 익사한 페니키아 선원, 미친 배우 / 왕 이에로니모 Hieronymo 등을 통합하는 실존 인물이다(Firchow 457-58).

한편, 엘리엇의 「주석」에 의하면 보들레르가 그의 『악의 꽃』(*Les Fleurs du mal*, 1857)에서 파리를 "개미떼처럼 우글대는 도시, 꿈이 가득한 도시"(Fourmillante cité, cité pleine de rêves)로 묘사한 것의 영향을 받아서 런던을 함축적으로 "공허한 시티"로 규정하고 있다(*WL* 28).

> 공허한 시티,
> 겨울 새벽 갈색 안개 속으로
> 군중이 런던교 위로 흘러갔다. 저렇게 많이,
> 나는 죽음이 저렇게 많은 사람을 죽게 했다고는 생각지 못했다.
> (Eliot 1988, 59)

> Unreal City,
> Under the brown fog of a winter dawn,
> A crowd flowed over London Bridge, so many,
> I had not thought death had undone so many. (*WL* 6: ll. 62-63)

엘리엇이 대문자 "C"로 표기한 도시 지역은 바로 영국의 월가Wall Street로서 현재 런던의 금융 지구와 영국 대부분의 상권과 통화권을 아우르고 있는 템즈강 북쪽 제방을 따라 있는 작은 지역이다. 이 도시민들이 검은 양복을 입고, 반짝이는 코안경을 쓰고, 우산을 안테나처럼 흔들며, 지하철 터널과 거대한 개미탑 같은 제방으로 들락날락하는 모습은 보들레르가 표현한 "개미떼처럼 우글대는 도시"를 연상케 한다. 또한 엘리엇이 파운드의 충고로 삭제한 『황무지』 원고본에서 이 도시를 "런던아, 너는 콘크리트와 하늘

사이에 달라붙어 / 우글거리는 생명을 죽이고 잉태하는구나"(London, the swarming life you kill and breed, / Huddled between the concrete and the sky)와 "런던아, 너의 시민들이 바퀴 위에 달라붙어 있다!"(London, your people is bound upon the wheel!)로 돈호頓呼하는 데에서 역시 개미떼처럼 우글대는 도시를 연상할 수 있을 것이다(*WLF* 31). 이 런던 시민들은 버스나 지하철을 타고 템즈강 남안의 사우스왁Southwark으로부터 런던교를 건너 직장으로 서둘러 가는 것이다(Day 286-87). 오늘날의 런던교는 엘리엇이 『황무지』를 작시한 1920년대의 사진과 비교하면 무척 상이함을 실감할 수 있다. 필자가 2004년 여름에 방문하여 관찰한 런던교는 1973년에 건립된, 엘리자베스 2세Elizabeth II 여왕의 이름이 새겨진, 콘크리트 교량으로서 견고성은 있으나 예술성은 별로 느낄 수 없었다. 또한 과거의 런던교는 1968년 미국 아리조나Arizona주 레이크하바수시티Lake Havasu City가 해체하여 구입 · 이전하여 1971년에 재건축했고, 지금은 다리의 일부 유물만 런던의 한 시내에 전시되고 있음을 확인하였다. 그러나 당시에 존 레니John Rennie가 설계하고 1824-1831년 사이에 건립된 283미터의 고풍스런 다섯 개 아치의 화강암 런던교 사진은 하버드대학교 호턴도서관Houghton Library에 소장되어 있는데, 다리 위로 2층 자동차와 사람들이 분주하게 움직이는 옛 모습을 엿볼 수 있다(Hargrove 1978, 50-51). 이러한 런던교는, 엘리엇이 소장하고 있던 1908년판 배데커Baedeker 런던 안내 책자에 의하면, 매일 22,000대 탈것들과 약 110,000명의 보행자들이 런던의 남부 지역에서 템즈강을 건너 직장으로 이동할 수 있게 하는 대동맥이다. 이 런던교 위를 "겨울 새벽," 즉 겨울의 낮이 짧은 런던의 아침 9시에 시민들이 출근하는 모습을 엘리엇은 시각적 상상력을 통하여 미끄러지듯이 흘러가는 죽은 사람들의 환영으로 표현하고 있다(Day 287; Hargrove 1978, 66-67). 이런 의미에서 겨울 새벽 갈색 안개 속의 "공허한 도시" 런던은 가스똥 바슐라르Gaston Bachelard가 그의 『공간의 시학』(*La poétique de l'espace, The Poetics of Space*, 1957)에서 규정한 질식할 듯한 밀폐 공간인 "적대적 공간"hostile space으로 간주할 수 있을 것이다(xxxii; Franciosi 21).

이윽고 제64-65행의 "때로 짧막한 한숨이 터져 나오고, / 각자 자기 발 앞에 시선을 집중하고 가는"(Sighs, short and infrequent, were exhaled, / And each man fixed his eyes before his feet) 환영들은 단조로운 기계적인 일상의 권태감과 출근길에 떠밀리거나 우산 쇠테에 눈이 찔릴지 모르는 공포심에서 발 앞만 보고 걸어가는 런던 시민의 군상을 연상시킨다(Hargrove 1978, 67). 이 환영들은 언덕을 오르고, 킹 윌리엄가King William Street 아래로, 성 메리 울노스 성당으로 마치 안개가 퍼져 가듯이 이동하고 있다.

> 언덕을 오르고 킹 윌리엄가로 내려가,
> 성 메리 울노스 성당이 꺼져가는 종소리로
> 아홉시의 마지막 예배 시간을 알리는 곳으로 흘러갔다.
>
> (Eliot 1988, 59)

> Flowed up the hill and down King William Street,
> To where Saint Mary Woolnoth kept the hours,
> With a dead sound on the final stroke of nine. (*WL* 6: ll. 66-68)

이 환영의 군중은 언덕, 즉 피쉬 스트리트 힐Fish Street Hill 위로 오르고, 1890년부터 1900년 사이에 세계 최초의 지하전철로서 시티와 남부 런던 City & South London 철로의 종착역이 위치했으며, 현재 역설적으로 생명보험 회사가 즐비한 킹 윌리엄가 아래로 내려간다. 그리고 다시 이 군중은 엘리엇이 근무한 적이 있는 로이즈 은행 사무실에서 보면 좁은 롬바드가Lombard Street 바로 맞은편에 위치해 있는 아담한 성 메리 울노스 성당 안으로 예배

드리러 운집한다. "울노스"란 이름은 12세기 초 이 지역에 살았던 기증자인 울노스 드 웨일브룩Wulnoth de Walebrok을 기념하기 위해 명명된 것으로 믿어지지만, "양모"의 의미인 "울"wool에서 섬유산업과 상업적인 교회를 연상케 한다(Hargrove 1978, 69). 이 성당을 가까이 스코틀랜드 왕립은행 그룹The Royal Bank of Scotland Group의 국제사립은행지부인 카우츠사Coutts & Co.와 영국은행Bank of England 및 고리대금업의 장구한 역사를 지니고 있는 롬바드가가 에워싸고 있다. 롬바드가의 명칭은 12세기 이 지역에 정착한 롬바드 대금업자들에게서 유래되었는데, 롬바드인들은 가공할만한 상인과 은행원들이었다(Day 287). 따라서 성 메리 울노스 성당은 오늘날 은행원들의 성당인 것이다. 그러나 "꺼져가는 종소리로 / 아홉시의 마지막 예배 시간을 알리는" 이 성당이 미사시에 성체거양聖體擧揚을 알리거나, 그리스도가 죽은 제9시를 알리는 9번씩 울리는 종을 모두 우렁차게 칠 수 없다는 데에서 타락한 성당임을 암시하고 있다(Day 290; Greene 57). 또한 생명을 상징하는 템즈 강물에서 멀리 떨어진 "언덕 위에" 위치해 있고, 영국은행을 비롯한 은행들로 에워싸여 있는 이 성당은 『황무지』 제5부 「우뢰가 말한 것」의 제389행에 등장하는 "산간의 이 황폐한 공동"에 위치한 "바람의 집만 있는 텅빈 성당'과 일맥상통한다(WL 23: Day 289). 따라서 성 메리 울노스 성당은 상업적이고, 건조하고, 열매 없고, 악하며, 반종교적인 의미를 함축하고 있는 공간이다. 이런 의미에서 이 성당을 묘사하고 있는 위의 제67-68행을 삭제하라는 파운드의 충고를 엘리엇이 수용하지 않고 원고본 그대로 둔 것은 시사하는 바가 많다(Day 291).

한편, 엘리엇은 『황무지』 제3부 「불의 설법」에서 이국적인 공간까지도 제182행인 "레망호 물가에 앉아 나는 울었노라."(By the waters of Leman I sat down and wept.) 속에 용해시키고 있다(Eliot 1988, 64; WL 12). 로잔에 위치해 있는 레망호는 바이런Byron에게 시적 영감을 준 유명한 쉬용성

Château de Chillon이 보이며, 데이비드 메이슨 그린David Mason Greene이 주장하는 제네바 호수Lake Geneva의 "과거 명칭"이라기보다는 "프랑스어 명칭"이다(58; Jain 171). 이 레망 호숫가에서 비통해 하는 화자를 통해 엘리엇은 바빌론으로 포로가 되어 끌려간 유태 민족이 바빌론 호숫가에서 평소 연주하던 비파를 나무에 걸어놓고 조국을 잃은 당시의 처지를 비통해하던 모습을 현대적으로 변용한다. 이것은 엘리엇이 첫 번째 아내 비비엔과의 불행한 결혼으로 야기된 신경쇠약으로 로잔에서 1921년 11월부터 정신과 의사 비또즈에게 치료를 받으면서 『황무지』를 집필하던 당시 부모와 심지어 아내와도 격리된 자신이 마치 신에게서 유기遺棄된 채, 신의 선민의 한 사람으로 간주한 것을 암시하고 있다. 또한 이 레망에서 파생된 영어 "leman"은 고어로 "애인"의 의미가 함축되어 있으므로, 레망호는 한때 사랑했던 비비엔의 성적 타락을 한탄하는 엘리엇의 심중을 드러내는 의미심장한 공간으로 여겨진다(Greene 58; Hargrove 1978, 74).

또한 엘리엇은 캐넌 스트리트 호텔과 메트로폴 호텔의 공간의 함축적인 의미를 통하여 스미르나의 상인 유게니데스 씨의 남성 동성애를 절묘하게 묘사하고 있다.

> 유게니데스 씨, 스미르나의 상인은
> 수염이 시꺼멓고, 호주머니 가득 건포도의
> 런던착 운임 및 보험료 지불 보증 일람불어음을 가지고 있었다.
> 그는 저속한 프랑스어로
> 캐넌 스트리트 호텔의 오찬에 나를 초청하고
> 이어서 주말에는 메트로폴 호텔에서 쉬자는 것이었다.
>
> (Eliot 1988, 65)

Mr. Eugenides, the Smyrna merchant
Unshaven, with a pocket full of currants
C.i.f London: documents at sight,
Asked me in demotic French
To luncheon at the Cannon Street Hotel
Followed by a weekend at the Metropole. (*WL* 14: ll. 209, 211-14)

물론 스미르나는 성경의 요한계시록Revelation 제1장 제11절에도 등장하는 소아시아의 7대 교회 중의 하나가 있던 곳이고, 현재 터키 서부의 제2항구 도시인 이즈미르Izmir로서 동서양의 관문으로 양탄자와 비단뿐만 아니라 담배, 무화과, 면화, 야채 등 배후지의 농산물을 주로 수출함으로써 교역이 발달한 상업 중심지이며, 인구가 350여만 명의 대도시이기도 하다. 물질문명을 상징하는 이 스미르나의 상인은 제1부의 「사자의 매장」에 등장하는 소소스트리스 부인이 제시하는 타로 카드인 "외눈의 상인"(one-eyed merchant)이 구현된 것이고, 고환의 생명력의 상실을 상징하는 "건포도"와 그의 "저속한 프랑스어"를 통해서 성적인 타락상을 유추할 수 있다(Day 288). 이 캐넌 스트리트 호텔은 유럽 대륙 여행자들의 주요 종착역인 캐넌 가 역 인근에 있었던 빅토리아조 건축 양식의 호텔로 해외에서 드나들던 사업가들이 애용하던 밀회의 장소였고, 로이즈 은행의 외사부에 근무한 엘리엇이 자주 들렀음이 확실한 혐오스런 상업적인 공간이었다. 그러나 이 호텔은 제2차 세계대전 시에 독일의 공습으로 파괴되었으며, 지금은 인터넷으로 웅장했던 그 건물의 컬러 사진만 볼 수 있다(Day 288; Hargrove 1978, 74, 219). 또한 메트로폴 호텔은 런던에서 60마일 떨어진 영국 남부의 아름다운 휴양지인 브라이턴 해변가Brighton Beach의 프로므나드Promenade에 위치한 동성애자들의 은신처였는데, 헨리 8세가 아내들과 방탕한 생활을 하려고 건립했다는 내용의 노래가 있을 정도로 악명 높은 공간이다(Greene 58; Hargrove 1978, 50-51, 75; Jain 173). 여기서 "캐넌"의 의미가 대포이고, "메트로폴"에서 "폴"은 장대이니 정신분석학적 비평의 접근으로 해석할 경우에 모두 남근을 함축하는 용어들로, 유게니데스가 1인칭 남성 화자인 "나"를 이러한 공간으로 오찬과 휴일 때 초청하는 것에서 동성애 성교를 강력히 시사하고 있다. 그러나 엘리엇은 이러한 동성애를 염두에 두고 작시를 한 것이 분명하지 않다. 그가 슈미트Smidt에게 밝혔듯이 실제 수염이 텁수룩하고, 호주머니에 건포도의 "런던착 운임 및 보험료 지불 보증 일람불어음"(C.i.f London: documents at sight)이 가득한 스미르나에서 온 사람으로부터 메트로폴에서의 오찬 초청을 받았다고 진술한 바 있기 때문이다(Day 288 재인용). 이런 점에서 엘리엇은 파운드가 별명으로 호칭한 능청맞은 "늙은 주머니쥐"의 특성을 다분히 소유하고 있고, 엘리엇의 이 진술을 그대로 수용하지 않는 것이 몰개성 시 해석 기법의 책략일 것이다. 사실 엘리엇은 1911년 여름, 여행간 뮌센에서 완성한 「J. 알프레드 프루프록의 연가」("The Love Song of J. Alfred Prufrock")에 반영되어 있듯이, 그의 여성 혐오증의 결과 베르드날과의 동성애를 통해서 행복을 추구한 것은 기정사실이기 때문이다(Firchow 448).

한편, 제3부 제218행부터 256행까지 테베의 양성 장님 예언자 테이레시아스가 간파하는 화농투성이의 작은 부동산 중개소의 청년 직원과 여타자수의 사랑 없는 정사 후에, 그녀가 축음기 위에 기계적으로 올려놓은 레코드판은 낭만적 또는 관능적 사랑의 음악으로 유추된다. 이 음악이 템즈 강물의 흐름을 따라 흘러가면서 만돌린의 유쾌하게 흐느끼는 소리와 어시장 인부들이 떠드는 소리와 섞이는 것을 엘리엇은 청각적 상상력을 통하여 절묘하게 묘파하고 있다.

‘이 음악은 물살을 타고 내 곁을 흘러’
스트랜드가를 따라 빅토리아 여왕가로 올라갔다.
오 시티여, 도시여, 내게 때때로 들린다,
템즈강 하가의 어느 선술집 옆에서
흐느끼는 만돌린의 유쾌한 음악과
그 안에서 대낮에 빈둥거리는 어시장 인부들의
껄껄대고 지껄이는 소리가. 그리고 그곳엔
순교자 마그너스 성당의 벽이
이오니아식 백색과 황금색의 형언할 수 없는 찬란함을 지녔다.

(Eliot 1988, 67)

‘This music crept by me upon the waters’
And along the Strand, up Queen Victoria Street.
O City city, I can sometimes hear
Beside a public bar in Lower Thames Street,
The pleasant whining of a mandoline
And a clatter and a chatter from within
Where fishmen lounge at noon: where the walls
Of Magnus Martyr hold
Inexplicable splendour of Ionian white and gold.

(*WL* 16-17: ll. 263-65)

이러한 남녀의 욕정을 물씬 풍기는 음악은, 서쪽에서 시티 중심가로 뻗어있
는 런던의 가장 큰 상업 대로들이자 "물가" 또는 "강둑"의 의미인 고대영어
에서 형성된 거리명인 "스트랜드가"(Strand)를 따라서 빅토리아조 당시에
도 교통량이 분주했던 "빅토리아 여왕가"(Queen Victoria Street) 위로 흘러
간다(Greene 58). 그리고 다시 이 음악은 속俗을 상징하는 공간인 피쉬 스

트리트 힐Fish Street Hill과 남쪽에서 시티로 진입하는 템즈강 하가Lower Thames Street에 위치한 선술집에서 대낮부터 들리는 만돌린의 쾌락적인 소리와 어시장 인부들의 와자지껄 대는 소리로 대변되는 청각적 심상은, 성聖을 상징하는 공간인 순교자 성 마그너스St. Magnus the Martyr 성당 내부 벽면의 흰색과 황금색의 이오니아식 기둥의 형언할 수 없는 광채로 드러나는 시각적 심상과 뚜렷이 대비되고 있다. 이 흰색과 황금색은 순결과 영원을 상징하며, 기쁨의 부활절 예배의 색채이다. 기둥의 광채가 성당의 내부에서 발견할 수 있듯이 스텟슨으로 상징되는 만인이 영혼의 회복을 위해서는 각자의 내면을 성찰하라는 촉구이기도 하다(Knowels 381). 여기서 엘리엇이 「주석」에서 1671년과 1687년 사이에 건축된 "순교자 성 마그너스 성당의 내부가" 당대 최고의 건축가 "크리스토퍼 렌Christopher Wren의 가장 훌륭한 설계 중의 하나라고 생각한다."라고 내린 평가를 주목할 만하다(WL 32; Hargrove 1978, 76). 이런 맥락에서 순교자 성 마그너스 성당은 앞에서 언급한 성 메리 울노스 성당과 공간의 상징성 의미에서 극단적으로 대조적이다. 순교자 성 마그너스 성당은 런던교에서 뚜렷이 보이는 템즈강 하가의 제방둑 위에 위치함으로써 생명을 상징하는 강물과 인접해 있기 때문이다. 고대 북유럽인으로 바다 항해자인 오크니 백작Earl of Orkney－성 마그너스는 종교적 신념으로 순교한 것이 아니라, 1117년에 정적政敵인 사촌과의 권력 다툼에서 체포되어 처형당했기 때문에 "순교자"는 사실 잘못 붙여진 이름이다. 이러한 성 마그너스를 기념하는 이 성당은 오늘날 영국 국교회의 고교회파High Church로서 제단 가까이 고해실과 분향과 성자의 유골들이 보존되어 있는 성당이다. 게다가 원래의 성당은 1666년 런던의 대화재Great Fire로 소실되기 전에 런던교 바로 그 자리에 위치해 있었다(Day 290). 이것은 기독교의 상징성으로 해석할 경우에 교회, 즉 그리스도의 몸이 만인의 지옥행을 막기 위해 버티고 있음을 시사하는 것이다(Knowles 381). 그러나 런던교 인근의 300야드 이내 거리인 푸딩로Pudding Lane에서 발생한 대화재는 순교자 성 마그너스 성당과 피쉬가의 건물들을 순식간에 파괴해 버렸다 (Knowles 377). 현재 순교자 성 마그너스 성당이 어시장 인부들의 영혼의 안식처인 것은 지저분한 빌링스게이트 어시장Billingsgate Fish Market 바로 상류에 위치해 있고, 성당 묘역에 있는 목재 벤치들은 엘리자베스 2세의 즉위식을 기념하여 "생선장수 참배단"Worshipful Company of Fishmongers에서 기증한 사실로서 유추할 수 있을 것이다. 지금까지도 이 성당은 엘리엇 당시와 같이 어시장 인부를 비롯한 시민들을 위하여 점심시간에 예배를 개설하고 있다. 따라서 순교자 성 마그너스 성당이 그린이 주장하는 "또 다른 타락한 교회"가 아니라 데이의 주장대로 종교, 자유, 기쁨, 물, 물과 관련 있는 사람들-선원과 어부와 심지어 사도들-을 연상시키는 공간인 것이다 (Greene 59; Day 290-91).

템즈강 하가로 음악을 따라 가던 시인의 시선이 이제는 템즈강을 구체적으로 응시한다.

> 강은 땀 흘린다
> 기름과 타르
> 짐배는 둥실
> 썰물에 뜨고
> ....
> 짐배는
> 아일 오브 독즈를 지나
> 그리니치 유역流域으로
> 통나무를 흘려보낸다. (Eliot 1988, 67)

The river sweats

Oil and tar

The barges drift

With the turning tide

....

The barges wash

Drifting logs

Down Greenwich reach

Past the Isle of Dogs. (*WL* 17: ll. 266-69, 273-76)

엘리엇이 위에서 묘사하고 있는 1920년대 초의 템즈강은, 그가 제176행과 제183행에서 두 차례나 인용한 에드먼드 스펜서Edmund Spenser 1552–1599의 「축혼전곡」(祝婚前曲, "Prothalamion")인 "아름다운 템즈여, 부드럽게 흘러라, 내 노래 그칠 때까지"(Sweet Thames, run softly, till I end my song) 시행에 등장하는 템즈강의 모습과는 매우 대조적이다. 현대의 템즈강은 스펜서가 활동한 16세기 영국 르네상스 시대의 아름다운 공간의 모습이 아니라, 산업혁명과 물질문명을 상징하는 "기름과 타르"가 흐르며, 건축 자재로 사용되는 "통나무"의 운반 통로로 변한 것이다. 짐배가 통나무를, 런던과 그리니치의 중간 지점에 있는 불결한 선거船渠, dock와 가스공장 지구인 아일 오브 독즈Isle of Dogs를 지나, 시티에서 5마일 하류에 위치한 그리니치 유역 Greenwich Reach으로 흘려보내는 맥락에서 세계시간의 기준점인 그리니치의 공간은 의미심장하다(Day 288; Greene 59; Hargrove 1978, 78). 전장 346km되는 템즈강의 아름답던 자연의 모습이 사라지고, 땀 흘리는 강으로 구체화된 현대인간의 물질적인 욕망이, 불결하고 황량한 산업주의가 지배하는 아일 오브 독즈를 지나 그리니치 유역으로 내려감으로써 시공을 초월하여 전 세계로 만연되는 것을 함의하기 때문이다.

사실 그리니치에서 유람선을 승선하여 템즈강 상류를 따라 올라가면 엘리엇이 다음 시행에서 언급하고 있는 고풍스런 "하얀 탑들"(White towers)이 나타난다.

> 남서풍 받으며
> 물결을 타고
> 종소리는 흘러가고
> 하얀 탑들 (Eliot 1988, 68)
>
> Southwest wind
> Carried down stream
> The peal of bells
> White towers (*WL* 18: ll. 286-89)

템즈강 상에서 바라볼 때 "하얀 탑들"은 북쪽 제방과 런던의 정동쪽에 위치하고 있으며 현재 박물관으로 개방되고 있는 흰색의 "런던탑"Tower of London을 바로 지칭한다는 것을 직감할 수 있다. 덧붙여 1078년에 정복자 윌리엄William the Conqueror 시절 프랑스의 깡Caen산 백석을 재료로 로체스터Rochester의 건돌프Gundolf 주교가 건설한 중심부의 탑을 "백탑"(White Tower)이라고 명명하고 있는 사실이 이 추정을 더욱 신뢰하게 한다 (Hargrove 1978, 78). 역사적으로 "런던탑"은 헨리 8세Henry VIII가 『유토피아』(*Utopia*)의 작가이자 로마 가톨릭 신자인 토마스 모어Thomas More 경과 그의 아들을 유폐시키고, 자신의 여섯 아내 중 앤 불린Anne Boleyn과 캐서린 하워드Catherine Howard 두 아내를 처형하였으며, 엘리자베스 1세 여왕도 1554년 공주 시절에 이복누이 메리Mary에 의해 반역죄로 2개월간 감금된 곳으로도 악명 높은 공간이다. 또한 이 "런던탑"은 빅토리아Victoria 여왕이 군주로서 최초로 거주하기 시작한 버킹엄 궁전Buckingham Palace 이전에는 주로 중세 시대 영국 왕실의 궁전 역할을 해왔다. 이와 같이 영국 역사의 영욕을 간직하고 있는 유서 깊은 런던탑은 제5부 「우뢰가 말한 것」에 나오는 제374행 "무너지는 탑들"(WL 22)과, 네르발이 소네트 「폐적자」에서 묘사하고 엘리엇이 제430행으로 인용한 "폐허의 탑 속에 갇힌 아뀌뗀느 왕자" (Le Prince d'Aquitaine à la tour abolie)의 심상들과 연결된다(WL 25, 36). 또한 "런던탑"의 무너짐은 엘리엇이 제427행에서 동시로 인용한 "런던교"의 무너짐과 일맥상통한다고 유추할 수 있다(WL 25). 남성성과 물질문명을 상징하는 무너지는 런던탑과 런던교는 곧 도시문명의 총체적인 파괴를 의미하는 것이다. 이러한 파멸은 공적으로는 스페인의 무적함대를 격파함으로써 영국의 제국주의와 문예부흥의 위대한 시대를 열었으나, 사적으로는 엘리엇이 제282행에서 화려하게 묘사하고 있는 "붉은빛 금빛의 / 번쩍이는 선체"(A gilded shell / Red and gold)를 타고 농탕치던 처녀 여왕 "엘리자베스와 레스터"(Elizabeth and Leicester, 제279행) 백작과의 불륜이 전제되어 있다(Eliot 1988, 67-68; WL 17). 템즈강 위에서 영국을 대표하는 엘리자베스 1세 여왕의 불륜과 템즈강 아래 선술집에서 어시장 인부로 대표되는 하층민들의 방탕은, 현대의 남녀를 표상하는 부동산 중개소의 서기와 여타자수와의 무의미한 성행위와 연결됨으로써, 지위고하와 고금속을 막론한 총체적인 성적 타락이 다음에 고찰할 고대 및 현대의 대표적인 문명도시들의 파멸과 직결되는 것이다.

이어서 엘리엇은 템즈강의 세 명의 여성 화자들을 통하여 여성성이 무의미하게 파괴되는 상황을 공간의 적절한 배열로 그 의미를 강화시키고 있다. 우선 첫 번째 여성 화자의 고백을 들어보자.

‘전차와 먼지투성이 나무들.
하이베리가 나를 낳았어. 리치먼드와 큐는
나를 망쳤어. 리치먼드에서 나는 무릎을 올렸어
좁은 카누 바닥에 반듯이 누워.’ (Eliot 1988, 68)

‘Trams and dusty trees.
Highbury bore me. Richmond and Kew
Undid me. By Richmond I raised my knees
Supine on the floor of a narrow canoe.’ (*WL* 18: ll. 292-95)

"전차와 먼지투성이 나무들"은 산업화의 산물과 부산물이고, 자연을 상징하는 "나무들" 자체도 공해로 오염된 상태이다. 이것들은 정신분석학적 비평의 접근으로 해석할 경우에 각각 남성성을 상징하는데, 특히 푸르거나 싱싱하지 않은 "먼지투성이"의 나무들은 남근이 이미 성병에 감염되어 있음을 암시하고 있다. 템즈강 북서쪽에 위치한 런던의 교외였으나, 현재 이슬링턴 런던 자치구London Borough of Islington 안에 있는 인구 2만여 명의 작은 "하이베리"에서 여성 화자가 태어났으니 이 출생도 불결한 남성성으로 인한 병약한 여성임을 시사하고 있다. 하이베리는 한때 비교적 부유한 지역이었으나, 도시 황폐의 희생물로 1920년대부터 낙후되었다(Greene 59). 또한, 이 여성은 "리치먼드"와 "큐"에서 몸을 망쳤다고 고백함으로써 두 공간에 대한 혐오감을 표출하고 있다. 필자가 현장 답사한 하이베리 지역에는 하이베리 공원Highbury Fields이 있고, 런던에서 8마일 남서부에 위치한 템즈강상 리치먼드 런던 자치구London Borough of Richmond Upon the Thames인 리치먼드에는 리치먼드 공원Richmond Park을 비롯하여 다른 자치구보다 더 많은 녹지 공간이 있어 당시 인기 있던 여름 휴양지였다. "큐"는 리치먼드 바로 인근에 있는 면적이 300에이커나 되는 유명한 왕립식물원Royal Botanic

Gardens인 큐 정원을 지칭하는 데에서 미묘한 공통점을 감지할 수 있었다. 이 세 지역은 바로 제1부 제35행부터 41행까지 등장하는 히아신스 소녀가 밤에 성폭행 당했으며, 제2부 「체스 게임」의 제124-25행 사이에 엘리엇이 『황무지』원고본에서 삭제한 부분으로 실제 공간이 아닌 상상적인 공간인 "히아신스 정원"과 연결되고, 더 나아가 창세기에서 아담과 이브가 선악과를 따먹은 후 벌거벗은 것을 알고 성적 수치심을 최초로 경험한 공간인 에덴동산Garden of Eden과 접맥된다고 볼 수 있다. 또한 하이베리와 리치먼드와 큐의 세 공간의 공통점은 여성성을 상징하는 공원과 정원이며, 이러한 공간에서의 여성 화자의 출생과 성장이 성적 타락으로 점철되어 이 세 공간은 바로 "황무지"란 공간의 은유적 의미와 상통함을 알 수 있다. 이 여성 화자가 리치먼드에서 카누를 타고 반듯이 누워 무릎을 올렸다는 것은 여성이 남성보다 리치먼드를 관류하는 템즈강 위에서 스스로 성행위를 주도했다는 의미로 간주할 수 있다.

두 번째 여성 화자는 "무어게이트"라는 공간에서 남성과 가진 성관계를 무심하게 진술하고 있다.

'내 발은 무어게이트에 있고, 내 가슴은
내 발 밑에 놓여 있어. 그 일이 있은 후
그는 울었어. 그는 "새 출발"을 약속했지.
나는 아무 말도 안 했어. 무엇을 원망해? (Eliot 1988, 68)

'My feet are at Moorgate, and my heart
Under my feet. After the event
He wept. He promised "a new start."
I made no comment. What should I resent? (*WL* 18: ll. 296-99)

이 무어게이트는 상업 지구를 관통하여 시티 지역 바로 건너까지 뻗어있고, 템즈강 수로에서 오른쪽에 있는 도로로서 빈민 지역이면서 동시에 런던 금융의 중심지이다. 또한 무어게이트는 엘리엇이 로이즈 은행에 근무하면서 이용한 지하철역 명칭이기도 하지만, 필자가 이 지역을 답사했으나 특별한 의미를 발견할 수는 없었다(Day 289; Hargrove 1978, 79). 그러나 실제 "무어게이트"라는 이름은 과거 런던 도시 주위의 개활지인 "황야"Moorfields에서 유래한 것이며, 역사적으로 무어게이트는 런던 성벽London Wall의 조그만 출입문들 중의 하나였으나, 1761년에 파괴되어진 후에 오늘날 그 이름만이 존속하고 있는 것이다. 또한 "무어게이트"의 "무어"Moor는 에밀리 브론테 Emily Brontë가 혼자 즐겨 찾아갔고, 그녀의 소설『폭풍의 언덕』(*Wuthering Heights*, 1847)의 배경이 된 여름철에 히스heath만이 만발하는 하우스 Howarth 지역의 황무지를 연상시킨다. 아울러 "게이트"gate는 여성성을 상징하는 "문"門의 단어이므로, 엘리엇이 "무어게이트"란 고유지명을 원용함으로써 "황무지 같은 여성성"의 의미를 암시한다고 추정할 수 있다. 이러한 의미를 함축하는 무어게이트 공간에서의 성관계 이후에 남성은 "새 출발"의 재기를 다짐하지만, 여성은 아무 말 없이 후회하지 않는 무감각한 모습을 보임으로써 남성보다 더 거침없는 성의식을 드러내고 있다. 이러한 도시 지역은 의미 있는 사랑이 결여된 추잡한 도시 생활을 시사하고 있는 것이다(Hargrove 1978, 79).

템즈강의 세 번째 여성 화자는 템즈강이 바다로 연결되는 마게이트 백사장에서 당한 성폭행의 후유증을 고백하고 있다.

'마게이트 백사장에서였지.
나는 무엇이 무엇인지
기억나지 않아.

더러운 손들의 갈라진 손톱.
아무것도 기대하지 않는
비천한 인간들.' (Eliot 1988, 68)

'On Margate Sands.
I can connect
Nothing with nothing.
The broken fingernails of dirty hands.
My people humble people who expect
Nothing.' (*WL* 18: ll. 300-5)

엘리엇이 1921년 10월 중순부터 11월 중순까지 요양차 휴가를 보낸 "마게이트"는 영국 남동부의 켄트Kent주 사넷섬Isle of Thanet으로 별칭된 지역에 위치한 250년 역사로 최근 인구가 12,700명 정도 되는 바닷가 휴양지로 유명하다. 이 마게이트 백사장에서 세 번째 여성 화자가 성폭행 당하여 남성 가해자의 "더러운 손들의 갈라진 손톱"만 기억하는 안타까운 후유증을 엘리엇은 묘파하고 있다. "수문"水門 또는 "절벽 사이 수영할 수 있는 물의 공간"의 의미인 마게이트는 1264년까지 "미어게이트"Meregate란 명칭으로 사용되다가 1299년에 마게이트로 바뀌었으며, 현대에도 이 두 가지 철자가 병용되고 있다. "미어"Mere는 영국의 호반지구 국립공원Lake District National Park에 위치한 영국 최대 호수인 윈더미어Windermere나 워즈워스Wordsworth의 고향에 인접한 그라스미어Grasmere 호수 등의 접미사와 동일한 의미의 접두사로서 "물, 호수, 바다" 등의 뜻을 함축한다. 따라서 "마," 즉 "미어"는 정신분석학적 비평의 접근으로 해석하면 여성성을 의미하며, 마게이트 역시 앞의 무어게이트와 같이 여성성을 함의하는 "게이트"를 접미사로 사용하고 있으므로 지명 자체가 매우 여성적인 공간임을 쉽게 가늠할 수 있다. 또한 "백사장"이 사막을 상징하는 공간이므로 "마게이트 백사장"이란 공간의 의미는 여성성의 짓밟힘, 즉 여성의 육체와 정신의 파멸을 상징한다는 점에서 이 공간은 앞의 무어게이트와 더불어 또 다른 황무지요, 재생이 불가능한 지옥임을 엘리엇은 암시하고 있다. 게다가 여성 화자가 자신이 하층민 출신이며, 절망적이고 무의미한 삶을 영위하고 있음이 "더러운 손들의 갈라진 손톱"과 "아무것도 기대하지 않는 / 비천한 인간들"이란 시행들에서 드러난다(Hargrove 1978, 80).

한편, 제307행의 "그리고서 나는 카르타고에 왔노라"(To Carthage then I came)의 함축적인 한 시행으로 탕자였던 성 아우구스티누스St. Augustinus, Augustine가 찾아가서 육체의 정욕을 탐닉한 음란한 이교도의 고대 도시인 카르타고ﻮﻬﻟا, Cartago는 다양하게 성적 타락의 극치를 보이고 있는 현대의 대도시 런던과 공통된 공간의 의미로서 밀접하게 연결되고 있음을 시사하고 있다. 역사적으로 기원전 814년경에 디도Dido 여왕 하에 페니키아인들이 정착하여 건립한 막강한 경제 제국인 카르타고는 카르타고어로 "새로운 도시"라는 의미를 지니고 있으나, 기원전 146년 지중해의 해상권을 차지하려는 로마와의 포에니 전쟁에서 패배하여 멸망한 도시 국가이다. 그 후 2세기경에 대도시로 재건되었으나 결국 647년에 아랍족에 의해 전멸되어, 엘리엇이 표현한 그대로 현재 폐허만이 남아 있는 "공허한 도시"가 되었다(Greene 59). 여기서 엘리엇이 그의 「주석」에서 밝혔듯이 성 아우구스티누스가 『고백록』(Confessions)에서 "한 떼의 불경스런 연인들이 내 귀에다 노래를 불렀던 곳"인 고대의 카르타고는 현대의 템즈강의 딸들이 성폭행 당하거나 무의미한 성관계를 가진 장소들과 성적 타락의 관점에서 동일한 의미의 공간임을 되새겨볼 만하다(WL 33). 그러나 이은 제308-11행에서 기도를 통한 정화의 불길에 의해 이글거리는 정욕의 불길이 점차 사그라지는 것은 황무지에서의 구원의 가능성을 엘리엇이 제시하고 있는 것이다

(Hargrove 1978, 81).

지금까지 황무지의 주인공은 공허한 도시 런던과, 템즈강 및 심지어 마
게이트 백사장에서 생중사만 발견하지만, 마침내 제5부 「우뢰가 말한 것」에
서 구원을 얻기 위해 모세처럼 산으로 올라간다(Motola 67). 그러나 주인공
은 "무너지는 탑들"로 상징되는 산 위에 건설된 도시 문명의 파멸을 환상
적으로 목격한다.

> 산 너머 저 도시는 무엇인가
> 보랏빛 공중에 깨지고 다시 서고 터진다
> 무너지는 탑들
> 예루살렘 아테네 알렉산드리아
> 비엔나 런던
> 공허하구나 (Eliot 1988, 71-72)
>
> What is the city over the mountains
> Cracks and reforms and bursts in the violet air
> Falling towers
> Jerusalem Athens Alexandria
> Vienna London
> Unreal (*WLF* 145: ll. 371-76)

시인 엘리엇은 "예루살렘 아테네 알렉산드리아 / 비엔나 런던"의 파멸을 요
한계시록에서 세상 종말을 환상으로 목도하는 사도 요한 같은 예언자의 눈
으로 투시하고 있는 것이다. 이 도시들의 묵시록적 종말을 예측 가능하게
한 것은 엘리엇의 『황무지』 집필 당시 종전되지 얼마 되지 않은 제1차 세
계대전과, 1917년 러시아 볼셰비키 혁명으로 인한 동유럽의 몰락을 그 직

접적인 배경으로 들 수 있을 것이다. 이러한 도시들의 몰락에 대해 엘리엇이 「주석」에서 밝힌 바와 같이 헤르만 헤세Hermann Hesse의 『혼돈을 바라보며』(*Blick ins Chaos, In Sight of Chaos*, 1920) 중 「유럽의 몰락」("The Downfall of Europe")의 한 구절을 인용한 데에서 유추 가능하기 때문이다. 엘리엇이 독일어로 인용하고 있는 부분은 "이미 유럽의 절반, 적어도 동유럽의 절반이 혼돈으로 가고, 심연의 가장자리를 따라 미친 듯이 만취해서 여행하며, 게다가 드미트리 카라마조프가 노래한 만취의 찬가를 부르고 있다. 충격을 받은 부르주아들은 이 노래를 비웃고 있지만, 성자와 선견자들은 눈물 흘리며 듣고 있다."22)에서 도스토예프스키Достоевский, Dostoevsky가 그의 소설 『카라마조프가의 형제들』(*Братья Карамазовы, The Brothers Karamazov*, 1879-80)에서 창조한 인물인 무모하고도 열광적인 드미트리 카라마조프Dmitri Karamazov의 원시적·아시아적·신비적 이상이 유럽의 영혼을 이미 잠식하기 시작했다는 헤세의 경고를 엘리엇이 공감하고 있는 것이다(*WL* 34-35; Firchow 456). 이 물질 문명도시들의 파멸의 공통점은 영성의 완전한 결핍으로 인한 격렬한 야만성과 야수성에 의한 것이다. 정치력뿐만 아니라 학문과 헤브라이즘과 기독교의 커다란 구심점이었던 "예루살렘"יְרוּשָׁלַיִם, Jerusalem은 예수의 예언대로 70년 로마 황제 티투스(디도)Titus, 39-81 휘하의 로마군의 공격으로 파괴되었으며, 73년 마사다Masada 요새에서 유대군은 최후의 항전을 벌였으나 전멸했다. 또 4세기부터 7세기까지의 위대한 황금기도 614년 페르시아의 침공으로 종말을 고했고, 그 후 11세기에 야만 세력들인 투르크족, 13세기에 타타르족, 16세기에 다시 투

---

22) 엘리엇이 인용하고 있는 헤세의 독일어 원문은 다음과 같다. "Schon ist halb Europa, schon ist zumindest der halbe Osten Europas auf dem Wege zum Chaos, fährt betrunken im heiligen Wahn am Abgrund entlang und singt dazu, singt betrunken und hymnisch wie Dmitri Karamasoff sang. Ueber diese Lieder lacht der Bürger beleidigt, der Heilige und Seher hört sie mit Tränen."

르크족에게 점령당했다. 또한 그리스의 번영한 수도였고, 헬레니즘과 서양 문명의 중심지였던 "아테네"Αθῆναι, Athens는 기원전 480년에 페르시아 군대에 의해 대파되었다. 그 후 267년에 게르만 민족인 헨리족the Henli의 침공으로 황폐화되었으며, 1456년에는 투르크족에게 점령당했다. 기원전 332년 알렉산더 대제Alexander the Great가 건설한 후 이집트의 수도였고, 당대 세계 최고의 도서관과 박물관이 있었으며, 상업과 문화와 학문의 중심지였던 "알렉산드리아"ﺍﻟﺴﻜﻨﺪﺭﻳﺔ, Alexandria는 642년에 아랍족에게 예속되었고, 1517년에는 투르크족에게 지배당했다. 음악과 정치로 빼어난 도시 "비엔나" Vienna, Wien는 1529년과 1683년 두 차례에 걸쳐 투르크족의 침공을 받았다. 이 네 도시들은 야만성에 의한 인간의 정신적 및 문화적 속성이 파멸되는 상징적인 공간이다. "런던"은 야만적인 외침外侵을 받은 이 도시들과 달리 현대인들의 물질주의, 이기심, 육체적 정욕 등의 야만적인 내심內心의 태도로 멸망할 것임을 시사하고 있는 것이다(Hargrove 1978, 84-85). 이렇게 쇠망하는 인간 문명의 도시는 황무지 내지 황폐국의 심상으로서 성 아우구스티누스가 『신국론』(*The City of God*)에서 묘사하고 있는 영원한 "신의 도시"와 대조되고 있다(Greene 49).

이와 같이 절망적인 산 위에서 『황무지』의 주인공은 번갯불 번쩍이는 사이에 새벽을 알리는 수탉 소리와 생명의 비를 가져올 습기 찬 바람소리를 듣는다(*WL* 23-24, ll. 391-94). 비가 내리지 않아 인도의 젖줄인 전장 2,510km의 갠지스Ganges 강물도 바닥이 드러났으나, 이와 대조적으로 "문명의 위대한 발상지"인 히말라야Himalayas 산 위로는 구원을 상징하는 비를 뿌릴 먹구름이 모여들고 있음을 적시하고 있다(Greene 36).

갠지스강은 바닥이 나고 축 늘어진 나뭇잎들이
비를 기다렸다. 멀리 히말라야산 위에

먹구름이 몰렸다. (Eliot 1988, 72)

Ganga was sunken, and the limp leaves
Waited for rain, while the black clouds
Gathered far distant, over Himavant. (*WLF* 145: ll. 395-97)

갠지스 강물의 마름은 인간과 자연에게 생명수의 고갈뿐만 아니라, 강물에
더러운 육신의 죄악을 씻을 수 없음으로써 구원의 불가능성을 함축하고 있
다. 이 갠지스 강북에 있는 히말라야산은 산스크리트어로 "눈이 많은"의 뜻
인 "히마반트"로 불리는데, 산스크리트어의 "히마"himá가 "눈, 서리"란 의
미에서 연유된 것이다. 또한 힌두교에서는 눈의 신을 "히마바트"Himavat로
호칭하는데, 히마바트는 시바Shiva의 아내인 파르바티Parvati와 강의 여신인
"강가"의 아버지이다. 따라서 엘리엇이 "히마반트" 공간의 용어를 "강가"
와 더불어 원음 그대로 원용하고 있음을 알 수 있다. 위 인용시에 이어서
히말라야산 위로 들리는 우뢰소리인 "다"Da의 청각적 심상은 종교적 심상
으로 확대되어 엘리엇의 「주석」에 의하면 『브리하다라니야카-우파니샤드』
(*Brihadaranyaka-Upanishad*)에 나타나 있듯이 신의 음성인 "*주라*"*Datta*,
"*동정하라*"*Dayadhvam*, "*자제하라*"*Damyata*를 연상시킴으로써 주인공은 바
로 이것들이 구원의 조건임을 깨닫게 된다(*WL* 24-25, 35). 물론 히말라야
산은 제1부 「사자의 매장」 제17행 "산에서는 자유로워요."(In the mountains,
there you feel free. *WL* 4)에 등장하는 순수한 인유의 자연의 산과 그 의미
가 다른 공간이다. 또한 이 구원의 산은 『황무지』의 제5부에 지배적으로 나
타나는 "사막 풍경"desert landscape으로 표상되고, 생명을 상징하는 물이 없
는 암석과 모래로 덮인 산과는 상반되는 것이다(Reibetanz 527). 여기서 바
슐라르가 적대적 세력에 상반되는 사랑의 공간으로 규정한 *지복의 공간*

*l'espace heureux, felicitous space*과, 이와 대조적인 개념으로 앞에서 살펴본 "적대적 공간"을 고려해볼 만하다(Bachelard xxxi). 이 개념을 적용하면 구원의 비를 가져오는 먹구름이 모이는 히말라야산과, 그 안에서 자유를 느끼게 하는 자연 그대로의 산은 지복의 공간으로, 생명수가 없는 사막 풍경의 산은 적대적 공간으로 분류할 수 있을 것이다. 또한 앞에서 고찰한 성 메리 울노스 성당과 순교자 성 마그너스 성당도 각각 적대적 공간과 지복의 공간의 개념으로 파악할 수 있을 것이다.

한편, 산의 공간 개념과 대비되는 바다는 물론 『황무지』에서 고유지명으로 등장하지 않지만, 이 시에서 전반적으로 적대적 공간과 지복의 공간의 두 개념이 긴장되게 사용되고 있음을 간과할 수 없다. 예컨대, 파운드가 첨가를 권유한 바그너의 오페라에서 인용한 제1부 제42행의 "*바다는 황량하고 쓸쓸하네*"에서의 바다는 바로 적대적 공간이다. 이와 대조적으로 제4부 「수사」 제313행의 "깊은 바다 놀"(deep sea swell)과 제315행의 "해저의 조류"(A current under sea), 제421행의 "평온한 바다"(The sea was calm)와 어부왕이 낚시하는 제424행의 "해변"(shore) 등에서 표출된 바다의 심상들은 지복의 공간인 것이다(Franciosi 21-28).

III

엘리엇은 동시대 선배 시인 로버트 프로스트Robert Frost와 동시대 후배 시인 로버트 로웰Robert Lowell과 더불어 자신을 "뉴잉글랜드New England 시인"이라고 규정하고 있다. 이것은 주로 그의 『네 사중주』에 반영되어 있고, 엘리엇 저택Eliot House이 위치한 매사추세츠주 앤곳의 붉은 화강암으로 대변되는 뉴잉글랜드, 특히 엘리엇이 어린 시절에 휴양차 자주 방문한 그곳의 해안 풍경을 염두에 둔 표현이라고 볼 수 있다(Eliot 1960, 421; Gardner

319). 이와 아울러 엘리엇을 공간의 시인으로 규정할 때에 어린 시절 태어나고 성장했으며, "미국적 사중주"American Quartet로 불리는 「드라이 샐베이지즈」의 배경이 되고 있는 미조리 풍경Missouri landscape과 미시시피강 풍경Mississippi River landscape도 중시해야 할 것이다(Baskett 158-61).

지금까지 논한 고유지명들에 바슐라르가 규정한 "적대적 공간"과 "지복의 공간"의 개념을 적용하면 전자는 슈타른베르거제, 런던, 런던교, 킹 윌리엄가, 성 메리 울노스 성당, 캐넌 스트리트 호텔, 메트로폴 호텔, 스트랜드가, 빅토리아 여왕가, 템즈강 하가, 템즈강, 아일 오브 독즈, 그리니치 유역, 런던탑, 예루살렘, 아테네, 알렉산드리아, 비엔나, 하이베리, 리치먼드, 큐정원, 무어게이트, 마게이트, 카르타고, 바닥 난 갠지스 강 등을, 후자는 호프가르텐, 레망호, 순교자 성 마그너스 성당, 히말라야산 등을 포괄할 것이다. 따라서 엘리엇은 『황무지』 전반에 걸쳐서 자연과 인간에게 휴식과 생명과 영생을 주는 지복의 공간보다는 성적 타락의 현대인들과 상업과 물질문명으로 구축된 도시들의 파멸의 공간을 압도적으로 제시하고 있다. 결론적으로, 공간의 시인 엘리엇은 그의 공간의 시 『황무지』에서 호수, 정원, 도시, 강, 산, 사막, 바다 등을 포괄하는 여러 고유지명들을 원용하여 매우 적절한 상징성과 함축적인 의미를 제시함으로써 이 시 제목이 은유하는 그대로 단테의 지옥의 관점에서 재현하고 있는 것이다.

엘리엇은 『황무지』에서 명시적・암시적으로 여러 공간을 제시하고 있으며, 이들 공간 중 필자가 답사한 일부 장소들은 독자의 이해를 돕기 위하여 이 책의 서두에 사진으로 수록하였다. 또한 하그로브의 저서에 상당수 고유 지명들의 흑백 사진이 실려 있지만 모두 답사하기 어려운 게 현실이다. 그래서 간접적이지만 인터넷에 나온 컬러 사진으로 보충하여 더욱 생생한 현장감을 얻을 수 있을 것이다. 따라서 『황무지』에 등장하는 주요 공간의 인터넷 주소를 아래에 제시한다.

1   슈타른베르거제: http://de.wikipedia.org/wiki/Starnberger_See

2   호프가르텐: http://www.virtualtourist.com/travel/Europe/Germany/Bavaria/Munich-36623/Things_To_Do-Munich-Hofgarten-BR-1.html

3   템즈강: http://en.wikipedia.org/wiki/River_Thames

4   런던교: http://en.wikipedia.org/wiki/London_Bridge

5   킹 윌리엄가: http://en.wikipedia.org/wiki/King_William_Street_(London)

6   성 메리 울노스 성당: http://en.wikipedia.org/wiki/St_Mary_Woolnoth

7   레망호: http://perso.orange.fr/lycee.noailles/leman/fr_03.htm

8   캐넌 스트리트 호텔: http://viewfinder.english-heritage.org.uk/search/detail.asp?calledFrom=oai&imageUID=78994

9   메트로폴 호텔: http://www3.hilton.com/en/hotels/united-kingdom/hilton-brighton-metropole-BSHMETW/index.html

10 순교자 성 마그너스 성당: http://www.stmagnusmartyr.org.uk/

11 스트랜드가: http://en.wikipedia.org/wiki/Strand,_London

12 빅토리아 여왕가: http://viewfinder.english-heritage.org.uk/search/detail.asp?calledFrom=oai&imageUID=80105

13 템즈강 하가: http://www.londontown.com/LondonStreets/lower_thames_street_98d.html/

14 아일 오브 독즈: http://en.wikipedia.org/wiki/Isle_of_Dogs

15 그리니치 유역: http://www.fellwalk.co.uk/londongreen9.htm

16 런던탑: http://www.hrp.org.uk/TowerOfLondon/

17 하이베리: http://en.wikipedia.org/wiki/Highbury#Early_Highbury

18 리치먼드: http://en.wikipedia.org/wiki/Richmond,_London

19 큐 정원: http://www.kew.org/

20 무어게이트: http://en.wikipedia.org/wiki/Moorgate

21 마게이트: http://en.wikipedia.org/wiki/Margate#Tourism

22 카르타고: http://en.wikipedia.org/wiki/Carthage

23 갠지스강: http://en.wikipedia.org/wiki/Ganges

24 히말라야산: http://en.wikipedia.org/wiki/Himalayas

6

『황무지』와 청각적 상상력

I

바그너의 오페라와 악극은 프랑스 상징주의 시인들인 보들레르, 라포르그, 베를렌느 및 모더니즘 대표 시인인 엘리엇에게 지대한 영향을 끼쳤다. 아울러 음악성을 시에 표현한 보들레르, 베를렌느, 말라르메Mallarmé 역시 엘리엇에게 영향을 주었다. 바그너의 음악과 상징주의 시인들이 엘리엇에게 끼친 영향은 필자의 저서 『T. S. 엘리엇과 상징주의』(2012)에서 상술한 바 있다. 시에서 유려한 음악성을 구현한 베를렌느의 시 「시의 기술」("Art poétique," 1874)의 제1행과 제29행 "무엇보다 앞서 음악성, / 또 그리고 항상 음악성!"(De la musique avant toute chose, / De la musique encore et toujours!)은 상징주의의 한 특성인 음악성을 잘 보여준다(Verlaine 122-24). 제6장에서는 바그너의 오페라와 상징주의의 음악성·암시성·모호성의 영향을 받은 엘리엇의 『황무지』에 나타난 "청각적 상상력"auditory imagination을 고찰하기로 한다. 주지하듯이 엘리엇은 청각적 상상력을 "사상과 감정의 의식적인 단계 훨씬 아래까지 스며드는 음절과 리듬에 대한 감각"(the feeling for syllable and rhythm, penetrating far below the conscious levels of thought and feeling)이라고 규정한 바 있다(*UPUC* 118-19).

엘리엇의 천부적인 음악적 재능을 나타내는 단적인 한 예는 누나인 아다 엘리엇 쉐필드Ada Eliot Sheffield가 엘리엇에게 보낸 서신에서 드러나 있다 (*LE* xxxvii). 또한 엘리엇은「시의 음악성」("The Music of Poetry")에서 다음과 같이 언급하고 있다.

> 여기서 나의 목적은 "음악적인 시"가 소리의 음악적인 형태와 그것을 구성하는 단어의 2차적인 의미들의 음악적인 형태를 지니는 시이고, 게다가 이 두 가지 형태는 불가분리적이며 하나라고 주장하는 것이다. 그리고 그것은 의미와 분리된, "음악적"이란 형용사가 마땅히 적용될 수 있는, 순수 소리에 불과하다고 반대한다면, 나는 시의 소리가 의미 만큼 시의 추상적 개념이라는 나의 이전의 주장을 다시 견지할 뿐이다.

> My purpose here is to insist that a "musical poem" is a poem which has a musical pattern of sound and a musical pattern of the secondary meanings of the words which compose it, and that these two patterns are indissoluble and one. And if you object that it is only the pure sound, apart from the sense, to which the adjective "musical" can be rightly applied, I can only reaffirm my previous assertion that the sound of a poem is as much an abstraction from the poem as is the sense. (*OPP* 26)

나아가서 엘리엇은 시가 관념과 심상으로 표현되기 이전에 특별한 리듬으로 구현되는 경향이 있을 수 있다고 지적함으로써 상징주의의 교의인 시의 음악성을 그의 비평에서도 강조하고 있다(*OPP* 32). 물론 『황무지』에서 어부왕을 상징하는 동시에 엘리엇 자신을 상징하는 "세 개의 장대와 남자"와 비비엔을 상징하는 "벨라돈나"의 타로 카드는 중요한 상징들로서 귀에 들리지 않는 일종의 음악성을 제시하고 있다. 이것은 키츠Keats의 「그리스 항아리에 부치는 송시」("Ode on a Grecian Urn") 제14행 "들리지 않는 곡조"(ditties of no tone)인 상상으로 듣는 이상적인 음악과는 다른, 엘리엇이 「번트 노턴」 제27행에서 언급한 "들리지 않는 음악"(unheard music)인 것이다(*CPP* 172; Chancellor 24).

이러한 엘리엇의 음악성에 대해서는 이미 매시슨이 『T. S. 엘리엇의 업적』(*The Achievement of T. S. Eliot*, 1935)에서 『황무지』에 나타난 엘리엇의 「청각적 상상력」("Auditory Imagination")을 논했으며, 헬런 가드너Helen Gardner도 『T. S. 엘리엇의 기법』(*The Art of T. S. Eliot*, 1949)에서 「청각적 상상력」과 「『네 사중주』의 음악성」("The Music of *Four Quartets*")을 고찰한 바 있다. 또 모리스 마틴Morris Martin은 「재즈 리듬과 T. S. 엘리엇」("Jazz Rhythms and T. S. Eliot," 1952)에서 엘리엇의 초기 시와 시극에 나타난 재즈 리듬을 분석하고 있고, 폴 챈슬러Paul Chancellor는 「『황무지』의 음악성」 ("The Music of *The Waste Land*," 1969)에서 그 시의 음악성을 집중적으로 조명하고 있다. 또한 마틴 배리 수녀Sister M. Martin Barry의 『T. S. 엘리엇 『시선』의 운율적 구조 분석』(*An Analysis of the Prosodic Structure of Selected Poems of T. S. Eliot*, 1969)의 단행본은 엘리엇 시에 나타난 운율을 철저히 분석하고 있다. 또한 사라 윈틀Sarah Wintle은 「바그너와 「황무지」 재고」("Wagner and 'The Waste Land'—Again," 1989)에서 바그너의 오페라와 바그너의 열렬한 지지자인 니체Nietzsche의 『음악의 정신에서 비극의 탄생』(*Die Geburt der Tragödie aus dem Geiste der Musik*, 1872)과 비교하면서 『황무지』에 나타난 음악성을 분석하고, 존 할러웨이John Holloway는

「엘리엇의『네 사중주』와 베토벤의 마지막 사중주」("Eliot's *Four Quartets and Beethoven's Last Quartets*," 1992)에서『네 사중주』와 베토벤의 사중주를 비교하고 있다. 한편, 국내에서는 배순정의『『네 사중주』의 음악성: 푸그 형식의 시적 구성』(2006)의 박사학위 논문이 있지만, 국외 연구에 비해서『황무지』의 음악성을 집중적으로 다루지 않고 있다. 아울러 최근에 존 지로스 쿠퍼John Xiros Cooper가 편찬한『T. S. 엘리엇의 오케스트라: 시와 음악에 관한 비평문』(*T. S. Eliot's Orchestra: Critical Essays on Poetry and Music*, 2002) 등 지금까지 연구가 많이 축적되어 왔으므로 여기서는 음악적인 시『황무지』에 나타난 소리결sound-textures을 철저히 추적함으로써 엘리엇의 청각적 상상력, 즉 음악, 음악성, 운율 및 청각적 심상을 집중적으로 조명하고자 한다.

<h1 style="text-align:center">II</h1>

『황무지』의 5부 구조는 루트비히 판 베토벤Ludwig van Beethoven, 1770-1827의 후기 현악 사중주에 비교되는『네 사중주』의 5악장과는 달리 이고르 스트라빈스키Igor Stravinsky, 1882-1971와 아르놀트 쇤베르크Arnold Schönberg, 1874-1951 등 20세기 작곡가의 음악적 감수성으로 직조되어 있다. 따라서『황무지』는 실내악과 같이 명상적인 것이 아니라 유려하고 극적이다. 탐색자의 황무지로의 방문 이야기가 전개되는『황무지』는 표제음악標題音樂, program music과 같다. 또한『황무지』는 현악 사중주가 아니라 다채로운 다양성과 풍성함이 있는 교향악단의 음악이다. 그 구조는 주요 상징을 주제로 원용하는 소나타 형식에 유려한 음조로 직조되고, 관련있는 불협화적인 라이트모티프Leitmotiv를 일부 제시하는 교향시로 간주할 수 있을 것이다(Gardner 37; Chancellor 29-30).

또한『황무지』에는 음악성이 풍부한 바그너의 오페라와 악극이 인유되고 있다. 엘리엇은『황무지』제31-34행에 바그너의 비극적 오페라『트리스탄과 이졸데』제1막 제5-8행23)을 인용했다고 「주석」에서 밝히고 있다 (*WLF* 147).

바람은 시원하게
고국으로 부는데
아일랜드의 내 님
어디서 머뭇거리느뇨?

Frisch weht der Wind
Der Heimat zu
Mein Irisch Kind
Wo weilest du? (*WLF* 135)

위의 인용은『트리스탄과 이졸데』의 주변 인물인 선원의 짧은 대사로서 "Wind"와 "Kind"의 각운과 "zu"와 "du"의 각운이 완벽한 한 편의 선율적인 시이다. 사실 엘리엇은 바그너의『트리스탄과 이졸데』를 1909년 보스턴에서 관람한 후에 「오페라」("Opera")라는 시를 쓴 바 있다. 이후 1911년 파리에서 하버드대로 돌아온 직후에『트리스탄과 이졸데』를 두 번째 관람한 것은 엘리엇이 바그너의 음악에 심취해 있었음을 단적으로 보여주고 있다 (*IMH* 17; Wintle 227). 아울러 히아신스 정원에서 성폭행 당한 히아신스 소녀 에피소드는 결국 황무지의 한 유형이며, 따라서 바다도 황량한 것으로 제시하면서 엘리엇은『트리스탄과 이졸데』제3막 제24행을『황무지』제42행에 인용했다고 「주석」에서 밝히고 있다. 다시 말해, "*바다는 황량하고 쓸*

---

23) 음악은 인터넷 참조: http://www.rwagner.net/libretti/tristan/e-tristan-a1s1.html

쓸하네."는 죽어가는 트리스탄에게 이졸데를 데리고 오는 배가 보이지 않는다고 주변 인물인 목동이 피리를 불면서 노래한 것으로서 "leer"와 "Meer"가 선율적인 "내운"內韻, internal rhyme을 이루고 있다(*WLF* 136; Wintle 235). 또한 엘리엇은 『황무지』 제3부 「불의 설법」의 제277-78행과 제290-91행에서 바그너의 「신들의 황혼」에 등장하는 라인강 아가씨들 Rhine-daughters이 부르는 아주 선율적인 비탄 어조의 후렴인 "바이아랄라 라이아 / 발라라 라이아랄라"(Weialala leia / Wallala leialala)를 템즈강 아가씨들Thames-daughters이 부르는 노래에 두 번 반복하여 차용함으로써 시의 음악적인 효과를 제고하고 있다(*WLF* 148). 다만 세 명의 템즈강 아가씨들이 남성들의 성폭행 희생자들이지만, 세 명의 라인강 아가씨들은 남성의 파멸을 초래하는 유혹자들로서 대조를 이룬다. 톨킨J. R. R. Tolkien, 1892-1973의 소설 『반지의 제왕』(*The Lord of the Rings*, 1954)과 동명의 영화 <반지의 제왕>(2001)의 모델이 된 『니벨룽의 반지』(*Der Ring des Nibelungen*, 1876)의 제4부인 「신들의 황혼」에서 라인강 아가씨들은 니벨룽Nibelung인 소인 요정왕 알베리히Alberich를 거부함으로써 사랑과 권력 투쟁을 시작하고, 반지를 소유하게 되는 영웅 지크프리트Siegfried에게 파국, 즉 신들에게 어둠의 엄습을 초래하는 죽음을 경고한다(Fuller 138).

한편, 엘리엇은 『황무지』 제128-30행에서 "아주 우아하고 아주 지적인" (so elegant / So intelligent) 셰익스피어풍 래그Shakespeherian Rag 음악을 원용하고 있다.

> 오 오 오 오 저 셰익스피어풍 래그―
> 그건 참 우아하고
> 참 지적인데 (Eliot 1988, 61)

O O O O that Shakespeherian Rag —

It's so elegant

So intelligent (*WLF* 138)

셰익스피어풍 래그는 재즈 음악의 한 유형이고, 음악에 적합한 재즈 서정시의 현저한 특징은 중간휴지中間休止, caesura이다. 재즈 서정시의 휴지는 구두점, 철자 추가 삽입, 시행의 분절 등으로 제시된다. 특히 재즈 리듬의 가장 현저한 특징은 집중적이고도 거의 단조로운 반복이다. 따라서 "오 오 오 오 저 셰익스피어풍 래그"(O O O O that Shakespeherian Rag)에서 네 번 반복되는 감탄사 "O"와 "Shakespearian"의 철자 "a" 대신에 "he"로 인위적으로 늘린 "Shakespeherian"의 표기와 강조 부사 "so"의 반복은 전형적인 재즈 리듬인 것이다. 또한 『황무지』 제171행의 어린 아이의 유치한 작별 인사인 "타 타"(Ta ta)와 제306행의 라인강 아가씨들의 후렴을 반향하고 있는 "라 라"(la la) 등의 무의미한 음절은 재즈 서정시에 나타나는 것들과 동일한 음악적인 효과를 제시하는 것이다(*WLF* 139, 143; Wintle 243). 따라서 "셰익스피어풍 래그"가 "참 우아하고 / 참 지적인데"라고 평가하는 것이 역설적인 것으로 드러난다. 여기서 엘리엇이 1920년대 미국의 대중음악인 재즈를 혁신시킨 1911년에 러시아 출신 미국 작곡가 어빙 벌린Irving Berlin, 1888-1989과 테드 스나이더Ted Snyder, 1881-1965가 작곡한 「저 신비한 래그」 ("That Mysterious Rag")를 패러디함으로써 영국의 문호 셰익스피어의 위상을 추락시키는 자들에 대한 비판을 하고 있다고 볼 수 있다. 또한 재즈는 엘리엇이 만나 대화한 진실된 현대적인 작품이라고 호평한 『봄의 제전』(*Le Sacre du printemps*, 1913)의 작곡가인 스트라빈스키Стравинский, Stravinsky, 1881-1971의 영향을 받은 것이다(Fuller 135). 재즈 리듬이 철학적·종교적 후기 시에는 적합하지 않기 때문에 엘리엇은 재즈 리듬을 원용하지 않게 된다(Freedman 419-23, 434).

「체스 게임」의 마지막 연 제139-72행은 여성 화자와 친구 릴이 선술집에서 릴의 남편 알버트에 대해 생동적이고도 저속적인 대화체로 얘기하고 있는 장면이다. 이들의 대화에서 릴은 알버트가 제1차 세계대전에 참가한 4년 동안 생사를 넘나드는 전장에서 송금한 돈으로 불륜의 생활에다 낙태까지 한 것이 드러난다. 또한 제154행인 "잘못하면 다른 치들이 골라잡을 거예요."(Others can pick and choose if you can't.)의 대사는 당시 런던에 자유연애의 풍조가 일상이라는 것을 암시하고 있다. 이들의 진부한 대화에 중첩되는 목소리는 선술집에서 영업의 종료를 알리는 다섯 번의 집요한 재즈 리듬의 반복 시행인 **"서두르십시오 마칠 시간입니다"**(HURRY UP PLEASE IT'S TIME)이고, 한 번 들리는 소리는 어린이들의 작별 인사인 "타 타"이다. 불륜에 관한 대화가 오고 간 선술집의 영업 종료는 술을 마시면서 내면을 토로하는 평범한 하층민의 일상을 제시하는 동시에 이들의 작별 인사가 제172행에서 『햄릿』(Hamlet)의 오필리아가 연못에 익사하기 직전에 귀부인들에게 나누는 반복적인 재즈 박자의 작별 인사와 연결되고 있다.

> 구나잇 빌, 구나잇 루, 구나잇 메이, 구나잇.
> 타 타. 구나잇. 구나잇.
> 굿나잇, 귀부인들, 굿나잇, 아름다운 아가씨들, 굿나잇, 굿나잇.
>
> (Eliot 1988, 63)

> Goonight Bill. Goonight Lou. Goonight May. Goonight.
> Ta ta. Goonight. Goonight.
> Good night, ladies, good night, sweet ladies, good night, good night.
>
> (*WLF* 139)

"빌"(Bill), "루"(Lou), "메이"(May)로 대표되는 하층민의 일상의 대화가 끝나고 헤어지는 작별 인사와, 대중가요인 「굿나잇, 귀부인들」("Good-Night, Ladies," 1867)[24]과 중첩되는 오필리아의 사별 인사인 "굿나잇, 아름다운 아가씨들"(good night, sweet ladies)의 역설적인 대조는 후자들의 "good"이 전자에서는 "d"가 작가의 의도로 발음되지 않는 것으로 강화되고 있다 (Freedman 426; Cooper 278). 다시 말해, 일상의 이별은 결국 인생의 작별과 연결됨을 암시하고 있는 것이다. 결국 런던 선술집에서 나누는 여성들의 내면을 토로하는 대화에서 드러난 것은 황무지 같은 현실에서 일상이 되어 버린 불륜의 성애가 죽음, 즉 생중사라는 것을 암시하고 있다.

또한 엘리엇은 「불의 설법」 제2연 제197-202행에서 스위니와 포터 부인과 딸과의 1:2의 불륜의 성관계를 암시하는 데에 제1차 세계대전 중 1915년 5월 터키 갈리폴리에 상륙한 호주 병사들이 즐겨 불렀던 속요俗謠[25]를 원용하고 있다. 호주 병사들의 참전은 피터 위어Peter Weir, 1944- 가 감독하고 멜 깁슨Mel Gibson, 1956- 주연의 영화 <갈리폴리>(*Gallipoli*, 1981)에서 현장감 있게 재현되고 있다. 엘리엇은 「주석」에서 호주 시드니에서 이것을 들은 바가 있다고 진술하고 있다(*WLF* 147).

> 오 달이 비치네, 찬란히 포터 부인과
> 그 딸에게
> 그들은 소다수에 발을 씻고 있고나 (Eliot 1988, 65)

---

24) 악보는 인터넷 참조: http://en.wikipedia.org/wiki/File:38_Good-Night,_Ladies.png
25) 각운과 내운을 이루는 선율적인 속요의 가사는 다음과 같다(Southam 1994, 168).

O the moon shines bright on Mrs. Porter
And on the daughter of Mrs. Porter.
And they both wash their feet in soda water
And so they oughter
To keep them clean.

O the moon shone bright on Mrs. Porter

And on her daughter

They wash their feet in soda water (*WLF* 140)

포터 부인은 이집트 카이로의 전설적인 포주抱主로서 그녀의 딸과 함께 호주 병사들에게 성병을 전파하는 악명 높은 창녀들이다. 호주 병사들이 부른 속요와 엘리엇 시의 "발"은 "여성기"의 완곡어법이므로 창녀들과의 성관계는 결국 성병에 감염되는 스위니 같은 육적인 인간의 죽음을 예고하는 것이다. 병사들의 속요는 서랜드 채타웨이Thurland Chattaway의 선풍적인 래그타임 재즈 노래 「레드 윙」("Red Wing," 1907)의 합창26)에서 파생되었다 (Southam 1994, 168-69; Jain 172; 안중은 2008, 27). 위 시에서 "Porter," "daughter," "water"의 각운은 완벽하며, 속요의 가사는 재즈 리듬으로 직조된 것이다(Freedman 425). 재즈 리듬의 특징인 집중적인 반복이 두드러지는 시행들은 앞에서 고찰한 「체스 게임」의 제111-14행으로서 비비엔의 신경질적인 성격을 반영하고 있는 여성화자의 표현인 "bad," "speak," "what," "thinking"의 반복을 들 수 있을 것이다.

한편, 엘리엇은 「우뢰가 말한 것」의 제426행으로 『황무지』의 주제인 죽음을 전래 동요인 「런던교가 무너진다」("London Bridge is falling down," 1744년경)27)로 표상함으로써 도시 문명의 파멸을 예고하고 있다.

---

26) 선율적인 각운과 내운을 이루는 「레드 윙」 합창의 가사는 다음과 같다.

> Now the moon shines tonight on pretty Red Wing,
> The breeze is sighing, the night bird's crying,

27) 동요의 동영상 참조: http://www.youtube.com/watch?v=vTvNwAT29Lo. 동요의 전체 가사는 다음과 같다.

> London Bridge is falling down,
> Falling down, falling down.

런던교가 무너진다 무너진다 무너진다

London Bridge is falling down falling down falling down (*WLF* 146)

3회 선율적으로 반복됨으로써 시적 의미를 강화하고 있는 "무너지는" (falling down) 런던교는 철저히 파괴되는 런던을 상징하고, 제373-76행의 "무너지는 탑들"(Falling towers)로 표상되는 찬란한 문명의 도시들인 동시에 공허한 예루살렘, 아테네, 알렉산드리아, 비엔나, 런던의 몰락을 어린 아이들이 즐겨 부르는 동요로 함축하고 있는 것이다(*WLF* 145).

다른 한편, 엘리엇은 「불의 설법」 제202행인 "*오, 원형 천장 아래 합창하는 어린이 찬양대 목소리여!*"(*Et, O ces voix d'enfants, chantant dans la coupole!*)를 베를렌느의 소네트 「파르지팔」("Parsifal," 1886)의 마지막 시행을 그대로 인용함으로써 5차례 낭랑한 "앙"(ã)의 음가를 내는 유려한 음악성과 성스러운 분위기를 제시하고 있다. 물론 베를렌느의 「파르지팔」은

London Bridge is falling down,
My fair lady.

Build it up with iron bars,
Iron bars, iron bars,
Build it up with iron bars,
My fair lady.

Iron bars will bend and break,
Bend and break, bend and break,
Iron bars will bend and break,
My fair lady.

Build it up with gold and silver,
Gold and silver, gold and silver,
Build it up with gold and silver,
My fair lady.

바그너의 "성스러운 악극"인『파르지팔』(*Parsifal*, 1882)의 영향을 받아 작시된 것이다(Wintle 238). 이와 대조적으로 세속적인 의미를 드러내는 시행은 제203-4행으로서 제비와 나이팅게일이 지저귀는 의성어인 동시에 성폭행 시의 키스 소리와 성교 소리를 각각 거칠게 의성화한 "트윗 트윗 트윗 / 적 적 적 적 적 적"(Twit twit twit / Jug jug jug jug jug jug)일 것이다. 이와 유사한 유려한 음악적 시행은『황무지』제5부「우뢰가 말한 것」의 제357행으로서 바위 위로 떨어지는 물소리로 착각되는 은자隱者 지빠귀가 지저귀는 소리인 "드립 드롭 드립 드롭 드롭 드롭 드롭"(Drip drop drip drop drop drop drop)과 제392행의 수탉의 울음소리인 "꼬 꼬 리꼬 꼬 꼬 리 꼬"(Co co rico co co rico)일 것이다(*WLF* 140, 144, 145).

이제 모더니즘의 정전답게 각운이 완벽한 낭만주의의 정형시와는 판이한『황무지』의 운율을 고찰하기로 하자.『황무지』5부 전체의 운율은 주로 약강조弱強調, iambus로 다양한 길이의 시행들로 구성되어 있다. 그러나 엘리엇은 자주 시행의 시작과 마지막에서 음절의 변화를 주어 전도된 강세를 사용하고 있는데, 시의 함축적인 의미보다는 시를 낭송할 때에 들리는 소리가 중요하므로 번역은 생략한다(Gish 34).

>   Whát are the róots that clútch, what bránches grów
>   Out of this stóny rúbbish? Són of mán, (*WLF* 135)

구체적으로『황무지』제1부「사자의 매장」은 4강세 시행으로 시작하다가 무운시로, 다시 강세 시행으로 자유자재로 이동하고 있다. 또 제2부「체스 게임」은 셰익스피어의 후기 운율 형식에 바탕을 둔 무운시로 시작한다. 또한 제3부「불의 설법」에서도 약강 음보에서 강세 음보로 급변하지 않음으로써 엘리엇은 아주 치밀하게 운율적인 통일성을 견지하고 있다. 유게니데스 씨는 무운시 시행으로 소개되고 있다.

Under | the brown | fog of | a win | ter noon (*WLF* 140)

위의 시행에서는 첫 번째 음보와 세 번째 음보가 강약조強弱調, trochee로서 주된 약강조의 음보를 흩어놓아서 이어지는 4강세 시행의 제208-10행도 리듬에서 차별성이 드러나지 않는다(Gross 187-88).

Mr. Eugenides, ‖ the Smyrna merchant

Unshaven, ‖ with a pocket full of currants

C.i.f. London: ‖ documents at sight (*WLF* 140)

이어서 『황무지』 제4부 「수사」에서 화자가 페니키아인 플레바스의 죽음을 더 느슨한 강세 형식으로 진술하고 있다. 여기서의 음조는 거의 억제된 매우 조용한 음조이고, 4강세 시행은 밋밋한 긴장을 형성하고 있다.

Phlebas the Phoenician, ‖ a fortnight dead,

Forgot the cry of gulls, ‖ and the deep sea swell

And the profit and loss.

A current under sea (*WLF* 143)

이 긴장은 다시 『황무지』 제5부 「우뢰가 말한 것」에서 무운시로 시작하는 예언자의 음성으로 조성된다. 예언자와 화자의 목소리가 하나로 결합되고, 시적 분위기는 질문과 혼미한 정신이다. 시의 음조는 약강조가 지배적이지만, 구원의 상징 공간인 인도의 "갠지스강"과 "히말라야산"을 묘사할 때에는 위엄 있는 4강세 시행으로 돌아간다(Gross 189-90).

Ganga was súnken, ‖ and the límp léaves
Wáited for ráin, ‖ while the bláck clóuds
Gáthered far dístant, ‖ óver Hímavant.
The júngle cróuched, ‖ húmped in sílence. (*WLF* 145)

엘리엇 시의 음악성은 휘트먼 시의 음악성과 같이 시어의 반복적 표현에서 그 효과가 강화되고 있다. 동일 시어의 반복은 니디 티와리Nidhi Tiwari가 『T. S. 엘리엇 시의 심상과 상징성』(*Imagery and Symbolism in T. S. Eliot's Poetry*, 2001)에서 엘리엇 시의 기교의 하나인 음악성으로 명쾌하게 지적했듯이 『황무지』를 비롯한 그의 주요 작품들에 나타난다(190). 예를 들면, 『황무지』 제120-23행의 "아무 것도 아무 것도 아니지. / '아무 것도 / 모르시나요? 아무 것도 안보이나요? 아무 것도 / 기억 안나나요?'"(Nothing again nothing. / 'Do / You know nothing? Do you see nothing? Do you remember / Nothing?')에서 "아무 것도 아닌 것"(nothing)의 5번 반복으로 음악성이 제고되고 있다(*WLF* 138). 또한 「J. 알프레드 프루프록의 연가」의 시행들인 "휠락 검을락 물결이 바람에 불릴 때 / 뒤로 나부끼는 파도의 흰 머리채를 빗질하며"(Combing the white hair of the waves blown back / When the wind blows the water white and black)에서 "white"의 반복, "white"와 "when" 그리고 "waves"와 "wind" 및 "water"의 두운, "back"과 "black"의 두운과 각운은 『재의 수요일』(*Ash-Wednesday*) 제3부 제3연 제17-18행인 "바람에 흩날리는 머리칼은 고왔다, 흩날려 입을 덮는 갈색 머리칼은, / 엷은 자색과 갈색의 머리"(Blown hair is sweet, brown hair over the mouth blown, / Lilac and brown hair)에서 시어 "blown," "brown," "hair," "brown hair"의 반복과 "blown"과 "brown"의 두운으로 유려한 음악성을 제시하는 점에서 유사하다. 또 「이스트 코우커」 제5부 제208-9행의 "파도 소리, 바람소리, 해연海燕과 돌고래의 대해원大海原."(The wave cry, the wind cry, the vast waters / Of the petrel and the porpoise.)에서 "wave," "wind," "waters" 그리고 "petrel"과 "porpoise"의 두운과 "cry"의 반복 역시 아주 선율적인 음악성이 돋보이는 시행들이다(*CPP* 183).

아울러 낸시 기쉬Nancy Gish가 『황무지: 기억과 욕망의 시』(*The Waste Land: A Poem of Memory and Desire*, 1988)에서 시어의 반복뿐만 아니라 심상의 반복이 시의 음악성을 제고한다는 진전된 주장을 참고하는 것이 좋을 것이다(35). 여기서 엘리엇 시의 음악성을 이해하려면 시를 가급적 큰 소리 내어 낭송하는 것이 중요하다는 가드너의 지적을 음미해볼 만하다. 그러면 시의 음악성과 상징성이 "교차점"(a point of intersection)이나 찬란한 "한 줄기 햇빛 속에서"(in a shaft of sunlight) "갑작스런 광휘"(sudden illumination)로 다가오는 순간을 체험하게 될 것이기 때문이다(Gardner 48, 54).

III

엘리엇의 청각적 상상력으로 직조된 모더니즘 최고의 시 『황무지』에 나타난 청각적 심상을, 이 시의 실체를 투시하는 테베의 장님 예지자 테이레시아스의 마음의 눈을 빌어 추적함으로써 내재된 심오한 의미를 조명하고자 한다. 우선 『황무지』제1부 「사자의 매장」 제24행의 "메마른 돌에는 물소리 하나 들리지 않는다."(And the dry stone no sound of water.)에서 생명과 구원의 중요한 상징인 물소리가 전혀 들리지 않고, 죽음만이 지배하는 심상을 제시하고 있다(*WLF* 135). 이렇게 생명의 물이 없고, 물소리마저 전혀 들리지 않는 절대적인 절망감의 시상은 제5부 「우뢰가 말한 것」의 제 345-52행에 반복되어 나타남으로써 『황무지』의 한 주제인 죽음의 의미를 강화하고 있다(*WLF* 144).

『황무지』 제2부 「체스 게임」 제1연은 시각적 심상으로 시작하여 후각적 심상으로, 다시 시각적 심상을 거쳐 청각적 심상으로 전개되고 있다. 제 97-103행인 "고풍스런 벽난로"(antique mantel) 위에 걸려 있는 "필로멜라 의 변신"(the change of Philomel)의 시각적 심상이 나이팅게일의 "범할 수 없는 목소리"(inviolable voice)로 황야를 온통 채우고, 여전히 우는 의성어 이면서 성교시에 나는 소리인 "적 적"의 청각적 심상으로 변이하고 있다. "적"의 두 번 반복은 필로멜라가 트라키아 왕이자 형부 테레우스에게 숲속 에서 두 번 성폭행 당한 것을 암시하고 있다(Brooker and Bentley 136). 또 다른 청각적 심상은 제107행인 "계단 위에서 끌려가는 발자국 소리" (Footsteps shuffled on the stair)로서 호시탐탐 "노리는 놈들"(staring forms)에 의해 집단 성폭행 현장으로 끌려가는 긴박한 순간의 여성을 포착 하고 있다(*WLF* 137).

「체스 게임」의 제2연은 앞 연의 유려한 리듬과는 다르게 여성 화자가 단 음적斷音的으로 헐떡이는 불평으로 시작한다(Cooper 277).

> "나 오늘밤 신경이 좀 이상해요. 네, 정말 그래요. 함께 있어 줘요.
> 말 좀 해줘요. 왜 말 안하세요. 말 좀 하세요.
> 뭘 생각하고 계세요? 무슨 생각? 무슨?
> 당신이 뭘 생각하고 있는지 도무지 모르겠어요. 생각해봐요."
>
> (Eliot 1988, 61)

> "My nerves are bad to-night. Yes, bad. Stay with me.
> Speak to me. Why do you never speak? Speak.

What are you thinking of? What thinking? What?
I never know what you are thinking. Think." (*WLF* 138)

전기비평으로 해석할 경우에 첫 번째 아내 비비엔으로 간주되는 여성 화자
의 바가지 긁는 소리에 엘리엇으로 여겨지는 남성 화자가 답변하지 않고
생각에만 침잠함으로써 부부의 대화가 단절되었음을 시사하고 있다. 이것
은 비비엔의 러셀과의 염문으로 엘리엇은 자신의 결혼이 파국으로 치닫고
있으며, 이미 죽음의 상태에 도달했다는 것이 "죽은 사람들의 뼈가 없어지
는 / 쥐들의 통로에 우리가 있다고 생각한다."(I think we are in rats' alley
/ Where the dead men lost their bones.)라고 진단하는 시행에서 극명하게
드러난다(안중은 2007, 110; 안중은 2008, 25). 이들의 상황은 죽은 자의
뼈도 찾지 못하는 그야말로 지옥 같은 황무지에 있음을 의미하는 것이다.
이것은 불륜의 성애가 곧 죽음을 의미하는 『황무지』의 주제를 강력하게 표
출하고 있는 것이다.

이어서 여성 화자는 남성 화자에게 바람 소리에 대한 질문을 던짐으로써
대화를 계속 시도하려고 하지만, 남성 화자는 여성 화자의 말꼬투리를 잡고
사색에 침잠함으로써 내면의 의식을 드러내고 있다.

"저 소리는 무엇이에요?
        문 밑을 지나는 바람 소리지.
"자 저 소리는 무엇이에요? 바람이 무얼 하는가요?"
        아무 것도 아무 것도 아니지.
                "아무 것도
"모르시나요? 아무 것도 안보이나요? 아무 것도
"기억 안나나요?"
        나는 기억하고 있다.

전날의 그의 눈은 변하여 진주로 되었느니라.

"당신은 살아 있는가요, 죽었는가요? 머리가 텅 비었는가요?"

(Eliot 1988, 61)

"What is that noise?"

　　　The wind under the door.

"What is that noise now? What is the wind doing?"

　　　Nothing again nothing.

　　　　　"Do

"You know nothing? Do you see nothing? Do you remember

"Nothing?"

　　　I remember

Those are pearls that were his eyes.

"Are you alive, or not? Is there nothing in your head?" (*WLF* 138)

바람 소리에 민감한 신경질적인 여성 화자의 목소리가 귀에 생생하게 들리듯이 생동적인 구어체가 특이하다. 그러나 여성 화자 대사와 남성 화자 의식의 공통 단어는 앞에서 언급했지만 6번 반복되는 "아무 것도 아닌 것"이다. 다시 말해, 이들은 황무지 같은 현실에서 이미 부부나 연인으로서의 사랑의 대화가 단절되고, 동일 공간에 공존하면서도 여성 화자의 공격적인 어조와 남성 화자의 무반응적인 대응이 대조를 이루는 동시에 각자 내면의 의식에 사로잡힌 고독하고도 허무한 존재임이 부각되고 있다. 남성 화자의 허무Nothingness에 대한 생각이 죽음에 대한 명상에서 다시 불멸로 진전하여 셰익스피어의 『폭풍우』에 등장하는 익사한 자의 눈이 영롱한 진주로 변하는 "커다란 변화"를 떠올리게 한다. 다시 말해, 『황무지』 제48행인 "(전날의 그의 눈은 변하여 진주로 되었지요)"는 『폭풍우』 제1막 제2장에서 요정

에어리얼이 나폴리의 왕자 페르디난드에게 부왕 알론조가 바다 깊이 익사하여 "뼈가 산호로 되었고," "눈이 진주로 변한," "풍요롭고 기이한 것으로 바뀐 커다란 변화"를 불러 주는 노래의 한 절이다(안중은 2008, 71). 이러한 의식의 흐름은 청각적 심상에서 촉발된 것이고, 시상은 다시 앞에서 고찰한 셰익스피어풍의 래그로 진전된다.

『황무지』 제3부 「불의 설법」 제1연 제182-86행에 화자가 스위스의 레망호숫가에 앉아서 통곡하는 소리와 템즈강에게 돈호하는 독백 및 해골이 덜거덕거리는 소리가 중첩되고 있다.

> 레망호 물가에 앉아 나는 울었노라...
> 아름다운 템즈여, 고요히 흘러라, 내 노래 그칠 때까지,
> 아름다운 템즈여, 고요히 흘러라, 내 노래 높지도 길지도 않으려니,
> 그러나 나는 등 뒤에서 찬바람 속에
> 해골이 덜거덕거리는 소리와 귀가 찢어질듯이 킬킬대는 웃음소리를 듣
>   는다. (Eliot 1988, 64)

> By the waters of Leman I sat down and wept...
> Sweet Thames, run softly till I end my song,
> Sweet Thames, run softly, for I speak not loud or long.
> But at my back in a cold blast I hear
> The rattle of the bones, and chuckle spread from ear to ear. (*WLF* 140)

이러한 청각적 심상은 엘리엇에게 비탄과 죽음의 기억으로 연결되는 매개 역할을 한다. 엘리엇은 1921년 11월 중순부터 12월 하순까지 스위스 로잔에서 당대 최고 권위 있는 정신과 의사인 비또즈 박사의 치료 이전에 이미 원고본으로 완성한 『황무지』 제1-3부에서 드러나듯이 익사한 사람들을 회

상했다. 그는 제1차 세계대전 참전 중 1915년 4월 23일 에게 해에서 익사한 케임브리지대 출신의 동료 시인 브루크, 역시 제1차 세계대전 중 다다넬즈 해협에서 익사한 절친한 프랑스 친구 베르드날, 슈타른베르크 호수에서 미쳐서 익사한 독일 바이에른 공국의 루트비히 2세, 연못에 역시 미쳐서 익사한 오필리아 등을 기억하면서, 레망 호숫가에서 비비엔과의 결혼 실패로 인한 괴로움을 달래며 물에 빠져 죽고 싶은 열망을 표출하고 있다(Southam 1994, 139; 안중은 2012, 252).

이어서 앞에서 고찰했지만, 「불의 설법」 제197-202행에서 스위니가 포터 부인과 그녀의 딸과 맺는 불륜의 성관계를 암시하는 것이 청각적 심상과 시각적 심상이 교차적으로 직조되어 있고, 다시 베를렌느의 시구에서 차용한 음악성이 풍부한 성스러운 시행이 저속한 앞 시행들과 극명하게 대조되어 있다.

> 그러나 때때로 내 등 뒤에서 들리는
> 자동차의 경적과 모터 소리, 이 차는
> 스위니를 싣고 샘물 속에 있는 포터 부인에게로 데려가겠지.
> ....
> *오, 원형 천장 아래 합창하는 어린이 찬양대 목소리여!* (Eliot 1988, 65)

> But at my back from time to time I hear
> The sound of horns and motors, which shall bring
> Sweeney to Mrs. Porter in the spring.
> ....
> *Et, O ces voix d'enfants, chantant dans la coupole!* (*WLF* 140)

다시 말해, 현대 문명의 표상인 자동차의 "경적과 모터 소리"가 매개 역할을 하면서 엘리엇이 창조한 육적인 인간인 스위니가 포터 부인과 그녀의 딸과 맺는 불륜의 성관계를 은밀히 암시하고 있는 것이다.

이어서 제비의 지저귀는 소리인 "트윗"이 세 번 반복되고, 제2부 「체스 게임」 제103행에서 언급된 나이팅게일의 지저귀는 소리인 "적"의 의성어 가 여섯 번 반복된다.

> 트윗 트윗 트윗
> 적 적 적 적 적 적
> 참으로 잔인하게 성폭행을 당하여.
> 테레우 (Eliot 1988, 65)
>
> Twit twit twit
> Jug jug jug jug jug jug
> So rudely forc'd.
> Tereu (WLF 140)

성폭행시의 키스 소리 "트윗"과 성교 소리 "적"에 대해서는 필자가 제2장 「『황무지』에 나타난 성애: 전기비평적 접근」에서 이미 고찰한 바이다. 엘리 엇은 청각적 심상들, 즉 새들의 지저귀는 의성어를 통하여 그리스어 호격呼 格인 "테레우"(Tereu)가 의미하는 테레우스 왕이 처제 필로멜라를 성폭행한 야만성과 불륜의 사건 누설을 방지하기 위해 그녀의 혀를 뽑아 버리는 잔 인성을 제시하고 있는 것이다(Southam 1994, 159).

한편, 「불의 설법」 제5연 제215-56행은 테베의 남녀 양성 예언자인 테이 레시아스가 투시하는 장면으로서 여타자수가 남자 부동산 소개업자와 정사 후에 혼자 방을 서성이며 욕망의 발산을 상징하고 격렬한 성행위를 함축하 는 흐트러진 "자연스런 손길로 머리칼을 쓰다듬고 / 음반을 축음기에 거는 것이다"(She smoothes her hair with automatic hand, / And puts a record on the gramophone.)(*WLF* 141). 이 레코드판은 재즈 시대Jazz Age인 1920년대에 유행하던 낭만적 또는 관능적 재즈 음악으로 유추되는 청각적 심상으로서 『황무지』의 장면을 템즈강으로 이동시키는 매개 역할을 하고 있다.

> "이 음악은 물살을 타고 내 곁을 흘러"
> 스트랜드가를 따라 빅토리아 여왕가로 올라갔다.
> 오 시티여, 도시여, 내게 때때로 들린다,
> 템즈강 하가의 어느 선술집 옆에서
> 흐느끼는 만돌린의 유쾌한 음악과
> 그 안에서 대낮에 빈둥거리는 어시장 인부들의
> 왁자지껄 지껄이는 소리가. (Eliot 1988, 67)

> "This music crept by me upon the waters"
> And along the Strand, up Queen Victoria Street.
> O City city, I can sometimes hear
> Beside a public bar in Lower Thames Street,
> The pleasant whining of a mandoline
> And a clatter and a chatter from within
> Where fishmen lounge at noon: (*WLF* 141-42)

여타자수가 틀고 있는 레코드판의 재즈 음악이 셰익스피어의 『폭풍우』 제1막 제2장 제456행 "이 음악은 물살을 타고 내 곁을 흘러"(This music crept by me upon the waters)를 연상시키면서 템즈강 주변의 스트랜드가와 빅토리아 여왕가로 흘러 들어가며, 템즈강 하가 선술집 옆의 "흐느끼는 만돌린의 유쾌한 음악"(The pleasant whining of a mandoline)으로 변주되고, 다시 선술집 안에서 대낮에도 빈둥거리는 어시장 인부들의 "왁자지껄 지껄이는 소리"(a clatter and a chatter)의 청각적 심상으로 변용된다. 이 레코드판의 낭만적 또는 관능적 재즈 음악과 만돌린의 경쾌한 음악과 하층민을 대표하는 어시장 인부들의 왁자지껄 지껄이는 소리의 청각적 심상들은 금융의 중심지 "시티"(City)와 "도시"(city) 런던 및 템즈강가의 보통 사람들의 진부한 일상을 제시하고 있다. 그러나 "흐느끼는"(whining) 만돌린의 애잔한 음악 소리는 이 일상이 결국 슬픈 죽음을 함의하고 있음을 암시하고 있다.

이어서 「불의 설법」 제266-91행까지 템즈강을 의인화하고, 시각적인 심상이 지배적인 현대의 템즈강은 바그너 오페라에서 인용한 라인강 아가씨들의 비탄의 후렴 소리인 "바이아랄라 라이아 / 발라라 라이알라라"가 촉매로 작용하여 20세기의 산업화로 오염된 템즈강의 동일한 공간이 시간 이동으로 16세기의 템즈강으로 묘사되고 있다. 영국의 르네상스를 일으킨 처녀 여왕 엘리자베스 1세와 로버트 더들리 레스터 백작 1세Robert Dudley, 1st Earl of Leicester와의 불륜의 성관계[28]는 앞에서 언급한 "적 적"과 유사한 청각적 효과를 내는 "노가 물결에 부딪히는" 철썩 소리와, 정신분석학적 비평으로 해석할 때에 남성성의 남근과 고환을 각각 상징하는 "하얀 탑들"(White towers)의 "종소리"(the peal of bells)로 암시되고 있다(*WLF* 142).

한편, 「불의 설법」 제291-305행은 템즈강 세 여인들의 목소리로 사랑 없는 무의미한 성행위 또는 성폭행을 고발하고 있다. "마게이트 백사장"에서 성폭행 당한 세 번째 여인의 고백 중 세 번 반복되는 "아무 것도 아닌 것"

---

28) 엘리엇은 「주석」에서 제임스 앤터니 프루드James Anthony Froude, 1818-1894의 『엘리자베스』 (*Elizabeth*) 제1권 제4장에서 드 꽈드라De Quadra가 에스빠냐의 필립Philip에게 보낸 서한을 인용함으로써 엘리자베스 1세와 레스터 백작과의 불륜의 관계를 적시하고 있다. In the afternoon we were in a barge, watching the games on the river. (The queen) was alone with Lord Robert and myself on the poop, when they began to talk nonsense, and went so far that Lord Robert at last said, as I was on the spot there was no reason why they should not be married if the queen pleased (*WLF* 148).

은 앞에서 고찰한 제120-26행에서 6번 반복되는 "아무 것도 아닌 것"을 연상시킨다. 다만 전자는 자포자기의 심정에서 말하는 허무 의식이 강하며, 후자에서 여성 화자의 신경질적인 질문의 "아무 것도 아닌 것"은 "어떤 것"(something)과 상반되는 일반적인 의미이지만, 남성 화자의 극적 독백인 "아무 것도 아닌 것"은 무無를 나타낸다. 이 "아무 것도 아닌 것"은 어니스트 헤밍웨이Ernest Hemingway 작품의 한 주요 주제인 허무Nada, nothingness와 상통하며, 결국 죽음의 심상과 접맥되고 있다. 성폭행, 즉 불륜의 성애가 곧 죽음이라는 『황무지』의 주제를 다시 강화하고 있는 것이다. 이어서 한탄의 후렴인 "라 라"의 청각적 심상은 다시 과거로 시간 이동이 되는 동시에 공간 이동도 되면서 방탕의 고대 도시 국가 카르타고로 간 탕자 아우구스티누스를 소개하는 매개 역할을 하고 있다. 다시 말해, 엘리엇은 청각적 상상력으로 직조된 청각적 심상, 즉 "음악의 힘"으로 시상을 시간과 공간 이동에 자유자재로 원용하고 있는 것이다(Harris 114). 또한 제308-11행에 인간의 불타는 정욕을 상징하는 시어 "불탄다"(Burning)가 선율적으로 네 번 반복되지만, 두 번의 기도로 그 불길이 약화되어 한 번의 "불탄다"로 축소시킨 것은 절묘한 표현 기법인 것이다(*WLF* 143).

　『황무지』 제4부 「수사」는 죽음이라는 주제의 절정으로서 바다에 익사한 지 보름 된 "페니키아인 플레바스"의 청각의 마비를 "갈매기 울음도 깊은 바다의 놀도 잊은"(Forgot the cry of gulls, and the deep sea swell) 시행으로 제시하고 있다. 그의 유골의 수습은 인간이 매장이나 화장을 하는 것이 아닌 바다가 수장하는 것으로서 "소곤대며 그의 뼈를 줍는 해저海底 조류潮流"(A current under sea / Picked his bones in whispers.)의 청각적 심상에서 뚜렷이 드러난다.

　『황무지』 제5부 「우뢰가 말한 것」은 제목 자체가 청각적 심상으로 직조된 것이다. 「우뢰가 말한 것」의 제322-24행은 각각 "이후에"(After)라는 시간 접속사를 통하여 죽음의 원형인 예수 그리스도의 죽음 직전에 유다의 배신으로 예수를 체포하러 온 횃불 든 로마 군병들과 예수의 겟세마네 동산에서의 기도와 골고다 언덕의 십자가상에서 고통 받던 "그리스도의 수난"(Passion of Christ)의 시간이 시각적 심상으로 제시되어 있다(Brooker and Bentley 174). 이어서 제325-27행까지 엘리엇은 청각적 심상으로 예수의 죽음 직후인 성금요일Good Friday 오후 3시에 지진이 발생한 성경의 사건을 묘사하고 있다.

> 아우성과 울음
> 감옥과 궁전과 먼 산 너머로 들리는
> 봄철의 뇌성의 반향 (Eliot 1988, 70)

> The shouting and the crying
> Prison and palace and reverberation
> Of thunder of spring over distant mountains (*WLF* 142)

해골산의 의미인 골고다 언덕에서 십자가에 처형당한 예수 그리스도의 죽음을 십자가 아래에서 지켜보았던 성모 마리아와 막달라 마리아와 제자들의 "아우성과 울음"(The shouting and the crying) 소리가 시공을 초월하여 귀에 생생하게 들리는 듯하다. 아울러 세례 요한과 예수와 두 강도가 투옥된 "감옥"(Prison)과 헤롯 총독이 있던 화려한 "궁전"(palace)이 표상하는 인간의 모든 공간에서도 예수 그리스도가 진정한 구세주임을 입증하는 자연계의 지진의 한 현상으로서 "먼 산 너머로 들리는 / 봄철의 뇌성의 반향"(reverberation / Of thunder of spring over distant mountains)이 들리는 것이다. 부정한 재판과 불의가 인간 구원의 속죄양으로서의 신인 예수의 죽음을 초래했으며, 지상의 슬퍼하는 통곡 소리가 구원을 상징하는 하늘의 우뢰소리와 연결되고 있다. 이 청각적 심상 이후에 제328-29행인 "살아 있던 그분은 이제 죽었고 / 살아 있던 우리는 지금 죽어간다"(He who was living is now dead / We who were living are now dying)에서 『황무지』의 한 주제인 죽음, 즉 예수 그리스도와 인간의 죽음에 대한 명상이 제시되어 있다. 생자필멸生者必滅이라는 인간 조건이 결국 "파괴자 시간"(Time the destroyer)이자 "아버지 시간"인 크로노스, 즉 죽음의 신에 의해 지배당하는 신인과 인간의 모습이 그려져 있는 것이다(WLF 144; CPP 187).

한편, 「우뢰가 말한 것」의 제325-58행까지와 제359-76행까지는 마침표나 쉼표가 전혀 없이 전개되어 있어 "의식의 흐름"의 기법으로 직조되어 있음을 알 수 있다. 그런데 이 대목에 대한 번역의 경우 『황무지』의 최초 완역에 해당되는 고 이인수 교수의 육필원고에는 내용은 차치하고 마침표나 쉼표가 전혀 없이 잘 번역되어 있으나, 1949년 1월 25일에 출판된 『신세대』 인쇄본에는 두 군데 마침표가 잘못 찍혀 있다(이성일 246-48, 267-69). 또한 김종길 교수의 번역에서 3군데 마침표, 양주동 교수의 번역에서 2군데 마침표, 이창배 교수의 번역에서 8군데 마침표와 한 군데 쉼표로 표기된 것은 작가 엘리엇의 의도를 충분히 반영하지 못한 사례가 될 것이다(Eliot 2005, 169-73; Eliot 1955, 118-22; Eliot 1988, 70-72). 이 시행들에서는 예수 그리스도의 죽음과 구원의 상징인 물소리조차 들리지 않는 황폐한 황무지와 도시 문명의 몰락이 선견자-시인의 환상으로 표출되어 있다.

「우뢰가 말한 것」의 제338-45행에는 황무지의 황량한 산에는 물소리조차 들리지 않고, 예수 그리스도의 죽음 직후에 들린 "먼 산 너머로 들리는 / 봄철의 뇌성의 반향"과 연결되는 비를 머금지 않은 메마른 우뢰소리만 들리는 암담한 절망이 표출되어 있다.

바위틈에 물이라도 있다면

썩은 이빨의 죽은 산 아가리는 물을 뿜지 못한다

우리는 여기에서 설 수도 누울 수도 앉을 수도 없다

정적조차 없는 산중엔

비 내리지 않는 메마른 불모의 우뢰가 있을 뿐

고독마저 산 중엔 없고

금간 흙벽집 문에서만

시뻘건 음산한 얼굴들이 비웃으며 소리 지른다 (Eliot 1988, 70)

If there were only water amongst the rock

Dead mountain mouth of carious teeth that cannot spit

Here one can neither stand nor lie nor sit

There is not even silence in the mountains

But dry sterile thunder without rain

There is not even solitude in the mountains

But red sullen faces sneer and snarl

From doors of mudcracked houses (*WLF* 144)

모세가 유대민족을 이끌고 출애굽을 하면서 젖과 꿀이 흐르는 가나안 땅으로 향하는 40년 광야 생활 기간 동안 지팡이로 바위를 칠 때에 생수가 솟아나는 기적은 예수 그리스도의 죽음 이후의 황무지에는 더 이상 나타나지 않는 지배적인 절망감이 "바위틈에 다만 물만 있다 해도"(If there were only water amongst the rock)의 시행에서 드러나고 있다(Brooker and Bentley 178). 또한 모세가 십계명을 받은 시내산이나, 예수 그리스도가 하얗게 변화한 변화산이 아닌 "썩은 이빨의 죽은 산 아가리" 시행의 시각적 심상 역시 황무지를 죽음이 지배하고 있음을 강조하고 있다. 아울러 "비 내리지 않는 메마른 불모의 우뢰"(But dry sterile thunder without rain)의 청각적 심상은 절망적인 황무지에서 구원의 가능성만 암시할 뿐이다. 한편, "금간 흙벽집 문에서만 / 시뻘건 음산한 얼굴들이 비웃으며 소리 지르는" (But red sullen faces sneer and snarl / From doors of mudcracked houses) 시행들의 시각적 · 청각적 심상은 바로 초현실주의적 회화 기법으로서 지옥의 악마들을 연상시킨다.

이어서 제351-58행에는 황무지에 생명과 구원의 상징인 물 흐르는 소리마저 들리지 않는 암담한 상황을 표출하고 있다.

> 물소리만이라도 있다면
> 매미 소리도 아니고
> 마른 풀잎의 노래도 아닌
> 바위 위로 떨어지는 물소리라도 있다면
> 은자隱者 지빠귀가 송림 속에서 노래 부르는 소리
> 드립 드롭 드립 드롭 드롭 드롭 드롭
> 그러나 그곳엔 물은 없다 (Eliot 1988, 71)

> If there were the sound of water only
> Not the cicada
> And dry grass singing
> But sound of water over a rock
> Where the hermit-thrush sings in the pine trees
> Drip drop drip drop drop drop drop
> But there is no water (*WLF* 144)

여기서 청각적 심상은 "매미 소리도 아니고 / 마른 풀잎의 노래도 아니며" (Not the cicada / And dry grass singing), "바위 위로 떨어지는 물소리"

(sound of water over a rock)로 착각되는 "은자 지빠귀가 송림 속에서 노래 부르는 소리"(the hermit-thrush sings in the pine trees)인 "드립 드롭 드립 드롭 드롭 드롭 드롭"만 들릴 뿐이다. 그러나 물소리와 지빠귀 소리도 실제 소리가 아닌 엘리엇의 청각적 상상력에서 창조된 청각적 심상이고 청각적 환각이다(Gish 41; Brooker and Bentley 177). 엘리엇은 지빠귀 소리에서 절정을 이루는 30행을 『황무지』에서 유일하게 훌륭한 시행들이라고 자평한 바 있다(Moody 82). "은자 지빠귀가 송림 속에서 노래 부르는 소리"는 휘트먼의 링컨 대통령 서거 애도시 「라일락꽃이 마지막으로 앞뜰에 피었을 때」에서 은자 지빠귀가 "향긋한 송림 속에서"(in the fragrant pines) 노래 부르는 죽음의 찬가의 영향을 받은 것이다. 다만 전자의 지빠귀가 지저귀는 의성어는 생명과 구원의 물소리로 착각되는 노래 소리이고, 후자의 지빠귀가 부르는 노래 소리는 링컨 대통령의 서거를 초월한 모든 인간에게 찾아오는 죽음을 예찬하는 것이다. 다시 말해, 휘트먼의 링컨 대통령 서거 애도시인 죽음의 찬가가 엘리엇의 친구들인 베르드날과 브루크의 죽음에 대한 애도로 변용된 것이다.

한편, 시상이 현재의 황무지에서 과거의 예수 그리스도의 부활로 전개되다가 제367-68행에서는 아들 예수의 죽음을 슬퍼하는 성모 마리아의 비탄, 즉 *피에타Pieta*가 하늘에서 들리는 소리로 표출되고 있다.

> 공중에 높이 들리는 저 소린 무엇인가
> 모성적인 슬픔의 울음소리 (Eliot 1988, 71)

> What is that sound high in the air
> Murmur of maternal lamentation (*WLF* 145)

하늘에서 들리는 성모 마리아의 비탄 소리는 아들 예수 그리스도의 죽음을 슬퍼하는 곡소리이지만, 성자聖子 부활의 선행 사건인 죽음을 확인하는 동시에 죽음을 은유하는 황무지에서의 구원의 도래를 알리는 우뢰소리와 연결된다.

다른 한편, 「우뢰가 말한 것」의 제377-84행에는 속삭이는 음악 소리, 박쥐 소리, 종소리 그리고 목소리가 혼재된 음악적 심상이 두드러져 있다.

> 한 여인이 자기의 까만 긴 머리를 팽팽히 잡아당겨
> 그것을 금선琴線삼아 가냘픈 곡조를 켜고
> 아기 얼굴의 박쥐들이 보랏빛 황혼 속에서
> 휴우 휴우 울고 날개치며
> 까만 벽을 거꾸로 기어 내렸다
> 그리고 허공 중에서 탑들이 전도된 채
> 예배 시간을 알리는 추도의 조종을 울린다
> 그리고 텅빈 웅덩이와 마른 샘에서 노래하는 목소리들. (Eliot 1988, 72)

> A woman drew her long black hair out tight
> And fiddled whisper music on those strings
> And bats with baby faces in the violet light
> Whistled, and beat their wings
> And crawled head downward down a blackened wall
> And upside down in air were towers
> Tolling reminiscent bells, that kept the hours
> And voices singing out of empty cisterns and exhausted wells. (*WLF* 145)

헤밍웨이의 『누구를 위하여 조종은 울리나』(*For Whom the Bell Tolls*, 1940)에 등장하는 여주인공 마리아Maria의 머리칼은 처녀성을 상징하지만,

엘리엇의 『황무지』에 등장하는 위의 여성의 머리칼은 욕망을 상징한다(안중은 2012, 55-56). 따라서 팽팽한 머리칼은 여성의 터질 것 같은 성애의 분출을 함의하며, 그 머리칼을 "금선 삼아 가냘픈 곡조를 켠"(fiddled whisper music on those strings) 청각적 심상은 체스 게임과 유사한 성적인 유혹을 시사하지만, 시구 "가냘픈 곡조"는 앞에서 고찰한 "흐느끼는 만돌린의 음악"과 같이 성적인 욕망이 충족되지 못함을 암시하고 있다. 또한 제379-81행 박쥐들의 "휴우 휴우" 울음소리(Whistled)와 나래소리(beat their wings)의 청각적 심상이 "보랏빛 황혼"(the violet light)과 "까만 벽"(a blackened wall)을 거꾸로 기어내리는 초현실주의적 회화 기법을 연상시키는 시각적 심상들과 중첩됨으로써 하루의 끝남과 자연계의 종말을 상징하고 있다. 특히 "downward," "down," "down"의 두운과 시어 "down"의 반복은 아주 선율적인 음악성을 제고하고 있다. 제382-83행의 허공의 전도된 탑들의 시각적 심상과 "추도의 조종" 소리의 청각적 심상 역시 초현실주의적 회화 기법으로서 제373행의 "무너지는 탑들"과 상통하며, 결국 도시 문명의 파멸을 함축하고 있다. 결국 위 시행은 불륜의 성애가 곧 죽음이라는 『황무지』의 주제를 다시 강조하고 있는 것이다. 제398행은 앞에서 고찰한 베를렌느의 「파르지팔」의 마지막 시행을 인용한 제202행을 연상시키지만, 공간이 성당의 *"원형 천장 아래"*(*dans la couple*)가 아닌 "텅빈 웅덩이와 마른 샘"(empty cisterns and exhausted wells)이므로 성적 불능의 황무지의 시상에 매우 적합하다. 정신분석학적 비평으로 해석할 경우에 "전도된 탑들"이 무너지는 남성성을, "텅빈 웅덩이와 마른 샘"이 생식 불능의 여성성을 각각 의미하므로 결국 이곳에서 노래하는 목소리는 성당에서 노래하는 어린이들의 목소리와는 전혀 다른 절망의 절규인 것이다.

「우뢰가 말한 것」의 제385-94행에는 『황무지』의 주제인 죽음이 시각적 심상과 청각적 심상으로 직조되어 있다.

산간의 이 황폐한 공동
희미한 달빛에 싸여 성당 주변의
나자빠진 무덤들 위에서 풀이 노래하고 있다.
텅빈 성당, 바람의 집만 있을 뿐.
창도 없고 문은 흔들거린다,
마른 해골들은 아무에게도 해를 주지 않는다.
다만 수탉 한 마리가 지붕 위에 앉았다
꼬 꼬 리꼬 꼬 꼬 리꼬
번갯불 번쩍이는 속에서. (Eliot 1988, 72)

In this decayed hole among the mountains
In the faint moonlight, the grass is singing
Over the tumbled graves, about the chapel
There is the empty chapel, only the wind's home.
It has no windows, and the door swings,
Dry bones can harm no one.
Only a cock stood on the rooftree
Co co rico co co rico
In a flash of lightning. (*WLF* 145)

죽음을 함의하는 음산한 "희미한 달빛"(faint moonlight)은 스위니와 불륜의 성행위를 하는 포터 부인과 그녀의 딸에게 "휘영청 비친 달빛"(the moon shone bright)과 상통하는 시각적 심상이지만 그 강도에서 큰 차이가 난다. 엘리엇은 찬란한 달빛이 곧 희미한 달빛이 됨을 시사함으로써 불륜의 성행위가 죽음이라는 주제를 강조하고 있다. 또한 "황폐한 공동," "희미한 달빛," "나자빠진 무덤들," "텅빈 성당," "창 없는"(no windows), "마른 해골들" 등은 구원이 없는 죽음의 심상에 걸맞은 시구이다. 아울러 "풀의 노래 소리”(the grass is singing)와 “바람 소리”와 성당의 “흔들거리는 문소리”(the door swings) 등의 청각적 심상들 역시 죽음의 주제를 강화하고 있다. 그러나 수탉의 울음소리인 “꼬 꼬 리꼬 꼬 꼬 리꼬”의 청각적 심상과 “번갯불의 번쩍임”의 시각적 심상으로 죽음을 초월한 구원의 가능성을 총성처럼, 섬광처럼 제시하고 있다.

「우뢰가 말한 것」의 제399행부터 황무지에 구원을 상징하는 비의 전조인 번갯불이 번쩍인 이후에 우뢰소리가 들려온다.

> 그때 우뢰가 말했다
> **다**
> 다따 우리는 무엇을 주었던가? (Eliot 1988, 72)

> Then spoke the thunder
> DA
> Datta: what have we given? (*WLF* 145)

청각적 심상인 “**다**”(DA)는 대부분 영아들이 발음하는 첫음절이기도 하지만, 우뢰소리처럼 아주 큰 소리로 낭송하는 것이 좋을 것이다(Cooper 288).[29] 우뢰소리 “**다**”를 황무지에서의 인간 구원의 첫 번째 조건인 “주라”(Give)의 의미인 “다따”(Datta)로 해석하는 것은 어쩌면 비비엔을 러셀에게 빼앗긴 자신의 처지를 한탄하는 엘리엇 내면의 소리일지 모른다. 다시 말해, 더

---

29) 필자는 2009년 여름 런던대학교에서 개최된 제1회 T. S. 엘리엇 국제 여름학교의 조세핀 하트 시 낭송회Josephine Hart Poetry Hour에 참가하여 아일랜드의 노벨상 수상 시인 히니와 영국의 영화배우 제러미 아이언즈Jeremy Irons, 미국의 배우 도미닉 웨스트Dominic West, 여우 앤 카터렛Ann Carteret 등이 『황무지』를 낭송한 것을 듣고서 깊은 감동을 받았다. 특히 아이언즈가 실감 있게 낭송한 천둥소리 “**다**”의 발음은 엘리엇의 녹음된 육성보다 더욱 박진감이 있었다(안중은 2009, 262).

불어 살아가는 인간 세상에서 전쟁이나 유혹을 통해서 상대로부터 가장 소중한 것을 강탈하지 말고, 구세주 예수 그리스도처럼 생명의 피를 주는 사랑이 충만할 때에 지옥 같은 황무지에서 구원이 가능함을 엘리엇은 천둥소리인 "다"와 "다따"로 역설하고 있는 것이다.

이어서 제410-16행까지 우뢰소리 "다"가 두 번째 들리면서 "공감하라"(Sympathize)의 의미인 "다야드밤"(Dayadhvam)으로 해석하고 있다.

다

다야드밤, 나는 언젠가 문에서
열쇠가 도는 소리를 들은 일이 있다, 단 한 번
우리들은 각자 감방에서 열쇠를 생각한다
열쇠를 생각하며 각자 감방을 확인한다
다만 해질녘만은 영묘한 속삭임이 들려와
몰락한 코리올라누스를 잠시 회상시킨다 (Eliot 1988, 73)

DA

Dayadhvam: I have heard the key
Turn in the door once and turn once only
We think of the key, each in his prison
Thinking of the key, each confirms a prison
Only at nightfall, aethereal rumours
Revive for a moment a broken Coriolanus (*WLF* 146)

위 시행들에서 천둥소리인 "**다**"와 "다야드밤"이 "문의 열쇠가 돌아가는 소리"의 청각적 심상, 즉 감정으로 시상이 전개되고, 이것이 다시 각자 감방의 열쇠를 생각하게 하는 사상으로 시상이 전이됨으로써 감정과 사상이 통합되는 "통합감수성"Unification of Sensibility의 기교를 제시하고 있다. 이어서 엘리엇은 해질녘에 "영묘한 속삭임"(aethereal rumours)의 청각적 심상이 시공을 초월하여 자만심으로 "몰락한" 로마 장군 "코리올라누스"(broken Coriolanus)의 회상과 연결됨으로써 통합감수성의 또 다른 실례를 제시하고 있다(안중은 2012, 341).

마지막으로 제417-18행에는 우뢰소리 "다"가 세 번째 들리면서 "절제하라"(Control)의 의미인 "다미야따"(Damyata)로 해석하고 있다. 또한 『황무지』의 제432행에는 "다따. 다야드밤. 다미야따."의 천둥소리가 다시 반복됨으로써 황무지에서의 구원의 3가지 조건인 "주라," "공감하라," "절제하라"를 제시하고 있으며, 천둥소리는 목소리, 즉 자아를 견지하는 음악이 전부라는 심오한 의미를 내포한다(Harris 116). 우뢰소리인 "다"와 "다미야따"의 의미는 인간을 죽이고 문명을 파멸시키는 제1차 세계대전에서 드러난 인간의 살인적 호전성과, 인간성과 가정을 파괴하는 무절제한 불륜의 성적 욕망을 억제할 때에 인간계와 자연계와 천상계에 인간의 이해를 초월한 진정한 평화의 의미인 "샨티 샨티 샨티"(Shanti shanti shanti)가 도래함을 노래하고 있는 것이다(WLF 146). "샨티 샨티 샨티"는 산스크리트 경전과 힌두교 의식의 마무리 기도인 "옴 샨티 샨티 샨티"(Om shanti shanti shanti)에서 원용한 것으로 단음절 "옴"이 "로고스," 즉 계시된 진리의 의미인 것은 시사하는 바가 크다고 할 수 있다(Southam 1994, 199 재인용).

IV

닉 셀비Nick Selby가 편찬한 『T. S. 엘리엇: 『황무지』』(T. S. Eliot: The Waste Land, 1999)에서 난해한 시 『황무지』 해석의 주요 비평을 소개한 대로 1920년대의 초기 비평, 원형비평, 신비평, 정치적 읽기, 페미니즘, 해체주의 비평, 정신분석학적 비평 등 다양한 접근법으로 시 해석을 시도해왔다. 그러나 엘리엇은 하버드대학교 특강에서 『황무지』에 대한 비평가들의 다양한 해석을 경계하면서 작가의 집필 의도를 자신의 "인생에 대한 개인적이고 아주 사소한 불만의 표출"이라고 밝히고, 『황무지』는 "불평을 선율적으로 표현한 작품에 불과하다"(just a piece of rhythmical grumbling)라고 부연함으로써 음악적인 시라고 진술한 바 있다(WLF 1). 또한 『황무지』의 원래 제목이 「다른 목소리들로 정탐하기」임을 감안하면 이 장시가 청각적 상상력으로 직조된 것임을 가늠하게 한다.

지금까지 풍성한 음악성이 내재된 음악적인 시일뿐만 아니라 모더니즘의 가장 위대한 정전인 『황무지』를 작시한 엘리엇의 청각적 상상력에 초점을 맞추어 작품을 분석하였다. 엘리엇이 그의 뛰어난 청각적 상상력으로 인용한 바그너의 오페라 『트리스탄과 이졸데』와 「신들의 황혼」, 베를렌느의 「파르지팔」, 셰익스피어풍 래그, 제1차 세계대전에 참전한 호주 병사들의 속요, 영국 어린이들의 동요 등과 원용된 여러 가지 장르의 음악, 음악성, 재즈 리듬 및 선율적인 운율로 직조된 『황무지』를 고찰하였다. 아울러 시 전반에 두드러진 다양한 청각적 심상을 추적하거나 시각적 심상과 대조하면서 그 함축성과 상징성을 조명하였다. 예컨대, 화자들의 대화나 독백, 제비와 나이팅게일의 지저귀는 소리, 구원의 물소리로 착각되는 은자 지빠귀의 노래 소리, 하늘에서 들리는 성모 마리아의 *피에타* 소리, 수탉소리, 구원의 조건인 "주라," "공감하라," "절제하라"의 의미인 "다따. 다야드밤. 다미야따."로 해석되는 천둥소리 **다** 등 다양한 소리로 제시되고 있는 청각적 심상뿐만 아니라 시각적 심상으로 시를 입체적으로 구축함으로써 『황무지』의 불륜의 성애가 죽음이라는 주제와 황무지에서의 구원의 필연성과 가능성을 강조하는 것을 규명하였다.

결론적으로, 엘리엇의 예리한 청각적 상상력으로 정치精緻하게 직조된 난해한 모더니즘의 대표시『황무지』를 정확하고도 풍성하게 해석하기 위해서는 작품에 내재된 다양한 음악성과 청각적 심상을 철저히 추적해야 할 것이다. 아울러 시에 나타난 청각적 심상뿐만 아니라 시각적 심상과 후각적 심상 및 공감각적 심상도 동시에 고찰하는 것이 입체적인 시『황무지』감상에 좋은 방법이 될 것이다.

7

『황무지』: 원형비평적 접근

I. 서론

　모더니즘의 대표시인 엘리엇의 『황무지』가 발표된 1922년 이래로, 난해한 이 작품을 해석하기 위하여 전기비평, 정신분석학적 비평, 원형비평, 해석학적 비평, 기호론, 독자반응비평, 페미니즘, 해체주의, 대화체 비평 등의 다양한 비평적 접근법이 시도되어 왔다. 이 중에서 원형비평적 접근법으로 『황무지』를 최초로 해석한 것은 1934년 출판된 모드 보드킨Maud Bodkin의 『시의 원형적 패턴』(*Archetypal Patterns in Poetry*)일 것이다. 보드킨은 『황무지』를 "죽음"과 그녀가 명명한 "재생"Rebirth의 원형 패턴으로 간단명료하게 설명하고 있다(308). 이러한 보드킨의 해석은 『황무지』를 엘리엇의 "박식을 과시하는, 단순한 단편들의 모음"이라고 규정한 알렉 브라운Alec Brown의 비판을 일축하고, 이 시 전반을 관류하고 있는 죽음과 재생의 패턴을 추적하여 원형비평적 입장을 피력한 것이다(Bodkin 331). 이 원형비평적 접근법은 엘리엇이 지대한 영향을 받았고, 『황무지』의 상징성 해석에 도움을 주는 것이라고 「주석」에서 밝힌 웨스턴의 『제식에서 로맨스로』와 프레이저의 『황금 가지』에 나타난 아도니스Ἄδωνις, Adonis, 아티스, 오시리스 신화 연구에서 죽음-재생의 원형에 그 바탕을 둔 것이다(WLF 147). 특히 스코틀랜드의 인류학자 프레이저가 1890년 발간한 2권의 『황금 가지』 초판은 "비교 종교 연구"(A Study in Comparative Religion) 부제가 붙어 있고, 1900년 발간한 3권의 『황금 가지』 재판에는 "마법과 종교 연구"(A Study in Magic and Religion)로 부제가 바뀌었다. 방대한 『황금 가지』 제3판은 1906년부터 1915년까지 12권으로 출판되었으나, 1922년 축소판 단행본으로 출간되는데 엘리엇은 후자를 읽었을 가능성이 높다.

또한 캐나다의 원형비평가인 노스랍 프라이Northrop Frye의 『비평의 해부』(Anatomy of Criticism, 1957)에도 역시 『황무지』 해석의 원형비평적 접근법이 소개되어 있다. 프라이 역시 죽음과 재생의 원형으로 엘리엇의 『황무지』와 더불어 수많은 작품을 분석하고 있다. 프라이가 죽음과 재생의 원형으로 거론한 神話뮈토스, mythos의 특성 중에서 특기할 것은 식물 신화와 물의 상징성이다(Frye 1973, 160). 식물계에서 남성신이나 여성신의 모습으로 나타나는 식물 신화는 계절의 연차적 순환에서 가을, 즉 추수기에 죽임을 당하여 겨울이면 사라지고, 이듬해 봄에 재생하는 패턴으로 곧 죽음과 재생의 원형의 대표적인 실례이다. 또한 비가 내려 샘으로, 샘에서 시내와 강으로, 강에서 바다나 겨울의 눈으로, 그 후 다시 비로 회귀하는 순환 구조를 형성하는 물의 상징 역시 죽음과 재생의 원형의 한 실례이다. 『황무지』에서 템즈 강물의 바다로의 유입과 봄비로 생성되는 "물에 의한 죽음"을 통하여 순환하는 물은 이 시의 내재적 형식이다. 또한 원형비평의 한 요소로 일반적으로 거론되는 "운명의 여인"은 엘리엇의 『황무지』에서는 처지가 다양한 "상황의 여인"인 "벨라돈나"보다는 남녀 양성인 테베의 예언자 "테이레시아스"라고 프라이는 주장했으나, 필자는 여인들의 원형을 "벨라돈나"로 주장한 시커Sicker의 견해를 따른다(Frye 1973, 323; 420). 테이레시아스는 남자 서기와 여타자수의 무분별한 정사를 *간파*하는 점에서, 여성의 입장보다는 신과 같은 존재로 작가의 전지적 시점에 위치하기 때문이다.

제7장에서는 "현대 원형시의 원형"인『황무지』를 원형비평 방식의 핵심적인 요소들로서 제II절에서 영웅 원형 중의 "탐색," 제III절에서 "죽음"과 "재생"의 패턴, 제IV절에서 "원형적 심상"으로서 "황무지"와 "물"의 상징성, 제V절에서 "원형적 여성" 등의 다양한 관점에서 고찰하고자 한다(Moynihan 171).

II. 탐색

엘리엇은 수많은 학자나 비평가 또는 독자들이『황무지』에서 "탐색"을 천착해온 것을 아쉬워했다. 그러나 고국 이타카Ⴇθάκη, Ithaca를 찾아 방랑하는 호메로스의『오디세이아』의 오디세우스와 같이『황무지』의 주인공은 영적인 목표를 탐색하고 있음을 부인할 수 없다. 따라서『황무지』에 나타난 주인공의 탐색을 시의 구조와 연관하여 고찰하기로 하자.

제1부「사자의 매장」에서 매장과 더불어 시작하는 탐색은 영적인 삶의 추구인데, 자연의 만물이 재생하는 4월을 엘리엇이 "잔인한" 것으로 표현한 것은 인간이 이러한 재생에 동참하지 못하기 때문이다. 엘리엇은 제1부 제2연에서 탐색의 성격을 규정하고 있다. 주인공은 타락한 모습으로 나타나며, 제7행의 "마른 구근球根"(dried tubers)은 지식의 나무와 생명의 나무가 죽어 있는 상태를 나타내고, 삶은 주인공에게 지옥인 셈이다. 제35-41행의 "히아신스 정원"에서의 체험은 육체적인 관계 이외에 영적인 체험으로 간주할 수도 있을 것이다.

"1년 전 당신은 나에게 히아신스를 주셨지.
그래서 사람들은 나를 히아신스 소녀라고 불렀답니다."
―그러나 그때 당신이 꽃을 한 아름 안고 이슬에 젖은 머리로
밤늦게 히아신스 정원에서 나와 함께 돌아 왔을 때,
나는 말이 안 나왔고 눈도 보이지 않았고, 나는
산 것도 죽은 것도 아니었고, 아무 것도 몰랐었다,
다만 빛의 핵심, 고요를 응시할 뿐이었다. (Eliot 1988, 58)

'You gave me hyacinths first a year ago;
'They called me the hyacinth girl.'
―Yet when we came back, late, from the hyacinth garden,
Your arms full, and your hair wet, I could not
Speak, and my eyes failed, I was neither
Living nor dead, and I knew nothing,
Looking into the heart of light, the silence. (*WLF* 135-36: ll. 35-41)

영적인 의미에서 주인공이 추구하는 것은 육적인 사랑의 체험이 아니라 성취해야 할 비전, 즉 신과의 합일의 체험을 의미한다. 탐색자는 이 히아신스 정원에서 그가 현현으로 보는 존재와 합일체가 되는 것이 최종 목표인 것이다.

　제2부 「체스 게임」은 탐색의 두 가지 양상, 즉 탐색의 항해를 방해하는 유혹녀와 탐색자가 멀리 있을 때, 오디세우스의 아내 페넬로페Πηνελόπη, Penelope와 같이 고통 중에 에워싸여 있는 아내이다. 릴은 페넬로페와는 달리 매우 지친 실패한 여인이다. 오디세우스는 정절을 지키며 학수고대하는 아내와 재회하여 가정에 질서를 회복하는 것이고, 어부왕의 임무는 자신과 황무지에 건강한 생명력을 회복하는 것이며, 『황무지』의 주인공은 마치 엘

리엇 자신의 체험인 듯한 유혹, 결혼의 파탄, 정신 이상, 좌절, 물질주의 속에서도 영적인 것을 추구하는 것이다. 그러나 이 탐색자는 "암반의 여인" (Lady of the Rocks) 앞에서 마치 페니키아 선원처럼 익사하는데, 이것은 그의 영적인 추구를 달성하지 못하는 것을 말해준다.

제3부 「불의 설법」에서는 여러 측면에서 탐색의 방해물과 올가미가 나타난다. 부정不貞과 불모성이 탐색자를 에워싸고 압도한다. 계절의 수레바퀴는 계속 돌아서 겨울이 지배한다. 악마 같은 쥐는, 아들이요 형제, 즉 아담의 아들이요 그리스도의 형제인 주인공 위로 기어 다닌다. 주인공은 부정과 비생산적인 성행위로 불타는 세계에서 신성한 삶을 추구하는 것이다. 신과의 영적인 합일은 축복된 결합인 반면에 제2부와 제3부에서는 일련의 결실 없는 비생산적인 결합만이 있음을 보여 준다. 아침에 런던교 위로 지나간 군중이 돌아올 "보랏빛 시간"(violet hour, 제220행)인 저녁 시간에 테이레시아스가 등장한다. "장님"이고, 남녀 양성 예언자 테이레시아스는 『황무지』의 모든 인물들이 모여 중심적인 특성을 형성하는데, 장님에서 외눈박이 상인인 페니키아 선원, 부상당한 어부왕, 영적으로 눈먼 『황무지』의 거주민들, 불확실한 예언자인 소소스트리스 부인과 연결된다. 부처의 불의 설법과 성 아우구스티누스가 카르타고로 온 것의 병치는 엘리엇의 말대로 결코 "우연이 아니다." 탐색자는 정화의 불에 의한 자아의 죽음의 단계에 온 것이다. "불에 탐"으로써 주인공은 신과의 결합에 이를 수 있는데, 불은 신성함의 문학적 원형이기 때문이다.

주인공이 불로 정화가 된다면 제4부의 물 상징은 무슨 목적인가? 여기서의 물은 생명, 재생의 상징이 아니라, 플레바스와 같이 물질적 "이득과 손실"(profit and loss, 제314행)에만 신경을 쓸 때 물에 의한 육적·영적 죽음이 그를 지배함을 제시하고 있다. 중도에서 수사를 당할 수 없는 주인공은 그의 탐색을 계속함으로써 성배성聖杯城에 도착한다. 이 성배 탐색은 다음

절에서 상술하기로 한다.

제5부의 심상은 생성이 아닌 죽음을 예고하고 있다. 여기서 무너지는 것은 인간의 도시이고, 탐색자가 소속된 세계이며, 제3부의 벨라돈나가 다시 출현한다. 탐색자는 사람들이 전통적으로 신에게 접근하는 "산중"(among the mountains, 제21행)에 가게 된다. 이 산중의 위험 성당에서 탐색자는 천둥소리를 통하여 신의 음성을 듣는다. 산스크리트어의 "다따"(주라), "다야드밤"(동정하라), "다미야따"(자제하라)로 나타나는 신의 음성과 인도어인 "샨티"(평화), "샨티"(평화), "샨티"(평화)는 신과의 합일을 추구하는 탐색자에게 수용과 체념의 단계에 도달했음을 보여준다(Moynihan 179).

III. 죽음과 재생의 패턴

죽음의 성경적 상징으로는 창세기에서의 아담과 하와로부터 영생을 앗아간 금단의 지식의 나무, 복음서에 나오는 열매 없는 무화과나무, 예수 그리스도가 처형된 십자가 등을 들 수 있다. 무생물 세계에서의 죽음은 사막, 바위, 황무지로 나타날 수 있다. 불과 물의 세계는 죽음과 동시에 생명을 상징한다. 소돔을 멸망시킨 유황불은 죽음을, 연옥의 불은 마치 다니엘Daniel의 풀무불과 같이 정화와 구원의 불을 상징한다. 마찬가지로 물은 노아Noah의 홍수 심판과 같이 생명을 멸절하고, 예수 그리스도의 죽음을 확인하기 위하여 로마 군병이 창으로 옆구리를 찔렀을 때 쏟아진 피와 물은 죽음의 상징인 동시에, 그리스의 철인 탈레스Θαλῆς, Thales가 갈파한대로 만물의 근원이며 인간과 동식물의 생명을 존속시키는 역할을 한다(Frye 1973, 149-50).

이러한 생명의 근원인 물이 없는 죽음의 상태를 엘리엇은 절박한 심정으로 노래하고 있다.

물소리만이라도 있다면

매미 소리도 아니고

마른 풀잎의 노래도 아닌

바위 위로 떨어지는 물소리라도 있다면

은자 지빠귀가 송림 속에서 노래 부르는 소리

드립 드롭 드립 드롭 드롭 드롭 드롭

그러나 그곳엔 물은 없다. (Eliot 1988, 71)

If there were the sound of water only

Not the cicada

And dry grass singing

But sound of water over a rock

Where the hermit-thrush sings in the pine trees

Drip drop drip drop drop drop drop

But there is no water (*WLF* 144: ll. 346-59)

　『황무지』에서 죽음의 패턴은 육체의 죽음과 영혼의 죽음의 두 가지 양상
이다. 엘리엇은 「제사」에서 무녀의 "*난 죽고 싶다*"의 고백으로 육체의 죽
음의 희구를 언급하며, 제4부는 제목 자체가 「수사」로서 물과 죽음의 관계
를 강하게 시사하고 있다. 『황무지』에서 거주민들의 삶은 곧 "살아 있는 죽
음"(living death), 즉 생중사에 처해 있다(Weirick 96). 그러면 시 전반부에
걸쳐 나타나 있는 죽음의 패턴을 추적하기로 하자.

　런던교 위로 흘러 들어가는 무수히 많은 사람들의 환영은 곧 엘리엇의
상상력을 통해서 바라보는 주검의 군상이다. 「제사」에서 제시한 죽음의 형
태를 엘리엇은 다시 연결하고 있다.

거기서 내가 아는 한 사람을 보았다. "스텟슨!"하고 소리 질러 그를
　세웠다.
"자네 밀레 해전 때 나와 같은 배에 있던 친구로군.
"자네가 작년에 정원에 묻었던 시체에선
"싹이 트기 시작했던가? 올해에 꽃이 필까?
"아니면 갑자기 서리가 내려 그 꽃밭이 망쳐졌는지? (Eliot 1988, 59)

There I saw one I knew, and stopped him, crying: 'Stetson!
'You who were with me in the ships at Mylae!
'That corpse you planted last year in your garden,
'Has it begun to sprout? Will it bloom this year?
'Or has the sudden frost disturbed its bed? (*WLF* 136: ll. 69-73)

　엘리엇이 제시하는 죽음과 재생의 패턴은 타무즈-아도니스 신화, 그리스
도의 신화, 어부왕의 신화이다. 타무즈는 수메리아와 바빌로니아 문명의 풍
요신이었다. 매년 가을 그가 지상의 세계를 떠날 때에 자연계는 대황폐가
지배하였다. 고고학자들은 타무즈의 부재에 대하여 이 지방 사람들의 애통
과 신속한 생환의 기원을 담고 있는, 단편적인 설형문자로 기록된 텍스트를
발견했다. 그의 재출현은 낮은 지역으로 강림하여 그의 생환을 유도한 여신
에 의하여 이루어졌다. 일부 고고학자들은 타무즈를 농토의 관개에 생존이
달렸던 메소포타미아 사람들의 생명수의 신으로 간주한다. 아도니스 신화
는 타무즈 신화와 유사한 페니키아-그리스 신화이다. 아도니스는 아프로디
테의 사랑을 받은 미남 청년인데 야생곰에 넓적다리가 물려 죽게 되자, 이
여신은 제우스로부터 아도니스가 1년 중 일부를 지상으로 생환하도록 허락
을 받게 된다. 그래서 아도니스가 지하세계의 여신인 페르세포네Περσεφόνη,
Persephone와 아프로디테 사이를 오가며 생활하게 된다는 것이다. 엘리엇이

제71행 "자네가 작년에 정원에 묻었던 시체"(That corpse you planted last year in your garden)에서 언급한 "정원"은 프레이저가 『황금 가지』 제32장에서 기술한 「아도니스 정원」("The Gardens of Adonis")을 연상시킨다. 다시 말해, 아도니스 정원은 곡물, 특히 밀의 신 아도니스는 밀, 보리, 상치, 회향 및 여러 종류의 꽃 등을 파종하고, 주로 여인들이 8일간 가꾸는 흙으로 가득 채운 바구니나 단지를 일컫는다. 햇빛으로 식물이 급속히 자라지만 뿌리가 없기에 급속히 시들게 되고, 마지막 8일째 죽은 아도니스 두상과 함께 바다에 던지는 의식이 거행된다(Frazer 396). 이러한 아도니스 예찬은 여러 형태로서 죽은 신에 대한 애도나 이후에 재생의 기쁜 축제가 이어진다. 이와 같은 타무즈와 아도니스의 재생 신화에서의 강조점은 영적인 의미보다 물질적인 의미에 있다.

한편, 예수 그리스도의 부활은 영적인 의미가 내포된 것으로 세상 사람들의 죄를 씻고 영생을 주기 위하여 십자가에 달리게 된다. 아도니스의 부상과 같이 예수의 운명 후에 창에 찔린 옆구리에서 피와 물이 쏟아진다. 이후 예수는 아리마대 요셉의 무덤에 갇힌 지 3일 만에 부활하고 40일 동안 제자들에게 나타난 후에 부활 승천한다. 예수를 믿는 기독교에서의 세례(침례)는 가장 상징적 인물의 의식으로서 육체의 죽음과 영혼의 재생을 함축한다. 즉 세례를 받을 때 과거에 죄범한 자아가 죽음으로써 어머니의 자궁에서 갓 태어난 아기와 같이 재생한다는 것이다. 그러나 『황무지』에서의 주민들은 이러한 재생을 가져다주는 "물에 의한 죽음"의 진정한 의미를 모르고, 제4부의 「수사」에서 플레바스가 체험하는 것과 같은 생중사의 종말만 맞이하게 된다.

또한 『황무지』에서의 중요한 죽음과 재생의 신화는 고대의 풍요 신화에 그 기원이 있는 어부왕의 전설이다. 원탁의 기사 중에서 총애 받는 기사인 퍼시벌은 어부왕의 왕국으로 여행을 하다가 한 어부에 의하여 인근의 움막으로 안내를 받는데, 그 움막은 어부왕의 성으로 드러나고 비록 불구였으나 어부왕은 그에게 하룻밤 융숭한 연회를 베푼다. 식사를 하면서 퍼시벌은 성배의 경로를 언급하지만, 너무 많은 말을 하지 말라는 고너먼트Gornemant의 충고에 따라서 "성배는 무엇이며, 누가 그것으로부터 대접을 받는가?"라고 성배의 의미를 질문하지 않는다(Abdoo 51). 퍼시벌은 피가 창끝에서 뚝뚝 떨어지는 것을 보고도 역시 묻지 않는다. 이튿날 퍼시벌이 여행하다가 만난 한 처녀가 그에게 어부왕은 창시합에서 넓적다리(또는 정확하게 허리)에 부상을 입어서 말을 탈 수 없다고 설명한다(Weston 22; Abdoo 55). 그래서 어부왕이 하는 유일한 오락은 낚시라는 것이다. 이어서 그녀가 그에게 피가 떨어지는 창과 성배의 경로를 보았느냐는 질문을 하자, 퍼시벌은 보았으나 그 의미에 대하여 어부왕에게 질문하지 않았기 때문에 그는 모른다고 답한다. 이에 그 여인은 공포에 질린 듯이 두 손을 치켜들면서 그가 상징의 의미를 질문했더라면 어부왕은 건강을 회복하고, 황무지가 비옥하게 되었을 거라는 말을 하게 된다. 여기서 창과 성배는 정신분석학적 비평의 접근으로 해석할 때 각각 남근과 여근의 상징인데, 전자에서 뚝뚝 떨어지는 피는 생명을 상징하고, 그것은 생명을 창조하는 남근의 분출이며, 성배는 인간 생명의 근원으로서 거룩하고 신비로운 것이다. 물론 성배는 이러한 육적인 의미 이외에도 영적인 의미가 있는데, 그것은 그리스도가 최후의 만찬 때에 사용하였고, 전설에 의하면 예수의 십자가 처형시에 제자인 요셉이 스승의 옆구리에서 쏟아지는 피를 이 성배에 담아서 영국 서부의 글래스턴베리 Glastonbury로 가져 왔다는 것이다. 그러나 성경에는 요셉이 빌라도에게 그리스도의 시신을 요구하고, 세마포 수의로 싸서 돌무덤에 안치했다는 것만 기록되어 있다. 따라서 성배는 분실되었으며, 그것을 발견하는 것이 영적 진리 특히 아서왕과 그의 기사들에 관한 중세 로맨스에서 탐색의 "원형적 상징"archetypal symbol이 된 것이다(Jain 139). 따라서 성배를 찾는다는 것은 앞 절에서 언급한 "탐색"에 해당되며, 중세 로맨스에서 기사들의 성배 탐색은 신과의 합일을 추구하는 영적인 의미가 있는 것이다. 이 퍼시벌의 이야기에서 강조되는 것은 상징의 의미를 발견하는 것, 즉 인간과 자연 세계와의 근원을 이해하는 것이고, 그의 동료를 포함한 영적인 공동체와의 관계를 이해하는 것이다. 따라서 의식적 질문을 하는 퍼시벌과 같은 구원자가 나타나지 않으면 어부왕은 계속 무의미한 낚시만 할 것이고, 황무지에는 구원의 희망이 없게 되는 것이다. 또한 죽음과 재생의 패턴은 타로 카드에서 찾을 수 있는데, 그 상징성은 제4장 「"타로" 카드: 『황무지』의 해석 기법」에서 상술한 바 있다.

IV. 원형적 심상

1. 황무지

윌프레드 게린Wilfred L. Guerin 등은 "사막"의 원형적 심상을 "정신적 불모성," "죽음," "허무주의," "절망"으로 규정하고 있다(153). 이러한 사막과 흡사한 "죽은 땅"(dead land, 제3행)인 황무지는 자연이나 인간의 힘에 의하여 황량하게 되어 개발할 수 없게 된 땅이다. 문제는 엘리엇의 시 『황무지』에 나오는 황무지가 특정 지역을 어느 정도까지 함축하느냐 하는 것이다. 대체적으로 비평가들의 공통된 견해는 이 황무지가 제1차 세계대전과 물질주의의 발흥으로 황폐케 된 20세기의 서구 문명을 내포한다는 것이다. 무가치하고 무의미한 현대의 황무지와 대조적으로 풍요롭고 의미 있는 과거의 인유들, 예컨대 템즈강의 더러운 화물선과 엘리자베스 1세의 붉은 빛과 금빛 찬란한 유람선의 병치, 과거에 우주 운행의 비밀을 탐지한 열쇠였던 타로 카드가 현재는 미신 신봉자들의 장난감으로 격하된 것들을 볼 수 있다.

그러나 현대 생활은 다른 면에서 황무지이다. 인간의 가치는 사업, 과학, 기계의 가치에 의하여 대체되었다. 생활은 시계에 의하여 전횡화되었으며, 인간 유기체 자체는 "발동을 걸고 있는... 택시"(human engine... / Like a taxi throbbing, 제216-17행)와 같이 기계적으로 작동한다. 여타자수는 그녀의 머리칼을 "자연스런 손길"로 쓰다듬는다. 지저분한 유게니데스 씨는 비인간화되고 난해한 상업적인 용어인 "일람불어음" 등으로 의사소통하며, 죽음만이 플레바스의 "이득과 손실" 걱정을 들어줄 수 있다. 심지어 쾌락으로 알려진 것들도 기계적이고 기쁨이 없다. 예컨대, 매일 4시에 밀폐된 차의 의식적儀式的인 드라이브, 밤마다 선술집에서 맥주를 들면서 한담閑談하는 일상, 축음기 위에서 반복되는 레코드판 등이다. 또한 인간 감정의 가장 강력하고 힘찬 사랑도 기계적이고 무의미한 성행위나 의사소통 없는 관계로 대체된 것이다. 병든 여인은 남편에게 단지 그의 성적 욕구를 충족시키는 수단, 즉 "재미나는 시간"(a good time, 제148행)을 주기 위하여 원치 않는 아이들을 출산해야만 한다. 아가씨들은 사랑 때문이 아니라 청년들이 원하기 때문에 기쁨이나 후회 없이 몸을 바친다. 이와 같은 성행위는 생명의 재확인과 재생의 수단으로부터 무의미한 자동적인 과정으로 변형된 것이다.

그런데 사랑과 인간관계의 황무함은 20세기에 한정되는 것은 아니다. 그것은 무수히 많은 사람들의 생명을 고사시킨 초시간적인 고뇌인 것이다. 따라서 엘리엇의 황무지는 보다 보편적인 공간과 어떤 시대에든지 인간의 생명을 황폐하게 한 것에는 무엇에든지 적용될 수 있다. 그러한 문제 중의 하나가 믿음의 상실이다. 이는 텅빈 교회, 폐허가 된 성당, 부활하지 않은 그리스도의 암시 등에서 드러난다. 따라서 황무지는 의미, 목적, 방향이 없는 존재, 즉 생중사의 상태를 상징하는 것이다(Greene 43).

2. 물

황무지가 이 시의 주된 부정적인 상징이듯이, 『황무지』에서 물은 주된 긍정적인 상징이다. 그러나 『황무지』에는 생명의 상징인 물의 오염과 변형된 안개 및 부재로 나타난다. 절박한 절망적인 현실을 반영하는 『황무지』는 생명의 근원이 되는 물의 오염을 통해 여실히 드러난다. 스펜서의 「축혼전곡」에 언급된 비경같이 아름다운 템즈강이 이제는 "기름과 타르로 / 땀 흘릴"(sweats / Oil and tar, 제266-67행) 정도로 오염되어 있고, 파도 놀이하면서 연인들의 목가적인 사랑의 모습인 "붉은 빛 금빛의 / 번쩍이는 선체"(A gilded shell / Red and gold, 제282-83행)가 떠 있는 엘리자베스 1세의 왕궁 수로에는 이제 여름밤을 지내다가 버린 "빈 병, 샌드위치 포장지, / 비단 손수건, 마분지 상자갑, 담배 꽁초"(empty bottles, sandwich papers, / Silk handkerchiefs, cardboard boxes, cigarette ends, 제177-79행)만 널려 있을 뿐이다. 또한 수많은 인도 사람들의 육체적 · 정신적 정화의 근원인 "갠지스강은 바닥이 났다"(Ganga was sunken, 제395행). 게다가 화자가 "레망호 물가"(By the waters of Leman, 제182행)에서 비통하게 우는 모습에서 물이 황무지의 사람들에게 희망이 될 수 없음을 제시한다.

한편, 이 물은 산업 사회에서 "갈색 안개"의 형태로 나타나는데, 이 안개로 에워싸인 오염된 강의 지역은 썩은 나뭇잎이 덮인 축축한 제방 위로 미끌미끌한 배를 끄는 쥐들의 서식지이다. 이 쥐들은 제193행 "축축한 낮은 땅 위에 알몸으로 노출되는 허연 시체"(white bodies naked on the low damp ground)와 유사하다. 산업 사회의 현대인들에게 물은 이제 더 이상 생명수의 의미보다는 제135-36행 "열 시에 온욕. / 그리고 비가 오면 네 시에 문이 닫힌 차로"에서 보듯이 일상의 편리함과 동시에 불편함을 제공해 주는 역할밖에 하지 못한다. 그래서 히아신스 소녀의 꽃을 "한 아름 안고," "이슬에 젖은 머리"의 모습에서 성적인 매력도 그녀의 연인에겐 무의미한 것이다. 그에게 성은 창녀들이 제201행 "소다수에 발을 씻고 있고나"에서 "발"을 "여성기"로 표현한 원래의 음탕한 민요의 관점에서나마 이해 가능한 것이다.

『황무지』에서 생명의 물이 없는 것은 곧 메마름으로 드러나는데, 제24행 "물소리 하나 없기" 때문에 경치는 황량하며, "죽은 나무엔 그늘이 없다"(the dead trees give no shelter, 제23행). 이 나무들은 "조락한 시간의 그루터기들"(the withered stumps of time, 제104행)이며, "마른 구근," "돌더미 쓰레기"(제20행), "부서진 우상의 무더기"(제22행)로 덮여 있는 경치를 "멍하니 응시하는"(staring) 죽은 나무들의 "형태"(forms, 제105행)들이다. 이 땅은 마치 제115-16행 "죽은 사람들의 뼈가 없어진 / 쥐들의 통로에 있는" 것과 같이 죽음과 황량함의 배경이다. 유일하게 들리는 소리는 제186행 "해골이 덜거덕거리는 소리"와 제194-95행 "낮은 추녀 밑 작은 다락방에 버려진 메마른 해골들은 / 해마다 쥐발에 걸려 덜그럭거릴 뿐."(bones cast in a low dry garret, / Rattled by the rat's foot only, year to year.)이다. 또한 제384행 "텅빈 웅덩이와 물마른 샘"은 생중사의 땅에서 "암지岩地에서의 고뇌"(agony in stony places, 제324행)와 "한 줌 흙 속의 공포"(제30행)의 의미를 아는 황무지의 거주민들에게는 어떤 신선함도 주지 못한다(Weirick 94).

V. 원형적 여성

『황무지』의 어부왕과 성배 전설에서 달, 물, 대지 등의 환유와 상징으로 부분적으로 감추어져 있는 여성상은 마리, 이졸데, 벨라돈나, 에퀴톤 부인, 성 메리 울노스, 클레오파트라, 필로멜라, 릴, 메이, 요정들, 포터 부인과 그녀의 딸, 여타자수, 엘리자베스 1세, 디도와 "까만 긴 머리를 팽팽히 잡아당긴"(drew her long black hair out tight, 제377행) 여인으로 분명히 구체화되어 나타난다. 이러한 여성들을 하나로 묶는 두 집단은 입문과 통과 의례, 즉 타로 카드의 "매달린 남자," 성배 / 어부왕의 전설, 죽어가는 신들인 아티스, 아도니스, 오시리스, 그리스도와 플레바스와 연결된 재생 부활의 모티프이고, 두 번째 집단은 예언자들로서 양성인 테이레시아스와 소소스트리스 부인, 쿠마에 무녀이다. 이러한 신들과 예언자들은 여성과 밀접한 관련이 있는데, 아티스 / 오시리스의 재생은 그의 아내 / 어머니가 없으면 불가능하고, 소소스트리스 부인의 타로 카드 언급이 없으면 플레바스도 있을 수 없는 것이다. 성배 전설에도 역시 어부왕의 어머니 / 아내, 처녀, 성배를 옮기는 여인들이 나타난다. 이 성배의 원형 상징이 여성 내지는 여근을 의미하므로 『황무지』에서의 "성배" 탐색은 원형비평의 입장에서 여성의 추구라고 할 수 있다. 『황무지』의 433행 중 144행에서 성적인 언급이 나오고, 엘리엇 자신이 밝힌 사적으로 "인생에 대한 불만"을 토로한 시라는 것을 염두에 둘 때, 제2장 「『황무지』에 나타난 성애: 전기비평적 접근」에서 상술했듯이 첫 번째 아내인 비비엔과 러셀의 불륜 관계는 전기비평의 관점에서 이미 많은 연구가 이루어진 상태이다(Abdoo 50).

일반적으로 원형적 여성상은 "선한 어머니," "독한 어머니," "정신적 반려자"로 분류할 수 있다(Guerin 190). 그런데 엘리엇이 『황무지』에서 묘사하고 있는 원형적 여성상은 물과 불의 상징성이 죽음과 재생의 이중성을 띠고 있듯이 이중성 내지 삼중성을 띠고 있다. 다시 말해, 『황무지』에 나타나는 여성들은 죽음을 가져다주는 여성들과 희생자이지만 재생한 여성들로 양분되거나, 게린의 분류와 같이 삼분될 수 있는 것이다. 『황무지』에서 만고에 만인의 경배의 대상이 되는 "선한 어머니"의 여성상은 제367행 "모성적인 슬픔의 울음소리"의 시행으로 드러나는데, 그녀는 아들이자 남편인 오시리스의 사지 절단과 죽음을 애통하는 이시스Isis이고, 십자가에서 그리스도가 처형당할 때에 슬퍼한 성모 마리아가 원형적 여인들이다. 이와 달리 유혹녀 / 키르케 / 이브와 같이 "독한 어머니" 또는 "공포의 어머니"의 부정적인 여성상으로서 마리(제15-16행), 이졸데(제33행), 벨라돈나"(제49-50행), 클레오파트라(제77행), 엘리자베스 1세(제279행), 릴의 친구 메이(제170행)등이다. 이졸데(이줄트)에 대해서는 제3장 「『황무지』에 나타난 죽음」에서 이미 상술한 바 있다. 덧붙여 조지프 베디어Joseph Bédier가 『트리스탄과 이줄트의 로맨스』(The Romance of Tristan and Iseult)에서 트리스탄과 이졸데의 사랑을 로맨스로 규정하고 있지만, 이들의 사랑은 비극으로 끝나는 불륜의 사랑인 것이다. 엘리엇이 바그너의 『트리스탄과 이졸데』에서 인용한 시행들을 원형비평적 접근으로 해석하면, 트리스탄을 사랑했지만 마르케 왕과 결혼하여 파국적인 비극을 맞이하는 비련의 여인 이졸데는 벨라돈나와 같이 독한 여인의 원형으로 간주할 수 있다. 한편, 추구의 대상이 되는 "정신적 반려자"로서의 청순한 여인은 히아신스 소녀, 필로멜라, 오필리아 등이다.

『황무지』 제1부 「사자의 매장」 제13-17행에 등장하는 "마리"에 대해서는 제5장 「『황무지』의 공간」에서 언급했지만 좀 더 부연하기로 하자.

> 어렸을 때, 종형從兄 대공댁大公宅에 유숙했었는데
> 종형은 나를 썰매에 태워 나간 일이 있었죠.
> 난 무서웠어요, 그는 말했어요 마리, 마리,
> 꼭 붙들어. 그리고 미끄러져 내려갔지요.
> 산에서는 자유로워요.
> 많은 밤, 나는 독서하고, 겨울에는 남쪽으로 갑니다. (Eliot 1988, 57)

> And when we were children, staying at the archduke's,
> My cousin's, he took me out on a sled,
> And I was frightened. He said, Marie,

Marie, hold on tight. And down we went.

In the mountains, there you feel free.

I read, much of the night, and go south in the winter.

(WLF 135: ll. 13-18)

"마리"는 마리 라리슈 백작부인으로 그녀의 자서전 『나의 과거』에서 종형 루트비히 2세의 슈타른베르거제에서의 투신자살 사건뿐만 아니라, 위 시에서 적시하고 있는 그녀의 또 다른 종형 "대공"archduke, 즉 오스트리아의 대공이자 오스트리아-헝가리 제국의 황태자 루돌프Kronprinz Rudolf, 1858-1889의 자살 사건을 진술하고 있다. 마리는 유부남 루돌프와 그녀의 친구이자 그의 정부情婦인 마리 베체라 남작부인Baroness Marie Vetsera, 1871-1889의 중매인이었다. 그러나 황태자 루돌프와 마리 남작부인의 불륜의 사랑은 비엔나 숲Vienna Woods, Wienerwald의 마이얼링Mayerling에 위치한 황실 사냥 별장에서 일어난 동반자살 사건으로 비극적 종말을 맞이하였다. 이들의 비극적인 사랑은 1936년 영화 <비우悲雨>(Mayerling), 1940년 영화 <마이얼링에서 사라예보까지>(De Mayerling à Sarajevo), 1957년 오드리 햅번Audrey Hepburn, 1929-1993 주연의 미국 NBC 텔레비전 방송극 <마이얼링>, 1968년 오마 샤리프Omar Sharif, 1932- 가 주연한 영화 <마이얼링>, 2006년 뮤지컬 <황태자 루돌프>(The Crown Prince Rudolf) 등에서 잘 재현되어 있다. 결국 마리 백작부인은 그녀의 역할로 인해 오스트리아 황실로부터 외면을 받게 되었고, 그녀는 원형비평적 접근으로 해석하면 황제의 후계자와 애인을 죽음으로 몰고 가게 한 "독한 여인"으로 분류되는 것이다. 또한 제15-17행 "마리, 마리, / 꼭 붙들어. / 그리고 미끄러져 내려갔지요. / 산에서는 자유로워요."는 겨울 산속에서 썰매를 타는 순수한 어린이들을 묘사하지만, "꼭 붙들"고 "미끄러져 내려"간 행위는 엄격한 황실 저택이 아닌 구속 없는 자연 속에서 마음껏 나누는 화자 마리와 종형간의 근친상간近親相姦까지 함의한다고 볼 수 있다.

한편, 제2부 「체스 게임」 제77행 "찬란한 옥좌" 시구에 대해 엘리엇은 『황무지』의 「주석」에서 셰익스피어의 비극 『안토니와 클레오파트라』(*Antony and Cleopatra*, 1623) 제2막 제2장 제190행을 참고하라고 적시하고 있다 (*WLF* 147). 이 시구는 로마 장군 마르쿠스 안토니우스(마크 안토니)Marcus Antonius, Mark Antony BC 83-30를 유혹하였으나 비극적 종말을 맞이한 고대 이집트의 그리스 왕국인 프톨레마이오스 왕조Πτολεμαϊκὴ βασιλεία, Ptolemaic Kingdom의 여왕 클레오파트라Κλεοπάτρα, BC 69-30 7세를 연상시킨다. 클레오파트라와 안토니우스의 사랑에 대해서는 『안토니와 클레오파트라』와 1963년 엘리자베스 테일러Elizabeth Taylor, 1932-2011 주연의 영화 <클레오파트라>(*Cleopatra*)에 잘 재현되어 있다. 좀 더 부연하면, 클레오파트라는 로마 장군 율리우스 카이사르(줄리어스 시저)Julius Caesar, BC 100-44의 도움으로 이집트 여왕의 권좌에 올랐고, 그와의 사랑에서 카이사리온Caesarion을 출산하였다. 그러나 클레오파트라는 정부情夫 카이사르가 브루투스Brutus와 캐시어스Cassius 등에 의해 피살되자 이들을 유명한 연설로 제압한 카이사르의 충실한 장군 안토니우스와 사랑을 하면서 2명의 아들과 1명의 딸을 낳았다. 그 후 안토니우스와 클레오파트라의 연합군은 악티움Actium 해전에서 고대 로마의 초대 황제 아우구스투스Augustus로 등극하는 옥타비아누스Octavianus, BC 63-AD 14에 의해 괴멸당하고, 안토니우스가 자결하자 클레오파트라는 독사에 물려 자살하며 카이사리온은 살해당하게 된다. 이러한 클레오파트라를 원형비평의 접근으로 해석하면 자신과 애인 그리고 가족과 왕국을 파멸로 몰고 간 독한 여인이요 벨라돈나인 것이다.

또한 제92행의 시어 "격자무늬 천장"(laquearia)에 대해 엘리엇은 『황무지』의 「주석」에서 고대 로마 시인 베르길리우스의 『아이네이스』 제726행에서 인용한 것임을 밝히고 있다. 엘리엇이 인용하고 있는 라틴어 시행 "dependent lychni laquearibus aureis incensi, et noctem flammis funalia vincunt."은 "불타는 횃불이 황금격자무늬 천장에 매달려 있고, 밤은 이글거리는 불빛으로 훤하다"라는 의미이다(*WLF* 147). 이 장면은 비너스의 서자요, 트로이 전쟁의 영웅인 아이네이아스를 위해 카르타고의 여왕 디도가 베푼 연회장을 묘사한 것이다(Southam 1994, 158). 이 시에는 아이네이아스와 사랑을 했지만, 그가 로마의 건설을 위해 떠나자 결국 자살한 디도를 묘사하고 있다. 아이네이아스에게서 버림받은 디도는 로마로 떠나가는 아이네이아스와 트로이군을 저주함으로써 카르타고와 트로이의 후예들이 세운 로마와의 포에니 전쟁을 예고한다. 디도는 장작더미 위에 올라가서 아이네이아스와 사랑을 나눈 침대 위에 눕고는 칼 위에 엎어지고, 장작불에 타서 자결한다. 아이네이아스와 디도의 사랑과 죽음을 잘 포착한 명화로서 루브르Louvre박물관에 소장된 프랑스 화가 삐에르-나르시스 게랭Pierre-Narcisse Guérin, 1774-1833의 <트로이 시의 불행을 디도에게 들려주는 아이네이아스>(*Énée racontant à Didon les malheurs de la ville de Troie*, 1815)와 이탈리아 화가 구에르치노Guercino, 1591-1666의 <디도의 죽음>(*La morte di Didone*, 1631)이 있다. 실패한 사랑으로 불에 타서 자살한 디도는 역시 사랑에 실패하자 독사에 물려 자살한 클레오파트라와 연못에 빠져 자살하는 오필리아와 죽음의 관점에서는 동일한 여성들이다. 다만 디도와 클레오파트라는 집요한 사랑으로 카르타고와 이집트의 멸망까지 가져온 독한 여인이지만, 오필리아는 연인 햄릿의 사랑을 받지 못해 미쳐서 생명을 끊은 청순한 여인인 것이다.

한편, 필로멜라의 그림을 걸어둔 부유층의 유부녀는 현대판 클레오파트라로서 성폭행 당한 필로멜라와 대조적인 유혹녀의 모습이다(Sicker 423).

고풍스런 벽난로 위에는
삼림의 풍경을 내려다보는 창문과도 같이
그 야만스런 왕에게 무참히 성폭행당한
필로멜라의 변신 그림이 걸려 있다. (Eliot 1988, 60)

Above the antique mantel was displayed
As though a window gave upon the sylvan scene
The change of Philomel, by the barbarous king
So rudely forced; (*WLF* 137: ll. 97-100)

여기서 『황무지』의 「주석」에서 "모든 여성들이 한 여성"(all the women are one woman)이라는 엘리엇의 진술에 공감할 수 있을 것이다(*WLF* 148). 이 필로멜라는 페르세포네와 히아신스 소녀인 마리의 불완전한 투영이다. 또한 『황무지』에 나타나 있는 부유한 여성, 릴과 그녀의 친구 메이, 여타자수, 『황무지』 원고본에 등장하는 머틀Myrtle과 프레스카는 각각 창녀와 부정한 여인으로서 유혹을 하지만 계속 성폭행 당하고 버림받는 여인인 벨라돈나로 연결되며, 엘리엇의 첫 번째 아내 비비엔이 그 모델인 것이다(Sicker 424).

이 "벨라돈나"는 "독한 어머니"의 부정적 여성의 원형으로서 소소스트리스 부인이 제시하는 하나의 중요한 타로 카드이다. "벨라돈나"는 히아신스의 현대적 대응 꽃이며, 황무지의 박토에서 자라는 독성 식물이다. 또 "벨라돈나"는 그 독성 잎에서 만들어지는 화장품을 말하며, 여성 눈의 동공을 확대시키기 위하여 사용되었다. 따라서 이러한 화장품의 사용과 유혹적으로 화장한 매춘부들은 밀접한 관계가 있다. 시 전반부에 걸쳐서 엘리엇은 제86행 화장대의 "상아 병과 색유리 병"과 제87행 "이상한 합성 향료" 등의 표현으로 인위적 및 피상적인 현대의 성생활을 암시하고 있다. 이 벨라돈나는 자신의 방을 제88-89행 "감각이 자극되고 혼돈되고, / 도취된"

(troubled, confused / And drowned the sense in odours) 향기로 채워서 오디세우스를 유혹하는 키르케와 동일시할 수 있다. 벨라돈나의 제112행 "말 좀 해줘요. 왜 말 안하세요. 말하세요."(Speak to me. Why do you never speak. Speak.)라는 질문을 받는 대상은 성적으로나 언어적으로 답변할 수 없는 어부왕인데, 물론 전기비평적 접근으로 해석하면 벨라돈나는 신경쇠약증에 걸린 비비엔과, 어부왕은 엘리엇 자신과 동일시할 수 있다(Sicker 425). 벨라돈나는 "체스 게임"이라는 유혹의 시합에서 처지가 다양한 "상황의 여인"은 목적을 달성하기 위하여 어떤 자세도 취하며, 어떤 무기-심지어 자신의 노이로제까지 이용하는 여인이다. 이 벨라돈나는 엘리엇이 파운드의 권유에 의하여 제3부 「불의 설법」에서 삭제한 "프레스카"를 연상케 한다. 프레스카에 대해서는 제1장 「『황무지』 원고본: 원전비평적 접근」에서 상술하였으므로 생략하기로 한다. 다만 욕망에 사로잡힌 인물인 스위니와 같이 성욕을 발산하는 프레스카에서 "모든 여성들이 한 여성"이라는 말로 압축하는 엘리엇의 주장은 설득력이 있는 것이다. 『신약』의 막달라 마리아와 로세티의 매춘부와의 유사성은 벨라돈나의 다양한 형태에서 타락의 역사성을 제시하고 있다. 18세기에 리처드슨의 소설에 등장하는 성폭행 당한 처녀 클라리사는 마치 「체스 게임」에서 필로멜라가 부유층 유부녀와 대조되듯이, 현대의 프레스카에 대비될 수 있다. 클라리사가 비신화된 중산층의 필로멜라인 것과 같이, 이와 대척적인 프레스카는 부유층 벨라돈나의 저속한 모습이다.

또한 엘리엇의 벨라돈나는 젊은 여타자수로 변용되어 나타난다. 그녀의 "화농투성이의 청년"(young man carbuncular, 제231행)과의 사랑 없는 부정적인 성관계는 단지 일련의 기계적인 몸짓과 무감각적인 반응에서 드러난다. 테베의 왕 오이디푸스의 부친 살해와 모친과의 근친상간을 이미 투시한 바 있는 장님 예언자인 테이레시아스가 *간파*하는 이 "화농투성이의 청년”과 여타자수와의 무의미한 정사가『황무지』시의 실체이므로, 엘리엇은 “독한 어머니”의 원형적 여성상을 강조하고 있음을 알 수 있다. 요컨대, 테이레시아스가 목격한 이러한 무분별한 정사는 제292-95행에서 템즈 강가의 딸들이 당한 성폭행의 사건들과 점증적으로 확대됨으로써 황무지에서의 생중사의 인간들이 연출하는 성행위는 죽음의 행위요, 진정한 재생이나 부활이 없는 육체의 죽음에 이르는 병임을 엘리엇은 명시하고 있는 것이다.

VI. 결론

원형비평이 신화비평神話批評, Myth Criticism으로 혼용되기도 하는 것은 문학 작품에 나타난 신화적 형태, 즉 원형을 천착하기 때문이다. 지금까지『황무지』를 원형비평적 접근으로 주인공의 탐색, 죽음과 재생의 패턴, 원형적 심상으로 황무지와 물, “독한 어머니”의 원형적 여성으로 마리, 이졸데, 클레오파트라, 디도 등을 집중적으로 고찰해보았다. 프레이저의『황금 가지』와 칼 융Carl Jung, 1875-1961의 심층심리학에 영향을 받았고, 한 시대의 문학비평계를 풍미한 신화비평가들은 서론에서 언급한 보드킨과 프라이 이외에 윌슨 나이트Wilson Knight, 로버트 그레이브스Robert Graves, 필립 휠라이트 Philip Wheelright, 리처드 체이스Richard Chase, 조지프 캠벨Joseph Campbell, 레슬리 피들러Leslie Fiedler 등으로서 이들의 신화비평 이론을『황무지』에 적용하면 더욱 풍성한 해석의 조망을 갖게 될 것이다.

8

『황무지』: 포스트모던 비평적 접근

I. 서론

엘리엇의 『황무지』가 발표된 1922년부터 현재까지 극단적인 호평과 악평을 포함하여 수없이 많은 평론이 쏟아졌고, 아주 다양한 접근법에 의한 분석이 시도되어 왔다. 대체로 문학에서 포스트모더니즘 시대에 진입한 1980년대를 분기점으로 이전까지의 주요 비평적 접근은 전통적, 심리적, 신화적, 상징적인 것들이며, 그 이후로는 자끄 라캉Jacques Lacan의 정신분석학적, 해체적, 독자반응비평적, 대화체론적 방식들이다. 이들 중 전자의 신화비평적 접근의 주창자들은 리비스F. R. Leavis와 메시슨인데, 이들은 엘리엇이 「주석」에서 밝힌 프레이저의 『황금 가지』와 웨스턴의 『제식에서 로맨스로』를 심도 있게 연구함으로써 신화적 구조에 대한 비평 이론을 시 해석에 적용했다. 또한 『황무지』에 대한 상징적 접근은 신비평가인 클리앤스 브룩스Cleanth Brooks가 리비스와 메시슨의 관점을 확대한 것인데, 『황무지』의 상징체계를 연구함으로써 시의 전체 구조와 주제를 도출하는 것이었다

(Gish 1988, 12-13). 이러한 신화적 및 상징적 접근은 수십 년간 『황무지』의 지배적 비평 방법이었는데, 그린의 『「황무지」: 비평적 논평』(*The Waste Land: A Critical Commentary*), 마가렛 웨이릭Margaret Weirick의 「T. S. 엘리엇의 『황무지』에 나타난 신화와 물의 상징성」("Myth and Water Symbolism in T. S. Eliot's *The Waste Land*"), 메리언 소맬런Marianne Thormählen의 『「황무지」: 단편적 전체성』(The Waste Land: *A Fragmentary Wholeness*), 스미스의 『황무지』(*The Waste Land*) 저서와 수 편의 논문 등은 그 좋은 예일 것이다. 또한 타로 카드의 상징성을 해명하는 다수의 논문들도 바로 이러한 접근에서 조명된 것들이다.

이와 같이 『황무지』의 접근에서 엘리엇의 영향을 받은 신비평가들은 전기비평적 접근을 경시해왔으나, 1968년에 『황무지』의 육필원고와 타자원고가 발견되고, 1971년에 원고본이 출판됨으로써 원전비평과 전기비평이 활기를 띄게 되었는데, 특히 『황무지』 출판 50주년 기념 논문집들로 리츠가 편찬한 『당대의 엘리엇』과 무디가 편집한 『다른 목소리들의 『황무지』』(The Waste Land *in Different Voices*) 및 밀러 2세의 저서인 『T. S. 엘리엇의 개인적 황무지』 등이 그 대표적인 예들일 것이다. 한편, 심리적 접근은 『황무지』의 배경이 된 영국의 척박한 땅인 마게이트에서 집필을 구상하던 당시 엘리엇 자신의 심리 상태를 파악함으로써 작품 해석에 새로운 시각을 제시한 것인데, 미히르 센Mihir Sen의 「『황무지』의 심리적 해석」("A Psychological Interpretation of *The Waste Land*")과 해리 트로스먼Harry Trosman의 「T. S. 엘리엇과 『황무지』: 정신 병리학적 전력과 변형」("T. S. Eliot and *The Waste Land*: Psychopathological Antecedents and Transformations") 등이 대표적인 논문들일 것이다.

여기에서는 이러한 상징적, 신화적, 전기적, 심리적 접근 방식에서 탈피하여 포스트모더니즘의 시대적 현상 하에서 새롭게 『황무지』를 조명하려는 시도로 가장 많이 주목받고 있는 라캉의 정신분석학적 및 자끄 데리다 Jacques Derrida의 해체적 접근법을 고찰하여, 이 시를 모더니즘의 시각과는 다른 관점에서 보다 입체적으로 재해석하고자 한다.

II. 욕망: 라캉의 정신분석학적 접근

"욕망"desire을 천착한 후기구조주의자인 라캉의 이론을 엘리엇의 『황무지』 해석에 적용한 학자들은 그레고리 제이Gregory Jay, 해리엇 데이비드슨Harriet Davidson, 앤드루 로스Andrew Ross, 캘빈 베디언트Calvin Bedient, 모드 엘먼 Maud Ellmann 등이다. 라캉에 의하면 프로이트Freud가 주장한 무의식은 언어 와 같은 구조이며, 그것의 압축condensation과 전위displacement의 기제는 환 유와 은유에 비유되며 동일하다. 또한 라캉은 인간 경험을 상상계the Imaginary와 상징계the Symbolic 및 실재계the Real의 세 영역으로 나누고 있다.

상상계는 라캉의 초기 논문인 「거울 단계」("The Mirror Stage")에서 언 급된 현상학적 단계이다(Davies and Wood 60; Jay 151). 이 거울 단계는 거울에서 자신을 인식하는 유아의 발달 단계에 초점을 두고 있다. 이 단계 는 데까르뜨Descartes의 "생각하는 나Cogito"라는 자아의 근원인 상호 주체 성inter-subjectivity 이전의 "원초적인 나"를 의미한다. 유아에게 거울 속의 형 상은 저곳에 있는 소외된 "타자"인 것이다. 라캉에 의하면 이 상상계의 거 울 단계가 끝나면 욕망은 육체적 요구나 충동이 아닌 상호 주체성, 즉 무의 식의 동시적 창조에 관심을 갖게 된다는 것이다. 라캉은 끌로드 레비-스트 로스Claude Lévi-Strauss와 페르디낭 드 소쉬르Ferdinand de Saussure의 구조주 의構造主義, Structuralism를 접한 뒤에 상상계에 대치할 상징계의 개념을 발전 시켰다. 그는 프로이트의 오이디푸스 이론을 수정하기 위하여 자아의 자족 성에 항상 도전하는 타자의 개념인 상징계를 원용한다. 유아는 거울 단계가 어머니의 절대적 관심에 의하여 완벽한 2자를 제시하는 한 자주성의 환상을 견지할 수 있다는 것이다. 그러나 사회 현실의 개입은 아버지의 법칙, 즉 상징계로서 개입하게 된다. 어머니의 부재를 앎으로써 결핍의 감정이 생길 경우에 유아는 자아에 출몰하는 부재와 결핍을 내재화하게 된다. 이것이 라캉이 프로이트의 『쾌락 원칙을 넘어서』(*Jensiets des Lustprinzips, Beyond the Pleasure Principle*, 1920)에서 원용하는 "없다-있다"fort-da의 단계이다 (Ellmann 1987, 108; Davidson 122). 아이는 이원론적인 기표인 "없다"와 "있다"를 통하여 부재와 존재를 인식하게 되는데, 이 단계는 아이가 부재를 통하여 자신의 욕망을 알게 되고, 욕망을 통하여 언어를 알게 되는 단계라는 것이다. 이것이 바로 라캉이 「프로이트 이래로 무의식, 즉 이성에서의 문자의 작용」("L'instance de la lettre dans l'inconscient ou la raison depuis Freud," "The Agency of the Letter in the Unconscious or Reason since Freud," 1957)의 논문에서 언급하는 구조적 단계로서 욕망이 인간이 되는 순간은 또한 아이가 언어로 태어나는 때이다. 이처럼 욕망의 생성과 언어로의 동시적 출생을 통하여 아이는 어머니와의 2자적 관계에서 사회 전체로의 3자적 관계로 이동하게 된다. 라캉은, 프로이트의 꿈의 해석이 무의식의 구조라는 개념을 확장하여, 무의식은 언어와 같은 구조로서 타자의 담론이라고 규정한다. 프로이트와 달리 라캉에게 아버지는 순전히 상징적인데, 사회, 언어, 법률 등의 상징계가 모든 상호 주체적 관계를 규제하면서 개입한다. 한편, 실재계를 라캉이 많이 언급하지 않은 것은 그것이 언어의 영역 밖에 존재하므로 활용도가 없기 때문이다. 그래서 이 실재계는 하이데거Heidegger의 존재론적 존재와 죽음 그 자체에 연결되어 있다. 이러한 라캉의 상상계, 상징계, 실재계의 개념을 엘리엇의 『황무지』에 적용하기로 하자.

우선 위의 라캉의 사상의 요약을 통하여 그가 페트로니우스의 풍자 소설인 『사티리콘』 제48장에 등장하는 쿠마에 무녀의 이야기에 관심을 가진 사실을 쉽게 납득할 수 있을 것이다. 『황무지』의 「제사」에서 엘리엇이 인용한 이 무녀는 영원한 젊음을 요구하는 것을 망각했기에 영원히 늙어 간다. 지친 그녀는 산 죽음living death의 새장 속에 갇혀서 "난 죽고 싶다"라는 소원을 피력한다. 이 무녀는 영생의 희구 속에서 자아의 보호 장치를 상징하는 새장, 즉 상상계의 유혹에 넘어가서 갇히게 된 것이다. 그러나 이 보호막은 감옥이 되는데, 그녀는 영원한 자아의 말 속에 갇혀 있고, 죽음과 단절된 공허한 자아로 시들어가기 때문이다.

『황무지』를 라캉의 용어로 읽을 때에 상상계는 시의 서두에서 정체stasis, 매장, 제7행 "마른 구근으로 가냘픈 생명"(a little life with dried tubers) 등에 대한 욕망으로 나타난다. 완전성, 정체, 궁극적 해답, 중심 질서에 대한 욕망은 이 시 전체에 걸쳐서 두드러져 있다. 이와 대조적으로 욕망이 문화 체계를 관류하는 상징계는 그 형식적 단편, 환유적 서술, 문화적 양상, 성적인 장면들로 이 시를 통제한다. 또한 상징계는 다른 종류의 황무지, 즉 과도하게 황폐한 것들, 불만, 상실, 성폭행과 죽음, 유한한 인간 세계의 땅인 것이다. 타자의 욕망을 갈망하는 테이레시아스처럼 이 시의 주체성은 구체화된 자아와 유동적인 욕망의 모습들로 투영되어 있다. 이런 견지에서 시의 마지막 부분은 상상계를 거부하고, 문화적으로 각인된 구조와 상징계의 환유적 단편화의 의도적 수용에서 다소 긍정적인 것 같이 보인다. 다시 말해, 제426행 "최소한 내 땅이나마 정돈할까?"(Shall I at least set my lands in order?)의 시행에서 화자는 애처롭고도 현실적인 결론을 내린다. 그러나 연이은 시행들은 다른 사람들의 인용 시행을 전통적 질서대로 배열하지 않고 있으며, 욕망의 논리의 화자를 제시하고 있다. 『황무지』에서 상상계의 방식은 흔히 대화체로 말하며, 움직임과 변화로 가득 찬 환유적 서술 장면들로 설정된 시끌벅적한 많은 목소리들과는 상반된다. 이 서술적 장면에서 리투아니아인, 마리, 히아신스 소녀, 스텟슨, 소소스트리스 부인, 신경쇠약의 여인, 술집 여인, 테이레시아스, 템즈 강가의 딸들 같은 생생한 인물들의 목소리와, 나이팅게일, 수탉, 천둥 등의 비인간적인 소리를 들을 수 있다. 이러한 목소리/소리들의 정체성 식별은 기표의 논리를 통하여, 예컨대 술집 여인의 "구나잇"(Goonight)이 오필리아의 "굿나잇 아름다운 아가씨들"(Good night, sweet ladies)과 같이 갑자기 변하므로 명확하지 않다(*CPP* 66). 또한 이 인물들의 아주 흔한 욕망과 좌절의 이야기들은 서로 혼란스러울 정도로 변하고 있는 것이다.

『황무지』 전체에 걸쳐서 상상계와 상징계는 씨줄과 날줄처럼 짜여서 시의 극적인 모습을 강화하며, 주제나 은유에서 무관하게 보이는 5부의 관계를 조망하는 방법을 제시한다. 시의 구조적 질서는 욕망의 힘에 의하여 파괴되기 때문이다. 그러나 질서에의 욕망이 이 시의 흐름을 주도하는 가장 강력한 욕망 중의 하나로 남아 있다. 예컨대, 제1부 「사자의 매장」의 서두에 나오는 폐쇄된 자아의 생명을 거부하는 목소리는 거듭 환유적 기제에 의하여 간섭을 받는다. 이 시의 당당한 서두는 4월과 라일락 및 봄비로 상징되는 성장과 변화와 성행위에 대한 염려에서 정체의 욕망을 제시하고 있는 것이다. 이 시행들은 반복 행위를 암시하는 "키워내고"(breeding), "뒤섞으며"(mixing), "뒤흔들며"(stirring) 등의 분사구문에서 전진을 방해한다.

> 4월은 가장 잔인한 달,
> 죽은 땅에서 라일락을 키워내고,
> 기억과 욕망을 뒤섞으며,
> 봄비로 잠든 뿌리를 뒤흔든다.
> 겨울은 우리를 따뜻하게 했었다.
> 망각의 눈雪으로 대지를 덮고,
> 마른 구근으로 가냘픈 생명을 키웠으니. (Eliot 1988, 57)

April is the cruellest month, breeding
Lilacs out of the dead land, mixing
Memory and desire, stirring
Dull roots with spring rain.
Winter kept us warm, covering
Earth in forgetful snow, feeding
A little life with dried tubers. (*WL* 3: ll. 1-7)

엘리엇의 "4월은 가장 잔인한 달"이라는 역설적인 선언은 『황금 가지』에서 해명되듯이 이집트 땅에 4월 중순부터 6월 중순까지 풍요를 가져오는 나일강의 범람을 기다리면서 고대인들이 심히 낙담하는 태도로 기쁨의 표정을 감추어야했던 풍요 의식을 상기시킨다. 이러한 풍요에 대한 예언과 동시에 실망의 어조로 말하는 서정적인 목소리는 이 혼란스런 시에서 뚜렷한 명징성과 권위를 확보하고 있다. 이 목소리는 상호 주체적인 것으로 제시되지 않고, 서술에서 특정화된 것도 아니며, 어떤 인물이나 독자에게 말하고 있는 것도 아니다. "라일락," "봄비," "눈" / "죽은 땅," "잠든 뿌리," "마른 구근" 등의 심상들은 생명 / 죽음의 상징이 됨으로써 마치 매개어가 취지어에 이르는 유일한 방법인 양 뚜렷한 관념들로 은유의 암시성을 통제한다. 이것이 분명한 경계와 규칙을 견지하고, 극도의 경우에 전진을 막으며, 생명, 즉 언어의 가능성의 확산을 막으려는 상상계의 목소리인 것이다. 그러나 자아는 욕망의 분출을 불완전하게 막을 뿐인데, 자아 주체의 분열에서 욕망이 생성되기 때문이다. 따라서 위의 시행들에서 변화에 대한 불안과 욕망의 힘은, 변화의 고통스런 생각으로부터 겨울과 여름의 연속성에 의해서만 연결되는 외관상 부적절한 이야기에 이르기까지 환유적 전위metonymic displacement를 유발한다(Davies and Wood 70). 이 환유적 전위의 용어에서 전위의 개념은 직접 비유가 아닌 간접 비유인 점에서 전유轉喩의 의미인 환유와 상통하는 것이다. 이와 같이 『황무지』에서의 끝없는 전위는 성적性的 또는 언어 영역의 부성父性의 몰락에서 파생하는 것이다(Ellmann 1987, 107).

『황무지』 제8행은 앞 시행의 리듬과 어조의 연속인 것 같으나 갑자기 간단한 서술로 변하고 있다.

> 여름은 소낙비를 몰고 슈타른베르거제를 건너 와
> 우리를 놀라게 했다. 우리는 주랑에 머물렀다가,
> 해가 나자 호프가르텐에 들어가
> 커피를 마시고 한 시간 동안 얘기했다. (Eliot 1988, 57)

> Summer surprised us, coming over the Starnbergersee
> With a shower of rain; we stopped in the colonnade,
> And went on in sunlight, into the Hofgarten,
> And drank coffee, and talked for an hour. (*WL* 3: ll. 8-11)

서두 시행에 나타난 불안에 휩싸인 심상의 세계가 사라진 위 시행의 세계는, 사람들이 산책하고 커피를 마시며 얘기하는 사실적 서술의 세계로서 엘리엇이 1911년 8월에 방문한 적이 있는 뮌헨 남쪽의 호수 유원지인 슈타른베르거제와 이 도시의 카페와 주랑이 있는 건물로 에워싸인 호프가르텐 공원과 같은 특정의 세계이다. 전위된 성적 욕망을 암시하는 "주랑," "호프가르텐," "커피" 등의 환유적 요소로 구성된 이 장면과 『황무지』 시 전체에 걸쳐서 나타나는 다른 서술적 장면들은 그 자체로는 이해할 수 있으나, 통합된 큰 구도의 일부로 해석하는 데에는 어렵다(Davidson 111). 공원에서의 "커피," 릴의 "치아," 여타자수의 "스타킹" 등은 당대 문화의 환유적 세목들이며, 분명한 의미를 흐리게 하는 문맥을 연상시킨다.

그 다음의 제12행 "러시아인이 아니에요, 리투아니아 출신의 순수 독일인예요"(Bin gar keine Russian, stamm' aus Lituauen, echt deutsch) 독일어 시행에서 민족이나 종족의 순수성을 주장하는 것은 자아의 욕망 표출이지만, 그것은 제1차 세계대전에 대한 엘리엇의 신랄한 풍자와 독일에 대한 철저한 증오와 관련 있다. 이 시행은 엘리엇이 『에고이스트』(*The Egoist*, 1918)지에서 서평한 윈덤 루이스Wyndham Lewis, 1882-1957의 소설 『타르』(*Tarr*, 1918)에서 바세크 양Fräulein Vasek이 "러시아인이죠. 나는 뼛속까지 러시아인예요"(a Russian. I'm thoroughly Russian)라고 주장하며, 독일 상류층이 러시아인들에게 이끌린다고 설명한 것을 비판, 원용한 것이다. 이 진술은 발트 국가로서 오래 동안 러시아의 지배를 받아 오다가 제1차 세계대전 이후인 1919년에 독립했지만, 독일인들이 대부분의 지도자들인 리투아니아의 위험한 국민성을 함축하고 있다(Southam 1994, 142-43). 앞 장에서 고찰한 제13행의 또 다른 여인 "마리"의 목소리는 익명의 리투아니아인의 목소리와는 다른 자아, 즉 서정적 목소리에 대한 기대감을 저해한다. 『황무지』의 많은 인물들이 여성이고, 그들의 이야기가 성적 욕망과 좌절에 관한 것은 우연이 아니다. 이 시에 나타난 상징적 체계의 여성은 욕망, 풍요, 생성의 세계와 상관있으나, 그 욕망은 주로 성폭행이나 자살, 권태나 좌절의 결과를 빚어낸다. 여성은 풍요로운 어머니와의 재결합에 대한 동경과, 생성, 즉 체액, 체취, 열린 몸과 같은 비구조화의 세계와의 연상을 상기시킨다. 그러나 여성의 이러한 상징적 기능은 『황무지』에 등장하는 여인들과 정확히 동일시될 수 없는 것은, 마리가 수동적 객체나 상징이 아니라 갈애하는 주체이기 때문이다. 마리의 이야기는 서두 시행의 은유를 무시하고 있는데, 마리가 종형과 함께 눈썰매를 전율적으로 타고 간 것을 기억하듯이, 눈이 기억 및 욕망과 상관있기 때문이다. 타자로의 이동과 욕망은 분열된 주체와 타자에 대한 욕망에 대한 욕망을 강조하면서 "나"(I)가 "그대"(you)로 변하는 제17행 "산에서는 자유로워요."의 시행에서 자유와 관련 있음을 암시한다. 그러나 타자에 대한 기억은 성취하지 못한 욕망의 괴로움을 생성하며, "그대"에서 "나"로의 주어의 전위와, 여름에서 겨울로의 계절의 전위, 과거의 기억에서 현재 시제로 전위되는 제18행 "많은 밤, 나는 독서하고, 겨울에는 남쪽으로 갑니다."(I read, much of the night, and go south in the winter.) 시행에서 화자는 고독하고 유폐된 것 같아 보인다(Davidson 123-24). 시 전체에 걸쳐서 엘리엇이 "마른 구근으로 가냘픈 생명"의 대체로서 제시하는 서술의 세계는 사소한 것은 아니다. 서두의 목소리가 욕망을 종식시키려고 갈망하고 있는 것은 이상할 것도 없다. 독자 또한 의미에 대한 욕망에 사로잡히게 된다. 흔히 제25-26행 "붉은 바위"(red rock)라는 연이은 시구들은 서두의 심상을 반복함으로써 사실적 서술의 세계에서 다시 막연하게 종교적, 반복적, 보편적, 끔찍한 심상의 상상계로 돌아간다. 마리의 기억은 통절할 정도로 슬프지만 이 세상, 즉 무녀의 절망적인 세계에서의 기억과 욕망의 결여는 두려움을 나타내고, 또한 욕망의 함유는 세상을 창조하는 환유를 내포하려 한다.

바그너의 금지된 사랑의 비극적 오페라인 『트리스탄과 이졸데』의 인유는 독자에게 특별한 고통을 주지 않는데, 그것은 개인의 비극이 문화적 차원으로 승화되어 있어 자아로부터 전위되었기 때문이다. 이 인유에서 문화는 우리를 대표할 수 있는 자아의 결여로 지적되지만, 욕망에서 나타난 결여에 대한 걱정을 전위시킨다. 환유와 같이 인유는 자아의 부족을 충족하며 동시에 자아를 강조하는 것 같다. 욕망이 다시 나타남과 더불어 또 다른 여인이 다시 대화체의 비상징적 양식으로 말한다.

"1년 전 당신은 나에게 히아신스를 주셨지.
그래서 사람들은 나를 히아신스 소녀라고 불렀답니다."

―그러나 그때 당신이 꽃을 한 아름 안고 이슬에 젖은 머리로
　　밤늦게 히아신스 정원에서 나와 함께 돌아 왔을 때,
　　나는 말이 안 나왔고 눈도 보이지 않았고, 나는
　　산 것도 죽은 것도 아니었고, 아무 것도 몰랐었다,
　　다만 빛의 핵심, 고요를 응시할 뿐이었다. (Eliot 1988, 58)

　　'You gave me hyacinths first a year ago;
　　'They called me the hyacinth girl.'
　　―Yet when we came back, late, from the Hyacinth garden,
　　Your arms full, and your hair wet, I could not
　　Speak, and my eyes failed, I was neither
　　Living nor dead, and I knew nothing,
　　Looking into the heart of light, the silence. (*WLF* 135-36: ll. 35-41)

　　트리스탄과 이졸데의 사랑 이야기에서 환유적으로 전개되는 히아신스 소녀의 간결하고도 암시적 서술은 명시되지 않은 상처로 연결된다. 정원에서 분명히 성관계를 맺고 돌아온 화자는 성적 결합의 환희와 동시에 자아의 견딜 수 없는 빼앗김에서 자아와 세상의 사라짐을 암시하는 이상한 위기감에 압도된다(Davidson 125). 이 시행은 사랑과 상실의 역설적 결합을 암시하는데, 타자와의 절대적 결합은 마치 자아의 발견이 타자와의 고통스런 결별을 의미하듯이 자아의 상실을 의미하기 때문이다. 이러한 거울 단계의 상처는 죽음과 욕망의 정신적 결속, 즉 인간 존재의 참을 수 없는 상황을 나타낸다. 이러한 히아신스 소녀의 화자가 받은 상처는 트리스탄의 이야기에서 중첩되며, 이졸데의 부재에 대한 죽어가는 트리스탄의 절망은 공허한 바다의 심상인 제42행 "*바다는 황량하고 쓸쓸하네.*"로 확산되어 객관화된다. 주체가 견고한 외피의 자아로 복귀하는 대신에 자아와 타자의 긴장을 견지

하면서 타자로 하여금 말하게 하는 것이다.

한편, 소소스트리스 부인의 진술에서 일상적인 환유적 대화의 재개가 타로 카드 안에 내포된 상징에 대한 욕망을 좌절시킨다. 타로 카드의 정신은 "공허한 시티"의 시어로 연결되며, 이 도시의 파멸은 제68행 "아홉시 최후의 일격의 꺼져가는 종소리로써"(With a dead sound on the final stroke of nine)의 시행에서 다시 만상을 영원의 비전으로 고정시키려는 자아의 방어를 암시한다. 그러나 이 시는 이러한 결론에 머무르지 않는다. 다시 한 번 상상계의 정체의 비전이 간단한 서술적 대화에 의하여 파괴된다. 서술자는 끔찍한 장면을 뛰쳐나와서 "스텟슨"이라는 이름의 친구를 부른다. 이러한 타인의 인식은 비인간적 장면으로부터의 탈출이지만 파괴적인 것이다.

『황무지』 전체를 통하여 정체와 환유적 욕망의 긴장은 두드러진다. 제2부 「체스 게임」은 흔히 현대 세계의 불모성의 비전으로서 인용된다. 상류 여인의 내실의 모습, 필로멜라 겁탈의 생생한 모습, 신경질적인 여인의 집요하고도 갈구하는 질문, 술집 여인의 한가하면서도 발랄한 재잘댐 등 생동하는 이 모든 것이 황량한 표면 아래에 존재하는 욕망의 지속성을 암시하고 있다. 그러나 생동함은 상실을 잉태한다. 제2부에는 여인들의 남성들과의 사랑이 좌절된 비극적 관계의 이야기가 지배하고 있다. 신경쇠약에 걸린 고독한 여인의 장면, 릴 가정의 부담들은 사랑 때문에 자살한 클레오파트라, 디도, 오필리아의 인유(제77행, 92행, 172행)에 의하여 더욱 선명해진다. 제97-103행의 필로멜라의 이야기는 욕망의 역설적 이동의 범례이다. 테레우스 왕에 의한 처제 필로멜라의 겁탈은 생명을 앗으려는 형부로부터 자유롭게 도피한 나이팅게일로의 변신의 시작인 셈이다. 그러나 이 생명의 전이轉移, transference의 순간은 엘리엇의 시에서는 별 의미가 없다. 황야를 가득 채우는 나이팅게일의 제101행 "범할 수 없는 목소리"는 욕망의 고리가 지속되는 한 다시 제103행의 "추잡한 귓전에 '적 적'"('Jug Jug' to dirty ears) 소리를 발하면서 성교를 하는 사람들에 의하여 범해지기 때문이다.

제3부의 제목인 「불의 설법」은 인간의 불타는 욕망을 부처의 불타는 정신에 의한 정화의 명상을 제시한다. 여기에는 성적 욕망과 물이 지배하고 있다. 이곳의 여성들은 기계적(여타자수의 자연스런 손길)이고, 불모적(처녀 여왕 엘리자베스)이며, 모든 욕망이 사라진 정신적으로 공허한 성행위만 한다. 엘리엇이 「불의 설법」에서 제시하는 다양한 음악, 예컨대 스펜서의 결혼축가, 포터 부인의 민요, 베를렌느의 프랑스어 시에서 인용한 자신의 욕정을 극복해야 했던 파르지팔의 혈전에서의 승리를 찬양하는 노래, 나이팅게일의 타락한 노래, 축음기 위의 음악, 『폭풍우』에서 인유한 요정 에어리얼의 노래, 만돌린 소리, 바그너의 악극인 『신들의 황혼』에 나오는 라인 강 아가씨들의 노래, 엘리엇의 템즈 강가 딸들의 노래 등에서 음악의 패턴을 찾을 수 있다(Davidson 127). 성과 연관된 집요한 음악과 대부분의 노래들에서 욕망의 연속성을 암시하고 있다. 물 자체가 오염된 템즈 강물은 생명의 근원인 동시에 익사, 즉 죽음을 상징하면서 음악까지 싣고 있는 것이다. 그러나 서술자는 절망만 응시할 뿐이다. 제3부 마지막 부분에서는 죽음, 절망, 타락을 벗어나고자 원하면서도 생명, 음악, 욕망을 버리고자 한다. 욕망을 버리고 정화의 불길에 들어가려는 마지막 소원에서 주체가 다시 상상계로 되돌아감으로써(제308-11행) 언어 그 자체도 점차 축소되어 단일어인 "불탄다"로 정화된다. 그러나 욕망을 제거함으로써 자아를 치유할 수 없는데 인간은 이 욕망에 의하여 행・불행이 결정되기 때문이다. 그 해결책은 욕망을 제거하고 자아를 지키는 것이 아니라, 자아를 제거하고 욕망을 유지하는 것이다(Davidson 130). 이 욕망의 불타오름은 제5부의 「우뢰가 말한 것」의 첫 시행인 제322행 "땀에 젖은 얼굴들을 붉게 비추는 횃불"(torchlight red on sweaty faces)과 상통한다. 독자는 다시 황량한 황무지로 돌아오는데, 여기에는 상상계의 자아가 제344-45행 "흙벽집 문에서 / 시뻘건 음산한

얼굴들이 비웃으며 소리 지르는" 것으로 사악하게 비호되고 있다. 한편, 다음 시행들에서 상상력은 환유적으로 생각하면서 사막의 건조성을 파괴하고자 한다.

만일 물이 있고

바위가 없다면
만일 바위가 있고
또한 물도 있다면
그리고 물
샘
바위 틈에 고인 물이 있어
물소리만이라도 있다면
매미 소리도 아니고
마른 풀잎의 노래도 아닌
바위 위로 떨어지는 물소리라도 있다면
은자 지빠귀가 송림 속에서 노래 부르는 소리
드립 드롭 드립 드롭 드롭 드롭 드롭
그러나 그곳엔 물은 없다 (Eliot 1988, 71)

If there were water

And no rock
If there were rock
And also water
And water
A spring
A pool among the rock
If there were the sound of water only

Not the cicada

And dry grass singing

But sound of water over a rock

Where the hermit-thrush sings in the pine trees

Drip drop drip drop drop drop drop

But there is no water (*WL* 21: ll. 346-59)

엘리엇은 캐나다의 퀘벡Quebec 카운티에서 은자 지빠귀가 물방울 떨어
지는 소리 내는 것을 들었다고 「주석」에서 밝히고 있다(*WL* 34). 이 새 자
체는 볼 수 없으나 물방울 떨어지는 소리는 들을 수 있으므로 물에 대한
욕망이 물소리에 대한 욕망으로, 다시 물소리의 암시에 대한 욕망으로 이
동됨을 그리고 있다. 화자의 욕망을 추구하여 이동하는 것은 극도로 필사
적이다(Brooker and Bentley 177). 물에 대한 욕망은 소나무 숲에서 지저
귀는 은자 지빠귀의 노래를 듣는 데에서 절정을 이루듯이 다시 음악으로
연결된다. 그런데 사막의 범주에 속한 목소리는 "그러나 그곳엔 물은 없
다"고 단언함으로써 이 환유의 마술적 변신을 저지한다. 그러나 이 목소리
는 영원히 변화의 흐름을 차단할 수 없다. 이 시행 바로 뒤에서 뚜렷한 사
막의 모습은 사라지고, 비전들이 제359행 "항상 그대와 나란히 걷는 그 제
3자는 누군가?"(Who is the third who walks always beside you?)의 라캉적
대타자Lacanian Other의 불확실한 비전으로부터 엄청나게 확산되기 시작하
기 때문이다. 이 비전들은 욕망의 무의식적 작용을 반영하는 기표의 과감
한 결합에서 긴 머리카락으로 곡조를 켜는 여인(제378-79행), "아기 얼굴
의 박쥐들"(제380행), 전도된 탑들(제383행) 등의 초현실주의적 장면에서
절정을 이룬다. 이러한 제5부 전체는 거울 단계의 분열된 자아의 무의식적
기표들과 단편화된 기의들 사이를 오가는 꿈의 속성을 지니고 있다.

『황무지』의 마지막 부분은 위와 같은 이질적이지만 더욱 평화롭고, 주체
의 억압된 꿈과 같은 속성을 드러낸다. 욕망의 전개는 수탉 울음소리인 "꼬

꼬 리꼬 꼬 꼬 리꼬"(제393행), "번갯불의 번쩍임"(제394행), 반가운 한 줄기 비 등의 상징성에서 곧바로 나타난다. 또한 비를 "몰아 오는"(Bringing, 제395행)의 분사구문은 『황무지』서두의 분사구문들을 상기시켜 주는데, 성적 및 정신적 욕망에 해방감을 주고 있다. 그러나 욕망의 외적 만족은 착각인데 그 다음 시행에서 비는 오지 않았고, 비를 기다린 "축 늘어진 나뭇잎들"(limp leaves, 제395행)의 심상으로 전개되기 때문이다. 우뢰소리는 불분명하고 무의미한 음절인 "**다**"(DA)로 나타나서 환유적 확산과 애매성만 더하는 시행에서 해석이 필요하게 된다.

> *주라*: 우리는 무엇을 주었던가?
> 친구여! 내 가슴을 뒤흔드는 피
> 분별 있는 나이로도 결코 삼갈 수 없는
> 일순간에의 굴복 그 엄청난 과감성
> 이것으로 이것만으로 우리는 생존해 왔느니라 (Eliot 1988, 72-73)

> *Datta*: what have we given?
> My friend, blood shaking my heart
> The awful daring of a moment's surrender
> Which an age of prudence can never retract
> By this, and this only, we have existed (*WL* 24: ll. 402-6)

『우파니샤드』(*Upanishad*)에 의하면 인간들은 "**다**"의 의미를 "주라"로, 마귀들은 "동정하라"로, 신들은 "자제하라"로 해석을 한다(Davidson 133). 그러나 인간이 주는 것은 아무 것도 없으며, "일순간에의 굴복 그 엄청난 과감성" 뿐이다. 그러나 욕망에의 굴복의 결과는 생명이고, 생명은 분별과 빈방과의 긴장 사이에 존재하는 것이다. 이 다음의 두 번째 서정시에서 감옥과 열쇠의 심상은 상상계를 상징하고 무녀의 불멸의 고독한 새장과 연결된다. 인간 고통의 열쇠, 즉 그 종식에의 욕망은 역설적으로 제414행 "감옥을 확인"(confirms a prison)하게 되는 것이다. 제418-22행의 세 번째 서정시에서 욕망과 억제는 바람과 물에 의해 추진되고 조절되는 범선의 심상으로 결합된다. 이 심상에서 질서와 억제를 바라는 욕망은 바다를 가로지르는 배의 움직임에서 욕망의 지속성과 연결된다. 이 시의 마지막에 자아를 통하여 욕망을 지배하려는 욕구 및 욕망의 무의식적 분출은 그대로 남아 있다. "내 땅"을 인유함으로써 주체는 자신의 욕망을 타자의 욕망으로 수용하는 것 같다. 이 "내 땅"은 나의 자아가 아니라 타자가 말하는 세계이며, 유아 시절과 성인 시절, 과거와 현재, 신화, 종교, 예술을 말하는 풍요롭고 충만한 세계이기 때문이다(Davidson 134). 그러나 그 타자는 불쾌한데 인간 상징체계의 위대한 문화적 업적이 또한 절망과 파괴의 시나리오이기 때문이다.

III. 부재: 해체적 접근

『황무지』를 신, 사랑, 생명, 믿음, 중심, 심지어 의미의 존재보다는 감추어진 존재로서 "부재"absence의 입장에서 접근한 후기구조주의後期構造主義, Post-structuralism의 해체적 입장을 견지한 학자들은 윌리엄 스파노스William Spanos, 루스 네보Ruth Nevo, 데이비드슨 등이다. 특히 스파노스는 그의 철학적 논문인 「『황무지』의 반복: 현상학적 파괴」("Repetition in *The Waste Land*: A Phenomenological De-struction")에서 『황무지』는 역설적 포괄성의 모더니즘의 시학, 즉 데리다의 추종자들이 말하는 존재의 시학의 죽은 전형이 되어버렸다고 규정한다(Spanos 229). 그리하여 하이데거의 공간적 형태의 분해dis-assembling의 개념인 "파괴"를 『황무지』 분석에 적용하고 있다. 이러한 현상학적 파괴는 전멸의 개념과는 상이하며, 데리다가 소위 칭한 "해체"deconstruction의 의미로서『황무지』가 독자를 전통적, 즉 "로고스 중심주의"logocentrism적 기대감의 신비성을 제거하는 근본적으로 열린 결말의 역사적 시라는 것을 밝히는 것이다. 이러한 데리다의 해체적 입장은『황무지』를 "해체의 원전"이요, "해체의 선언서"라고 규정하는 시각에서 출발한다(Nevo 454). 신비평의 전성기에는『황무지』의 "부서진 형상의 무더기"(제22행)를 통합하려는 시도가 관례였기에, 대부분의『황무지』비평가들은 시의 주제와 구조를 전적으로 오해하고 있으며, 전체적으로 파악하는 시도가 거의 없다고 공박한 선두 신비평가는 브룩스이다. 그러나 이러한 신비평가들의 입장과는 상반되는 해체적 접근은 이 시의 존재 이유가 분리, 즉 데리다의 용어를 원용하면 "흩뿌림"dissemination을 제시하고 있는 점에 천착하는 것이다.

『황무지』의 해체적 전략을 살펴보면 비록 "조락한 시간의 그루터기"(제104행)가 있지만 어떤 시간도, 장소도, 서술도 없으며, 암시되어 있으나 어떤 통합적인 중심인물이나, 주역도, 악역도, 어떤 드라마나 서사시나 서정시도 없다는 것이다. 이미 언급한대로 비록 엘리엇이「주석」에서 테베의 예언자 테이레시아스는 "다른 모든 것을 통합하는 가장 중요한 인물"이지만, 그가 "*간파*하는 것이 시의 실체"라고 지적하고 있으나, 모든 여성들이 서로 통합되고, 선원과 상인들도 그러하듯이, 테이레시아스는 에제키엘, 이사야, 쿠마에 무녀, 소소스트리스 부인 등의 예언자 및 유사 예언자들과 융합되고 있다. 이러한 다양한 목소리를 넘어서 말과 행동을 연출하는 *페르소나 persona*의 의미에서 주체라고 할 만한 하나의 시점, 단일 문체, 반복되는 언어의 장치 등이 전혀 없다고 보는 것이 해체적 입장이다. 이 *페르소나*의 부재는 이 시에서 가장 중요한 부재라 할만하다(Davidson 2). 다시 말해, 엘리엇의 이러한 자아 정체성의 결여는 다양한 목소리들로 나타나는『황무지』에서 현대 유럽인으로서 결정적인 로고스, 즉 목소리가 박탈된 세계인 "중심 없는"de-centered 세계에서 중심 없는 인간인 "현존재"現存在, Dasein로 존재하는 것이고, 인간 주체성은 더 이상 의미의 중심도 아니다(Spanos 244; Davidson 9). 물론 율격, 각운, 연, 기타의 정형성과 같은 명백한 전통시의 형식의 부재를 넘어서, 이 시는 전적으로 비통합적이고 비논리적이며, 각 부분들은 인과율, 대귀, 반증의 논리에 의하여 연결되어 있지 않다. 『황무지』는 종합 예술인 영화의 힐끗 봄, 몸짓, 심상, 메아리, 목소리, 인용구, 회상, 단편적 언어, 노래, 나타남과 사라짐 등의 몽타주 수법을 구사하고 있다. 또한 이 시는 표상 세계에서의 상응관계로 인정되는 일련의 기의와 완전히 일치하지 않는 점에서 과다한 기표로 구성되어 있다. 이런 의미에서 『황무지』는 부재로 구성되어 있고, 그 간극과 생략은 의미의 원천이며, 무질서가 질서인 것이다.

이제 해체적 입장에서 『황무지』의 상징과 심상을 고찰하기로 하자. 『황무지』에서는 상징도 파괴되고 확산되므로 제 기능을 발휘하지 못한다. 상징들은 의미를 흐리게 하고, 다시 해체된 심상으로 돌아가기 때문이다. 제48행 "전날의 그의 눈은 변하여 진주가 된 것"이 생명의 심상인가, 죽음의 심상인가? 물이나 바다는 죽음의 상징인가, 생명의 상징인가? 불은 육체의 정욕의 상징인가, 영혼의 정화의 상징인가? 도시, 정원, 사막, 강 등의 대표적인 상징들이 모두 야누스Janus의 얼굴과 같이 양면적이고 다양한 의미를 지니며 애매모호하다. 공허한 도시인 예루살렘, 아테네, 알렉산드리아, 비엔나, 런던의 도시는 "보랏빛 대기 속에 깨지고, 다시 서고, 터진다"(cracks and reforms and bursts in the violet air, 제373행). 히아신스 정원은 아도니스의 정원이고, 목가적 장면이며, "빛의 한복판이며, 정적"이다. 파괴된 심상들인 돌더미, "썩은 이빨의 죽은 산 아가리는 물을 뿜지 못하는"(dead mountain mouth of carious teeth that cannot spit, 제339행) 사막에선 "붉은 바위" 아래에 그림자, 아침에 너의 그림자, 저녁에도 너의 그림자가 있다.

템즈강, 라인강, 갠지스강은 하나의 강인가, 다수의 강인가? 이 변화무쌍한 상징은 앞 절에서 고찰한 압축, 전위가 있는 프로이트나 라캉의 무의식의 언어인 꿈과 흡사하다고 할 수 있다. 이런 의미에서 『황무지』는 시작도 끝도 없는 꿈과 같은 시이다.

한편, 『황무지』는 풍요 / 불모, 예언 / 묵시, 성행위 / 동성애, 봄철의 재생 / 반전, 성폭행 / 도피, 사중생 / 생중사, 상실, 슬픔, 격정 / 미침, 현상 / 실재, 구원 / 영벌의 주제를 다루고 있다. 그러나 정확히 어느 주제를 논하고 있는가? 『황무지』의 마지막 제433행 "샨티, 샨티, 샨티"는 초월의 세계로 열려 있는가 또는 타락된 세계, 즉 각자의 열쇠를 생각하며 확인하는 감옥을 폐쇄하는가? 또한 이 시에 나오는 뼈들은 에제키엘서에 나오는 것처럼 생명으로 부활할 것인가, 바다의 속삭임에 삼킬 것인가? 또는 쥐의 발에 밟혀 덜거덕거릴 것인가 등의 질문들로 해체가 가능할 것이다.

이외에 『황무지』의 작가의 부재 문제도 해체적 입장에서 천착이 가능한 예이다. 다시 말해, 이 시에는 작가가 있는가? 작가가 엘리엇이라면, 그가 밝힌 *"한층 훌륭한 예술가에게"*는 보다 나은 예술가뿐만 아니라 유일한 예술가의 의미는 아닌가? 파운드는 시의 일부를 생략했는가, 그렇지 않은가? 원래 시의 일부는? 또는 원래 시가 파운드의 것인가? 무엇이 원래의 시인가? 등의 질문들로 해체가 가능할 것이다.

이제 『황무지』를 좀 더 구체적으로 해체적 입장에서 접근하기로 하자. 제1부 「사자의 매장」은 계절적으로 분명히 봄을 암시하며, 주인공의 영적인 죽음과 재생의 가능성, 즉 역사의 연속성의 회복을 가져오는 끔찍하나 신비적인 미래를 직면하는 두려움을 나타내고 있다. 초서Chaucer의 『캔터베리 이야기』(*The Canterbury Tales*)의 「서시」("Prologue")의 묘사와는 달리 파괴적인 4월은 주인공의 시간 의식, 즉 "기억"으로 대변되는 과거와 "욕망"으로 나타나는 미래의 잠재성에 대한 의식을 일깨운다. 그러나 과거와 미래는 현격한 차이, 즉 개인적 및 문화적 혼돈으로서 현재 속에 나타난다.

> 이 엉켜 붙은 뿌리들은 무엇인가? 이 돌더미 속에서
> 무슨 가지가 자란단 말인가? 인간의 아들아,
> 너는 말할 수 없고, 추측할 수도 없어, 너는 다만
> 부서진 우상의 무더기만 알기에...... (Eliot 1988, 57)

> What are the roots that clutch, what branches grow
> Out of this stony rubbish? Son of man,
> You cannot say, or guess, for you know only
> A heap of broken images,...... (*WL* 4: ll. 19-22)

서구의 일원론적 본체신학적ontotheological 전통의 파괴는, 시간을 하이데거의 용어에 의하면 무*das Nichts*, Nothingness, 즉 데리다의 비판에 의하면 "중심 없음"uncenteredness으로 드러내는데, 이것의 다양한 모습들이 『황무지』를 관류하고 있다(Spanos 246). 따라서 시간은 약속된 종말이 아닌 무시무시한 위협을 형성하는 것으로 해석된다. 마치 캔터베리의 여인들이 다가올 새해를 "파멸의 봄"(ruinous spring)으로 간주하여 그냥 지나가기를 원하듯이, 『황무지』의 화자는 4월을 가장 잔인한 달로 여기고 있는 것이다.

제2부의 「체스 게임」은 황무지에서의 여름을 암시한다. 이러한 암시는 무엇보다 역설적으로 완전히 인위적인 화려한 여름철의 장식과 귀부인의 밀폐된 거실의 진한 향수 냄새 등에 의하여 드러난다. "열매 맺힌 포도 넝쿨을 아로새긴 기둥으로 받쳐진 / 체경"(the glass / Held up by standards wrought with fruited vines, 제78-79행), "연기를 격자무늬 천장에 불어 올리는"(Flung their smoke into the laquearia, 제92행), "살찌게 하는"(fattening, 제91행), "일곱 가지 촛대의 불길"(flames of sevenbranched candelabra, 제82행), 그녀 보석의 광채가 "흘러 넘치는"(rich profusion 제85행) 모습, "향기에 감각이 자극되고, 혼돈되며, 도취시키는"(troubled, confused / And drowned the sense in odours, 제88-89행), "이상한 합성 향료" 등은 엘리자베스 1세의 여름철 호화 유람선의 인유와는 대조적으로, 실제적 불모성과 냉랭한 황량함을 역설적으로 제시하는 퇴폐적인 온실의 분위기를 연출한다. 또한 이 여름의 계절은 제99-100행 "야만스런 왕에게 무참히 성폭행 당한"(by the barbarous king / So rudely forced) 필로멜라의 나이팅게일, 즉 여름철 새로운 변신을 묘사하는 제98행 "삼림의 풍경"(sylvan scene)에서 그 절정을 이룬다. 이와는 대조적으로 제2부의 둘째 부분은 하층민들 사이의 성적 관계의 심상을 투영하고 있다. 시골의 은밀한 선술집에서 밤에 맥주를 마시면서 친구들의 성적인 불행을 대화하는 황무한 도시의 여름은 하층민들의 전형적인 계절인 것이다. 이렇게 지위 고하를 막론한 등장인물들의 총체적인 성적 타락의 여름철은 현대의 지옥, 즉 존재론적으로 말하면 파괴된 현재를 통하여 화자가 시간의 폐허로의 끔찍한 진입의 단초를 시사한다. 이 화자는 본의 아니게 공허한 *무*로의 여행을 회피할 수 없는 것이다. 이것은 『황무지』의 신경질적인 여인과 화자 사이의 격정스런 대화 중 화자의 반복적인 무를 강조하는 답변인 "아무 것도 아무 것도 아니지"에서 아주 명백히 드러난다(Davidson 118). 이에 대한 그녀의 짜증 섞인 화답인 "'아무 것도 / 모르시나요? 아무 것도 안보이나요? 아무 것도 / 기억 안나나요?'"의 질문은 그의 존재의 망각성을 지적하고 있다 (Spanos 247). 이에 대한 그의 방백과 같은 답변인 "나는 기억하고 있다, / 전날의 그의 눈은 변하여 진주로 되었느니라"는 셰익스피어의 『폭풍우』의 기억을 환기시키고 있다. 이 신비스러운 재생의 커다란 변화의 인유는 아직 죽음을 명상하지만 죽음이 변신을 가능케 하는 깨달음을 확인해준다. 이 플레바스의 변화와 이미 살펴본 필로멜라의 변신은 사물의 비본질적인 속성을 강화해주며, 이러한 변신, 즉 "본질의 부재"가 이 시의 핵심인 것이다 (Davidson 119-20).

앞 절에서 잠깐 언급한 제3부 「불의 설법」의 서두 시행들은 방금 사라진 황무지의 여름을 지칭함으로써 생명이 소진하는 가을을 암시하고 있다.

> 강을 덮던 천막은 걷혔다. 간당거리던 마지막 잎들이
> 축축한 강둑으로 엉켜 가라앉는다. 바람은 소리 없이
> 갈색 대지 위를 지나간다. 요정들은 사라졌다.
> 아름다운 템즈여, 고요히 흘러라, 내 노래 그칠 때까지.
> 물위엔 빈 병도, 샌드위치 포장지도 떠 있지 않다.
> 비단 손수건도, 마분지 상자갑도, 담배꽁초도,
> 또는 기타 여름밤을 상기시키는 아무런 표시도 없다. 요정들은 사라졌다.
>
> (Eliot 1988, 64)

> The river's tent is broken; the last fingers of leaf
> Clutch and sink into the wet bank. The wind
> Crosses the brown land, unheard. The nymphs are departed.
> Sweet Thames, run softly, till I end my song.
> The river bears no empty bottles, sandwich papers,
> Silk handkerchiefs, cardboard boxes, cigarette ends
> Or other testimony of summer nights. The nymphs are departed.
>
> (*WL* 12: ll. 173-79)

죽어 가는 황폐한 풍경과 "요정들은 사라졌다"의 반복적인 시구에서 존재 부재를 묘사할 뿐만 아니라, 기술 시대의 황무지를 상징하고 쓰레기의 한 종류에 불과한 피임 용구를 담은 "마분지 상자갑"(cardboard boxes)에 나타난 불모적 성행위를 암시함으로써 엘리엇은 자연 환경이 죽어 가는 이유를

묘파하고 있다. 제185행 "등뒤에서 찬바람 속에"(at my back in a cold blast)의 시행에서 계절의 종말인 겨울이 다가옴을 느끼면서 화자가 이제는 나약해진 저항을 해보지만 시간의 도래를 피할 수 없는 것이다. 시간의 존재론적 권위를 환기시키고, 겨울과 죽음의 무정한 도래를 예시하는 데에서 가을은 템즈강, 즉 재생을 상징하는 물을 명상하는 화자 / 어부왕의 정신적 상태를 절망에 가까운 것으로 규정하고 있다. 봄철과 여름철에 역사의 단편과 동일시하는 자는 화자 자신이다. 그러나 가을의 마지막 시점에 아래와 같이 절망적으로 노래 부르는 사람은 마치 필로멜라처럼 "무참히 성폭행 당한" 현대의 템즈 강가의 딸이다.

> '마게이트 백사장에서였지.
> 나는 무엇이 무엇인지
> 기억나지 않아. (Eliot 1988, 68)

> 'On Margate Sands,
> I can connect
> Nothing with nothing (*WL* 18: ll. 300-2)

엘리엇은 이 여인을 통하여 인간관계의 의식과 하이데거의 시간의 연속성의 존재론적 의식에서 연결의 실패, 즉 일상생활의 실제적 불연속성을 인식하고 애통하는 모습을 제시하고 있다. 이러한 새로운 인식은 시의 표면으로 나타나는 시간의 이성적으로 무의미한 흔적들에서 비이성적이거나 "탈로고스중심적"non-logocentric 지속성의 가능성을 발견하려는 경지에로 화자의 의식 전개를 암시한다.

　제4부 「수사」는 풍요와 성배 전설의 연상을 통하여 겨울을 암시하고 있다. 이것은 제3부의 가을 부분에서 겨울의 즉각적 도래와 제5부의 화자가

방금 거쳐 온 제323행 "동산의 서릿발 침묵"(frosty silence in the gardens)의 언급에서 확인된다. 또한 이 제목은 여름의 죽음을 상징하는 행사로서 오시리스의 숭배자들이 사지 절단된 오시리스의 형상들을 수장시키는 연례 의식 및 육체의 죽음을 상징하는 기독교 세례식을 연상시킨다.

> 솟구쳤다 가라앉을 때
> 그는 노년과 청년의 뭇 층계를 지나
> 소용돌이에 휩쓸렸다. (Eliot 1988, 69)

> As he rose and fell
> He passed stages of his age and youth
> Entering the whirlpool. (*WL* 19: ll. 316-18)

엘리엇은 이 부분에 와서 화자의 영적 여행이 최저점nadir point에 왔음을 암시하고 있다. 영의 지대인 이 최저점은 커츠의 "무"의 공포가 히아신스 소녀의 "무"의 영광이 될 수 있는 곳이다. 달리 말하면, 바로 여기에서 *무*-엘리엇이 『네 사중주』 중 「번트 노턴」 제4부에서 로고스중심주의적 전통의 불확실한 언어로 신비롭게 표현한 "회전하는 세계의 정점"(still point of the turning world)-의 존재가 발견되고 기억될 수 있는 것은 이러한 시간성과 차별성의 부재, 즉 중심 없는 영역인 곳이다. 따라서 이 부분은 참신한 기억의 암시들인 신비로운 커다란 변화인 "익사한 페니키아 선원"과 "전날의 그의 눈은 변하여 진주가 된 것" 및 "난파한 형왕"(제191행) 등의 표현들을 통하여 현상학적으로 적시하고 있다.

　　제5부 「우뢰가 말한 것」에서 『황무지』는 계절적으로 완전한 순환 구조를 보이는데, 수탉의 소리와 제327행 "먼 산 너머로 들리는 봄철의 뇌성"의 암시대로, 적어도 재생의 가능성을 품게 하는 처음엔 건조한 계절로 나타나

는 봄으로 회귀하기 때문이다. 물 죽음, 땅속 매장, 위험 성당에의 도착 등에서 나타나는 겨울은 제5부의 앞부분에서 겨울을 인유한 부분인 "살아 있던 그 분은 이미 죽었고 / 살아 있던 우리는 지금 죽어 간다"에서 그 절정을 이룬다. 환언하면, 시간적 존재의 무를 직시함으로써 화자는 재생하게 되는 것이다. 요컨대, 지금까지 풍요와 성배 신화의 근원인 계절의 순환을 거치는 화자의 과정은 정확하게 목적론적 의의, 즉 플롯을 환기시키며 파괴하는 동시에 그 내면에 있는 더욱 독자적인 의미를 밝히는 수단이 되었다. 이러한 해석학적 순환에 뛰어듦으로써 화자는 그의 인식이 처음보다 더욱 고양되는 것이다.

마지막으로 엘리엇의 「주석」을 해체의 입장에서 고찰하면, 이것이 『황무지』의 일부인가 아닌가의 질문부터 제기할 수 있을 것이다. 이 「주석」이 보충적이라면 무엇을 보충하는가? 인쇄된 시인가? 아니면 작가나 함의 작가의 마음의 시를 보충하는가? 이 보충 자료인 「주석」을 엘리엇『황무지』시의 말미에 첨가함으로써, 은자 지빠귀의 노래가 가상의 물방울 소리로만 나타나는 부재의 새의 들리지 않는 노래를 보충하며 전위 / 대체(displace / replace)하듯이 이 시를 전위하거나 대체한다. 따라서 『황무지』의 최종 해체적 행위는 작가와 비평가, 허구와 사실, 제시와 재현, 독창과 보충 사이의 구별을 해체하는 것인데, 이것들은 해체의 고전적이며 핵심적인 주제들이다.

엘리엇이 그의 평론 「『율리시즈』, 질서와 신화」(*Ulysses, Order and Myth*, 1923)에서 『율리시즈』를 호평할 때에 조이스의 기법으로 규정한 고대와 현대의 지속적 병행인 "신화적 기법"mythical method은 하라리Harari가 데리다의 해체를 언급한 "의미의 잊혀지고 잠자고 있는 앙금을 휘젓고 노출시키기 위하여 텍스트의 층 사이에 난 길의 추적"과 일치한다. 이 신화적 기법의 공시적, 즉 공간적 규정의 표층 아래에서 파괴적 해석학, 즉 해체적 재해석으로 『황무지』에서 발견할 수 있는 것은 역사의 중심 없는 통시적 해석이다(Eliot 1975, 178; Spanos 234). 또한 데리다의 "텍스트는 처음 접하는 사람이 일견하여 그 작법과 게임의 규칙을 모르는 한 텍스트이다"라는 진술을 수용할 경우에, 엘리엇의 『황무지』 텍스트는 데리다가 설정한 텍스트의 범주를 훨씬 더 초월하는 것이다.

IV. 결론

엘리엇의 『황무지』에 나타난 모더니즘과 포스트모더니즘의 상충적인 양상이 미래의 엘리엇 연구를 지배할 것이며, 이보다 더 힘든 작업은 모더니즘의 신화와 심상 등의 구조적 면모와 포스트모더니즘의 해체 사이의 공통성을 찾는 일일 것이다(Airaudi 6). 지금까지 엘리엇의 『황무지』를 포스트모던 비평 양식 중에서 가장 집중적으로 연구되어온 라캉의 정신분석학적 접근과 데리다의 해체적 접근에서 천착해보았다. 전자의 접근에서 주로 "욕망"의 관점과, 후자의 접근에서 "부재"의 관점에 중점을 두고 고찰한 결과는 다음과 같다.

첫째, 『황무지』 전체가 거울 단계와 동등한 라캉의 개념인 상상계와 라캉적 타자 개념인 상징계로 엮어져 있다. 상상계는 주로 대화체로 형성되며, 환유적 서술 장면을 말하는 인간 및 비인간의 목소리/소리와 대조된다.

둘째, 『황무지』에는 여러 유형의 욕망이 연결되어 있으며, 라캉적 욕망의 논리는 시의 구조를 파괴하는 환유적 전위를 유발시킨다. 주어의 전위, 계절의 전위, 시제의 전위, 자아의 전위 등 다양한 형태의 전위들이 제시되어 있으며, 환유적 욕망과 정체의 긴장은 팽팽하다.

셋째, 해체적 입장에서 고찰할 때 『황무지』에 나타난 다양한 목소리를 연결하는 한 주체나 *페르소나*, 즉 중심의 부재가 두드러진다. 필로멜라의 변신이나 플레바스의 변화 등 본질의 부재, 즉 존재의 부재가 이 시의 핵심이다.

　넷째, 『황무지』 5부에 각각 나타난 심상, 상징, 주제, 계절적 구조 그리고 「주석」의 해체적 재해석이 가능하다.

　결론적으로, 정신분석학적 비평의 접근과 해체주의 비평의 접근은 각각 『황무지』 해석의 새로운 단면들을 제시함으로써, 상징과 신화적 구조를 추구하는 모더니즘의 풍성한 해석 위에 욕망의 논리의 환유적 전위와 탈로고스중심주의의 중심의 부재를 강조하는 포스트모더니즘의 비평적 조망을 더하고 있는 것이다.

9

『황무지』 가르치기: 교육학적 접근

I

엘리엇의 『황무지』에 대한 국내외의 연구는 주로 작품의 내재적인 의미
추구, 즉 전기비평적·신비평적·신화, 원형비평적·정신분석학적·해체
주의적 접근 등이 주된 흐름을 형성하고 있다. 사실 『황무지』는 대학의 교
과과정에 따라 학교마다 다를 수 있다. 필자의 경우 재직하고 있는 안동대
학교 3학년 2학기에 개설된 "현대영미시" 강좌, 일반대학원 석사과정의
"영미시연구 II" 강좌, 박사과정의 "현대영미시연구"와 "영미문학실제비평"
강좌 및 교육대학원의 "영미문학연구" 등의 강좌에서 반드시 다루는 작품
이다. 또한 특별히 필자는 2010년 1월부터 6월까지 매월 청율아트홀에서
대구 시민을 위한 "자연과 사랑과 신비"라는 주제의 낭만주의 영시 특강에
이어서 9월부터 2011년 4월까지 매월 "사랑과 도시와 예술과 죽음"이라는
주제의 현대영미시 특강에서 엘리엇의 『황무지』를 다루었다. 그리고 필자
는 2011년 후학기에 교육부의 학부교육 선진화 선도대학 지원ACE:

Advancement for College Education 사업에 선정되어『황무지』를 현대영미시 제 10강이라는 주제로 그 수업을 촬영하고, 동영상(http://www. kocw.net/home/search/kemView.do?kemId=334004)도 탑재하였으며, 평점 5점으로 호평을 받은 바 있다. 물론 학교 강의실에서의『황무지』강의와 교외 강연에서의 『황무지』특강은 그 교수법에 차이를 두어야 하는 것은 당연하다.

사실 엘리엇의『황무지』는 난해해서 강의실에서 강의 자체를 하지 않고 기피하는 것이 현실이라는 점을 직·간접적으로 듣고 있다. 그러나 필자가 편주서인『낭만주의 영시』(2009)에 수록한 10명의 영국 낭만주의 주요 시인의 영시 100편과『현대영미시』(2008)에 수록한 64명의 주요 영미시인의 영시 249편을 편집하면서 절감한 것은, 모더니즘의 대표시『황무지』를 학생들에게 반드시 가르쳐야할 당위성이 있다는 것이다.『황무지』는 모더니즘의 핵심이며, 또한 엘리엇은 현대영미시의 최고봉이기 때문이다. 그러면 『황무지』를 교육현장에서 어떻게 가르쳐야 가장 큰 효과를 거둘 것인가? 이러한 문제를 놓고 심도 있게 고민하며 방법론을 제시할 필요가 있다고 여겨진다. 과거와 같이 대학 강단에서 이해하기 쉬운 낭만주의 시나 자신의 취향이나 전공에 따른 시들 만을 가르치면서 한 학기 수업을 다했다고 자족한다면, 학문의 발전과 영시 전공 후학의 양성은 요원할 것이다.

1988년 가을 한국현대영미시학회 창립기념 학술대회 특강에서 고려대학교의 김종길 교수는 학부에서『황무지』제1부인「사자의 매장」을 가르친다고 밝혔다. 한편, 연세대학교의 이상섭 교수는『황무지』시 전체를 가르친다고 말한 것으로 기억하고 있다. 필자 또한 1976년 경북대학교 4학년 학부와 1977년 대학원에서 고 김종윤 교수로부터『황무지』시 전체를 배운 바 있다. 하지만, 중요한 것은 장시『황무지』를 얼마나 배웠는가의 문제가 아니라 얼마나 정확한 번역을 통해 시에 내재된 의미를 심도 있게 파악했는가의 문제일 것이다. 또한 과거와 달리 시청각 교재의 범람으로 카세트테이프, 비디오, DVD뿐만 아니라 블로그, 유튜브youtube 동영상 등을 통해 엘리엇의 육성 낭송과 유명 배우의 영시 낭송도 쉽게 접할 수 있는 실정이다. 엘리엇 탄생 100주년인 1988년 브루커 교수가 편찬한 『엘리엇의 시와 시극 교수법』(*Approaches to Teaching Eliot's Poetry and Plays*)이 출간되었다. 여기에서 「『황무지』 가르치기」("Teaching *The Waste Land*")를 하나의 장에서 서술하고 있다. 또한 2010년 10월 1일 강원대학교 삼척캠퍼스에서 개최된 한국T.S.엘리엇학회 가을 학술대회에서 "강의실에서의 엘리엇"이란 주제로 3명의 교수들과 2명의 대학원 박사과정 학생들이 참가한 원탁토론 Roundtable Discussion을 실험적으로 실시한 바 있다. 이 책에서는 난해한 장시 『황무지』의 연구보다는 『황무지』 가르치기의 관점에서 필자의 생생한 교육 경험을 제시하여 교수, 대학생, 대학원생 그리고 일반 독자들과 효과적인 교육학적 방법을 공유하고자 한다.

II

필자가 재직하고 있는 대학의 학부 학생들의 현대영미시 수업 시간에 다루는 시인들은 휘트먼, 에밀리 디킨슨Emily Dickinson, 예이츠, 프로스트, 엘리엇 등으로서 이들의 생애를 먼저 간략하게 소개하고, 그들의 주요시들을 집중적으로 다루며, 히니와 캐시 송Cathy Song의 시 몇 편도 다룬다. 올해에는 아직 히니와 송을 다루지 않았지만, 작년에는 히니의 생애와 시 「땅파기」 ("Digging")와 송의 생애와 시 「사진 신부」("Picture Bride") 등을 가르쳤다. 또 과거에는 제라드 맨리 홉킨즈Gerard Manley Hopkins의 「황조롱이」 ("Windhover")를 몇 년간 가르친 적도 있다. 교실에서 엘리엇의 『황무지』를 강의하기 전에 필자의 블로그인 "꽃과 자연과 여행과 시"(http://bluesky flowers.tistory.com/)에 올려놓은 『브리태니카 백과사전』(*Encyclopædia*

Britannica)에서 인용한 앨런 테이트Allen Tate와 헬런 가드너Helen Gardner가 공동 집필한 엘리엇의 생애(http://blueskyflowers.tistory.com/2882)를 30분 정도 가르치면서 영미시 수업에서 간과하기 쉬운 산문 영어도 학생들에게 동시에 학습시킨다. 수업과는 달리 특강에서는 『황무지』를 다루기 전 2011 년 4월 11일에 실시한 대구 청율아트홀의 엘리엇 특강에서 파워포인트로 제작한 90여 장의 엘리엇 관련 사진들을 대형스크린에 투사하면서 그의 생 애를 30분 정도 엮어나간 스토리텔링 방식이 참가자들의 동기유발에 큰 도 움이 되었다.

매년 필자는 학부 학생들에게 엘리엇의 초기시 「J. 알프레드 프루프록의 연가」와 『황무지』 전체를 다루며, 어떤 해에는 「나이팅게일에 에워싸인 스 위니」도 강의를 한 적 있다. 또한 대학원과 교육대학원 학생들에게는 「게론 티온」과 『네 사중주』도 다루어 왔다. 사실 「J. 알프레드 프루프록의 연가」 를 강의하는 데 두 시간으로는 부족하며, 브루커 교수가 『황무지』 수업에 90분 수업으로 3회, 즉 270분을 배정한다고 밝혔지만, 이 장시를 상세히 다 루려면 1주일 3시간 수업으로는 3주, 즉 450분 정도 소요될 것이다 (Brooker 103). 그러나 수업 시간의 제약으로『황무지』를 제1부에서 제5부 까지 학생들은 1-2쪽 분량의 유인물로 전부 발표하지만, 필자는 제1부만 완 역을 하고, 제2부 이후부터 일일이 번역하지 않는다. 발표를 하는 도중에나 마친 후에 발음과 낭독의 오류 및 오역 등을 지적하고 수정해주며, 발표한 영시에 대하여 학생들이나 필자가 질문을 함으로써 학습 동기를 촉발하려 고 한다. 그러나 현실적으로 미리 예습을 해오는 학생들이 극소수이기 때문 에 영시를 발표한 후 활발하고 생산적인 토론이 없는 것이 아쉬운 현실이 다. 필자의 다른 강좌들, 즉 교육대학원의 "영미문학연구" 강좌에서 스크린 영어 교재로 사용하는 『모비딕』, 『누구를 위하여 조종은 울리나』, 『뻐꾸기 둥지 위로 날아간 새』(*One Flew Over the Cuckoo's Nest*) 등을 다룰 때는 영화를 다 본 후에 10문항의 퀴즈 테스트와 함께 하는 토론으로 소설과 영화에 대한 학생들의 수업 집중도를 제고하고 종합적인 작품 평가를 하도록 해왔다. 이러한 퀴즈 테스트를 학부 학생들의 동기 유발을 목적으로『황무지』수업 시간의 모두冒頭에서나 수업 종료 직전에 10-20분 정도 실시하는 것이 좋을 것이다.

　필자의『황무지』수업은 앞에서 언급했듯이 블로그를 활용하여 엘리엇의 생애를 소개하는 데에 30분을 소요하고, 학생들에게『황무지』제1부 발표에 2명, 제2부에 3명, 제3부에 3명, 제4부에 1명, 제5부에 3명 등으로 할당을 하고, 발표 학생들이 적당한 분량으로 시행을 나누어서 번역과 해설을 작성한 유인물을 나누어 주고 발표를 하게 한다. 학생들의 유인물을 활용한 발표는 교수의 일방적인 강의보다는 사범대 영어교육과 학생들에 걸맞은 예비교사로서의 발표 능력을 향상시키기 위한 준비로써 더욱 적합한 교수법이라고 여겨진다. 번역서를 구하기 어려운 과거 필자의 학부 시절에『황무지』를 배울 때 학생들은 교수의 일방적인 영시 번역을 노트에 받아 적는 것이 수업의 전부라고 해도 과언이 아니었다. 시의 상징적인 의미뿐만 아니라, 브루커 교수가『황무지』의 주제를 "사랑이 실패할 때에 황무지가 나타난다."(When love fails, a waste land develops.)라고 강조하듯이, 필자도 수업 시간에 역설하는『황무지』의 주제가 "부도덕한 사랑"이 곧 "죽음"이라는 심층 구조도 모른 채, 엘리엇의 육성 테이프나 비디오조차 없이 수업한 그야말로 척박한 황무지 같은 수업이었다(Brooker 103, 105). 따라서 엘리엇의『황무지』를 수업 현장에서 학생들에게 가르칠 때 학습효과의 극대화를 도모하기 위한 필자 나름의 수업 방식이 독자들의 수업에 참고가 되었으면 한다.

　우선『황무지』의 교재로는 필자의 편저서인『현대영미시』에 수록한『황무지』와 블로그에 탑재한『황무지』를 함께 사용한다. 편저서에는 각주를 비교적 상세히 달아 놓아 학생들이나 독자들이 원시를 이해하는 데에 다소 도움이 되도록 하였다. 물론 2008년 『현대영미시』 교재를 개발하기 전에 필자는 엘리엇의 『시 전집』(Collected Poems)이나 김동룡 교수가 편집한 『T. S. 엘리엇의 시』(T. S. Eliot's Poetry)에 수록된 「황무지」를 다년간 대학원 학생들의 수업 시간에 교재로 활용한 바 있다. 학부에서 『황무지』의 강의는 A4 용지 1-2쪽 분량의 학생 발표용 영시 유인물과, 멀티미디어실에서 컴퓨터 인터넷 검색을 통하여 필자 블로그의 전체목록보기 중 "T. S. 엘리엇" 란에 탑재된 시 『황무지』(http://blueskyflowers.tistory.com/2848)를 대형스크린에 빔 프로젝터로 투사하여 효과적으로 활용하고 있다. 대형스크린에서 엘리엇의 장시 『황무지』 433행과 엘리엇의 「주석」뿐만 아니라 일반 교재에서는 보기 어려운 『황무지』의 배경인 안개에 쌓인 런던의 흑백 사진과, 이 시가 처음 게재된 『크라이티어리언』 창간호의 표지를 천연색 사진으로 볼 수 있고, 엘리엇이 『황무지』를 낭송한 동영상을 시청할 수 있기 때문에 수업 효과를 극대화하는 데에는 아주 적합한 교육 방법이라고 생각한다.

한국에서 『황무지』를 학부 학생들에게 교수하는 필자를 포함한 한국의 대부분 영미시 교수들은 다른 영시를 수업하는 방식과 같이 원시 낭독을 하고, 우리말로 번역을 하며, 해설을 하는 것으로 주로 수업을 진행한다고 보아도 무방할 것이다. 물론 개인별로 특별히 교보재를 준비하여 학생들에게 가르치는 교수들도 있을 것이다. 필자도 편저서인 『현대영미시』 교재를 개발하기 전까지는 앞에서 언급한대로 준비해온 유인물로 『황무지』를 발표하게 하고, 영어 단어의 발음이나 시 낭송 등의 오류와 오역 등을 수정해주며, 질의응답 과정을 거친 후에 번역을 했다. 필자의 영시 번역은 주로 이창배 교수의 번역시 『황무지』를 참고하며 일부 번역의 오류를 수정하면서 가르쳐 왔다. 엘리엇 시 "The Waste Land"의 제목이 일본에서는 『황지荒地』로 번역되고 있고, 한국 최초로 『황무지荒蕪地』의 일부 시행(60-65행)을 번역하면서 『신동아』(1935) 제5권 제8호에 기고한 「현대영국의 젊은 시인들」에서 박용철은 『황폐국荒廢國』으로 번역한 바 있다. 고 이재호 교수도 한국 T.S.엘리엇학회의 독회나 모임 등에서 기회 있을 때마다 시제를 박용철의 번역과 동일한 『황폐국』으로 제안하면서 작품 속에 등장하는 어부왕Fisher King을 그 이유로 제시하고 있다. 한편, 최근에는 김종길 교수나 김병옥 교수 등이 『황무지』를 『황폐한 땅』으로 번역할 것을 주장하고 있는데, 원어의 의미에 더욱 가까운 번역이지만 이 책에서는 지금까지 한국T.S.엘리엇학회지 『T. S. 엘리엇 연구』에 발표된 논문들이 『황무지』로 번역해온 관행을 유지하는 의미에서 번역어 『황무지』를 그대로 사용했다. 한국의 『황무지』 번역에서 드러난 오역誤譯에 대해서는 1999년 봉준수 교수의 논문 「『황무지』 번역의 어려움」과 2007년 김용권 교수의 논문 「고 이인수역 『신세대』지 『황무지』와 육필원고 『황무지』 비교」 및 2009년 김상무 교수의 논문 「엘리엇 시의 번역에 대하여」에서 명쾌하게 지적한 바 있다. 여기서 추가로 『황무지』 번역에서 영향력 있는 학자들마다 동일하거나 유사하거나 전혀 다른 번역들을 대조하면서 오역을 지적하는 것도 『황무지』를 가르치는 교수들이나 엘리엇 학자들에게 적지 않은 지침이 될 것으로 판단되어 집중적으로 조명하기로 한다.

우선 한국 최초의 『황무지』 번역에서 기념비적인 성과로서 필자가 주목한 것은 2006년 가을 한국T.S.엘리엇학회 독회에서 김용권 교수가 발표한 『황무지』 번역에 관한 특강이 계기가 되어 실체가 드러나게 된 고려대학교 고 이인수 교수의 『황무지』 초역 육필원고와, 1949년 1월 25일 출판된 『신세대』 제4권 제1호 신춘호에 기고한 활자인쇄본을 이 교수의 차자인 이성일 연세대 교수가 2006년 『T. S. 엘리엇 연구』 제16권 제2호에 수록한 특별기고이다. 이인수 교수가 「역자의 말」에서 『황무지』 활자인쇄본 번역의 절반의 공로를 당시 고려대학교 3학년 제자인 김종길 교수에게 돌리고 있음으로써 『황무지』의 최초 완역자가 공저자임을 밝힌 셈이다(이성일 251-52). 그러나 『황무지』 육필원고와 활자인쇄본에 대하여 이성일 교수는 어느 것이 먼저 이루어졌는지 불확실하다고 진술했지만(230), 김용권 교수가 지적했듯이(10-11) 조금만 비교해보아도 후자가 전자의 개역인 것이 확실하다. 또한 본고에서 참고한 김종길 교수의 번역은 『20세기 영시선』(1978)에 수록된 「황무지」와 『현대영시선』(2005)에 수록된 「황무지」이다. 또 양주동 교수의 『T. S. 엘리옽 시 전집』(1955)에 수록된 「황무지」도 한국에서 초창기의 번역이라는 점에서 참고하였다. 또한 이창배 교수의 번역은 『T. S. 엘리어트』(1980)에 수록된 「황무지」와 『T. S. 엘리엇 전집: 시와 시극』(1988)에 수록된 「황무지」 및 『영미시 걸작선』(1998)에 수록된 「황무지」이다. 그리고 이재호 교수의 번역은 『장미와 나이팅게일』(1968)에 수록된 「황무지」와 『20세기 영시』 개정증보판(1991)에 수록된 「황무지」이다. 또한 황동규 교수의 『황무지』(2004)와 조신권 교수의 『황무지』(1985) 및 중진 학자인 우상균 교수의 『현대영미시 입문』(2003)에 수록된 「황무지」를 참고하였다.

먼저 『황무지』 제1부 제8행에 등장하는 독일 뮌센 근교에 있는 휴양지 호수 지명인 "Starnbergersee"에 대한 역자들의 상이한 번역은 무척 흥미롭다. 이인수 교수는 "스타안벨거세의 호수"(253, 232)로, 양주동 교수(93)는 "슈타른베르거 호湖"로 번역을 하고, 김종길 교수도 "슈타른베르거호湖"(105)와 "슈타른버거 호湖"(144)로, 이창배 교수는 "슈타른베르가제호湖"(86), "슈타른베르가제"(57), "슈타른베르가제 호수"(103)로, 이재호 교수는 "슈타른벨겔호湖"(248)와 "슈타른베르게르호湖"로 각각 번역을 수정해나가고 있다. 또한 황동규 교수도 "슈타른버거 호湖"로, 조신권 교수는 "슈타른베르거제"(107)로, 우상균 교수는 "슈타른베르가제호湖"(172)로 번역하고 있다. 제5장 「『황무지』의 공간」에서 밝혔고, 2008년 여름에 실제 방문한 독일 뮌센 인근에 위치한 아름다운 호수의 독일어 발음에 가장 근접한 번역은 "슈타른베르거제"가 될 것이다. 물론 접미사 "see"에는 "호수"의 의미가 있으므로 고유명사 그대로 음역을 하면 "슈타른베르거제"가 될 것이고, 충주호나 안동호와 같이 한국식으로 번역하면 "슈타른베르크호湖"로 번역해야 할 것이다. 필자가 목격한 호수의 유람선 선착장에는 "Starnberger See"로도 표기하므로 이런 경우에는 "슈타른베르크호"나 "슈타른베르크의 호수"로 번역해야 한다. 이어서 독일어 "Hofgarten"을 이인수 교수는 한자어 "정원庭園"(232)으로, 양주동 교수(93)는 "호프 공원"으로, 김종길 교수(105, 145)와 이창배 교수(86, 57, 103)는 "공원公園"으로, 이재호 교수는 "호프갈텐"(248)으로 초역하고, "호프가르텐"(224)으로 수정하였으며, 황동규 교수(46)와 우상균 교수(172)는 "호프가르텐 공원," 조신권 교수는 "호프가르덴 공원"(107)으로 번역하고 있다. 필자도 한동안 "공원"으로 번역하여 가르쳐왔지만, 논문에서 독일 뮌센에 실존하는 공원인 "호프가르텐"이 고유명사이므로 한글로 번역하지 않고 원어 그대로 사용한 바 있다(안중은 2006, 172). 사실 필자는 2008년 여름 호프가르텐을 방문하고 엘리엇이 원용한 공간의 함축성을 감격적으로 실감한 적이 있으므로 이재호 교수와 같이 "호프가르텐"을 그대로 사용하는 것이 좋을 것으로 제안한다. "Hofgarten"의 "Hof"가 "궁전"의 의미이고, 독일어 "garten"이 영어의 "garden"에 상응하는 단어로서 "공원"이나 "정원"의 의미의 합성어이기 때문이다. 따라서 "호프가르텐 공원"이나 앞에서 언급한 "슈타른베르거제호" 또는 "슈타른베르거제 호수"로 번역하면 고유명사를 다시 뜻풀이하는 결과가 되므로 지양하는 것이 좋을 것 같다.

한편, 『황무지』 제21행에 등장하는 대명사 "You"를 역자에 따라서 단수나 복수로 다르게 번역하고 있다. 이것이 제20행의 "인자"人子, Son of man의 단수 대명사인가 아니면 인자였던 에제키엘이 예언가로 활동한 당대의 이

스라엘 백성들인 복수 대명사인가에 따라서 해석이 판이하게 달라진다. 이
인수 교수는 육필원고에서는 복수대명사 "너히"(254, "너희"의 오기)로, 활
자인쇄본에서는 "너"(233)로 번역을 서로 다르게 하고 있다. 이창배 교수
(86, 57, 104)는 복수 형태인 "너희들"로, 이재호 교수(248, 224)와 황동규
교수(48)는 "너"로 번역을 하고 있다. 양주동 교수(94), 김종길 교수(106,
147), 조신권 교수(108), 우상균 교수(172)는 단수 존칭어인 "그대"로 번역
하고 있다.[30] 그런데 성경의 신약에서 예수는 스스로를 "인자"라고 말했지
만, 『황무지』의 "인자"는 엘리엇의 「주석」에 따르면 구약 에제키엘서 제2
장 제7절에 나오는 선지자 에제키엘에게 적용되는 호칭이다(*WLF* 147). 문
제는 인자를 부르는 주체가 신이기 때문에 "그대"의 번역은 오역으로 드러
나며, 이스라엘 백성들을 지칭하는 것보다는 구약시대에 이스라엘 백성들
의 경배의 대상이지만 "부서진 우상의 무더기,"[31] 즉 태양신상에만 국한되
므로 "예언하거나 예측도 할 수 없는"(You cannot say, or guess) 무능한 예
언자 에제키엘을 지칭하는 동시에 "황무지" 같은 현실에서 인식의 범위가
제한되는 시인 엘리엇을 함의하는 단수 대명사 "너"로 번역하는 것이 타당
할 것이다(*WLF* 135). 물론 "너"는 제1부 마지막 시행에 가면 "위선자 독
자"(hypocrite lecteur)를 내포하는 대명사이기도 하다(*WLF* 137). 단수로
번역해야 제27-30행 사이에 시행마다 등장하는 단수 대명사 "너"you와도
문맥이 자연스럽게 연결된다.

　　또한 『황무지』 제1부 제3연 제43행에 등장하는 소소스트리스 부인의 타
로 카드 중 "a wicked pack of cards"의 번역에서 필자가 2000년 11월 16
일 서울대학교에서 개최된 한국T.S.엘리엇학회 가을 학술대회에서 발표한
「타로 카드: 『황무지』의 해석 기법」에서 이창배 교수의 번역인 "사악한 트

---

30) 엘리엇의 「주석」을 원용하면서 『황무지』 번안에 가까운 번역을 하고 있는 이정기 교수는 이
　　부분의 "Son of man"을 "예언자"로 의역하고, "You"를 "당신"으로 번역하고 있다(45).
31) 에제키엘서 6:6: "너희 우상들이 깨어져 없어지며."

럼프 점"을 인용하여 발표했을 때에 김종길 교수가 "사악한"을 "영특한"으로 번역할 것을 제안한 것으로 기억하고 있다. 이때는 김종길 교수의 번역을 전혀 참고하지 않은 상황이었는데, 그 후에 김 교수의 『황무지』 번역에는 "영특한 카드를 한 벌"(107, 149)로 번역한 것을 확인하였고, 황동규 교수(52)와 조신권 교수(109)도 "영특한 카드 한 벌"로 번역하고 있다. 이인수 교수는 "영특한"과 거리가 다소 먼 "영묘靈妙한 카아드를 한 벌"(255)과 "한벌 영묘한 카아드"(234)로 번역하고 있다. 양주동 교수는 "영특한"과 "사악한"의 중간 의미인 "사특한"(96)으로 번역하고 있음은 흥미롭다. 이재호 교수는 "사악한 트럼프 한 벌"(250, 226)로 오역을 하고 있는데, 마침 이 학술대회 하루 전에 출판한 필자의 저서인 『T. S. 엘리엇의 시와 비평』(2000)에는 "사악한"으로 오역을 하였고, 우상균 교수도 "사악한"(173)으로 오역을 하고 있다. 그 후에 필자는 "wicked"에는 "사악한"이라는 의미 이외에 "탁월한"excellent의 의미가 있는 것을 발견하고, 김종길 교수가 번역하고 제안한 "영특한"의 의미와 유사하지만, 소소스트리스 부인이 인간의 운명을 예언하는 집시들의 타로 점을 치는 것을 고려하여 "신통한"(65)으로 수정하여 필자의 저서인 『T. S. 엘리엇의 시와 비평』 개정판(2004)과 개정3판(2008)에 수록하였다.

또한 『황무지』 제1부 제51행에 등장하는 타로 카드의 한 장인 "the man with three staves"에 대해서는 봉준수 교수(138)도 이미 지적한 바 있지만, 이인수 교수는 "지팽이 세 개 짚은 사나[이]"(255)와 "지팡이 셋 짚은 사나이"(234)로 각각 번역을 하고, 김종길 교수(107, 149)와 황동규 교수(54)도 "지팡이 셋 짚은 사나이"로 번역하였다. 조신권 교수(109)는 "세 지팡이를 가진 사나이"(109)로, 양주동 교수는 "세 막대기를 가진 사나이"(96)로 번역하였고, 이재호 교수는 "세 막대기를 갖인 남자"(250)에서 "세 막대기를 가진 남자"(228)로 맞춤법을 수정하였으며, 우상균 교수(173)도 "세 막대기를 가진 남자"(173)로 번역하였다. 이창배 교수는 "세 갈래 장대를 가진 사나이"(88)에서 "세 개의 장대를 가진 사나이"(58)로 수정하다가 다시 첫 번역으로 바꾸었다(105). 타로 카드에는 한 남자가 세 개의 긴 막대기를 모두 짚고 있거나 가지고 있는 것이 아니라 새순이 돋은 긴 막대기 한 개를 잡고 등을 뒤로 하면서 죽음을 연상하는 사막 같은 바다를 응시하고 있으므로 필자는 "세 개의 장대와 남자"로 번역을 시도하였다(안중은 2008, 65). 그런데 지팡이는 의지하기 위한 것이지만, 막대기는 짧은 것과 긴 것이 있으므로 장대가 더 적절할 것 같다. 따라서 "세 개의 장대를 가진 사나이"의 번역보다는 "세 개의 장대와 사나이" 또는 "세 개의 장대와 남자"로 번역하는 것이 좋다고 제안한다. 또한 타로 카드의 한 구성소인 "운명의 수레바퀴"를 함의하는 "Wheel"의 번역을 이인수 교수(235, 234), 김종길 교수(107, 149), 양주동 교수(96), 황동규 교수(54), 조신권 교수(109), 이재호 교수(250, 228)와 우상균 교수(173)는 "바퀴"로 번역을 하고, 이창배 교수는 한자어 "차륜車輪"(89)에서 "수레"(58)로, 다시 "차륜"(105)으로 번역을 수정하고 있다. 수레는 바퀴와 엄연히 다른 오역이며, 특히 신세대들에게 "바퀴"는 자동차 바퀴나 자전거 바퀴를 쉽게 연상할 수 있으므로 단순한 "바퀴"나 다소 생소한 한자어인 "차륜"보다는 "수레바퀴"가 더욱 적합한 번역으로 여겨진다. 또 제1부 제55행에 등장하는 "The Hanged Man"을 이인수 교수(255, 234), 김종길 교수(107, 149), 이창배 교수(90, 59, 105), 조신권 교수(109)는 모두 "매달린 사나이"로, 황동규 교수(54)는 "매달린 사내"로, 양주동 교수(96)는 "교살된 사나이"로, 이재호 교수(252, 228)와 우상균 교수(173)는 "교살된 남자"로 번역을 하고 있으며, 필자도 "매달린 남자"(77)로 번역을 한 바 있다. 그런데 타로 카드를 자세히 살펴보면 매달린 사람이라면 죽어야 하지만, 사실은 T자의 새순이 돋은 나무 형틀에서 죽지 않고 살아 웃고 있는 듯하며, 성자들에게서 볼 수 있는 후광이 선명한 거꾸로 매달린 남자의 모습이므로 봉준수 교수가 제안한 "매달린 사람"(138)이 좋지만, "매달린 사나이" 또는 "매달린 남자"로 번역하는 것이 더 정확할 것이다. 이러한 타로 카드에 대한 번역의 부정확성은 역자들이 타로 카드를 직접 보지 않은 상태에서 번역한 결과라고 여겨진다.

제2부 제목인 "A Game of Chess"의 번역을 이인수 교수는 "장기"로, 양주동 교수(99)는 "장기 놀음"으로, 김종길 교수와 우상균 교수(173)는 "장기 한 판"으로, 이창배 교수(60)는 "장기 두기"로, 이재호 교수(254)와 황동규 교수(60)는 "체스 놀이"로, 조신권 교수는 "장기 놀이"로 각각 조금씩 다르게 번역하고 있다. 필자도 "장기 두기"로 번역을 한 바 있으나, "Chess"는 서양의 체스로서 한국의 장기와는 다르므로 "체스" 그대로 수정하여 번역하고 있으며, "체스 놀이"나 "체스 게임"으로 번역하는 것이 좋을 것이다. 또한 『황무지』 제2부 제95행의 "green and orange"를 고 이인수 교수는 "푸르게 피어올라 유자 빛"(257)과 "유자빛 푸른 빛"(236)으로, 김종길 교수(109, 153)는 "초록빛, 유잣빛"에서 "초록빛, 유자빛"으로 수정하고, 양주동 교수(100)는 "초록빛 오랜지빛(오렌지빛의 오기)"으로, 조신권 교수도 유사하게 "초록빛과 오랜지빛"(112)으로, 이창배 교수는 "청록색, 오렌지색"(60)으로, 황동규 교수는 "초록빛 주황색"(62)으로, 우상균 교수는 "녹색, 오렌지색"(174)으로 약간 다르게 번역하고 있다. 요컨대, 한국에서의 번역은 "빛"과 "색"으로 번역하거나 혼용하여 번역하고 있다는 점이다. 물론 채색된 돌화로 속에서 불타는 불빛이므로 "색"보다는 "빛"이 더욱 가까운 번역일 것이다. 따라서 "초록빛 주황빛"으로 번역을 할 것을 제안한다. 물론 "orange"가 색의 의미로 사용될 경우에는 "오렌지색"보다는 "주황색"으로 번역해야 할 것이다. "초록빛"은 편안함, 안정, 휴식, 건강 등 숲과 자연을 많이 연상하는 빛이고, "주황빛"은 빨간빛보다 강렬한 이미지는 덜하지만 타오르는 불을 연상시키며 매우 따뜻하고 역동적이며 활기찬 느낌

을 주므로 시적 심상에 어울리는 빛이다. 그리고 제2부 제128행에 등장하는 "Shakespeherian Rag"을 이인수 교수는 "셰익쓰피어의 누더기"(258)와 "세익스피어의 누더기 쪼각"(237)으로 번역하고, 양주동 교수(102)는 "쉐익스페헤아의 누더기"로 번역하였으나 오역이다. 김종길 교수(111, 155)는 "셰익스피어식 장단"과 "세익스피어식 장단"으로, 이창배 교수(94, 61, 109)는 "셰익스피어적인 재즈"로 번역하고 있다. 이재호 교수(258, 236)는 "셰이크스피히식의 재즈"에서 "셰익스피히어의 재즈"로 번역을 수정하고 있다. 황동규 교수(68)는 "셰익스피이이어식 래그 재즈"로 번역하면서 각주를 친절하게 제시하고 있다. "래그"Rag가 제1차 세계대전 발발 무렵에 유행한 재즈 춤곡의 한 형식이고, 엘리엇이 당김음의 리듬을 재생하기 위하여 "셰익스피어"Shakespeare 철자의 두 번째 "a" 대신에 "he"로 대체한 것을 간과하면 오역이 되는 것은 어쩔 수 없는 필연인 것이다(Southam 1994, 163). 또한 161행에 나오는 "the chemist"를 이인수 교수는 "약국주인은"(239)으로, 김종길 교수는 "약국은"(112)으로, 이창배 교수는 "약방에선"(63), 황동규 교수(72)와 조신권 교수(116)는 "약제사는"으로, 우상균 교수(176)는 "약사는"으로 각각 번역하고 있는데, 현대어로 "약사는"으로 번역하는 것이 좋을 것 같다.

한편, 제3부 제목인 "The Fire Sermon"을 이인수 교수는 육필원고에서 "불의 설교"(260)로, 활자인쇄본에서 "화교"火敎(239)로 번역을 하고, 김종길 교수는 "화교"(113)에서 "불의 설교"(157)로 수정하고, 이창배 교수(98, 64, 111), 이재호 교수(262, 240), 황동규 교수(76), 조신권 교수(118) 및 우상균 교수(176)도 "불의 설교"로 번역을 하고 있다. 필자도 오랫동안 "불의 설교"로 번역하여 가르쳐왔으나 기독교적인 번역일 경우에는 "설교"가, 불교적인 번역일 경우에는 "설법"이 더 적절하고, 엘리엇이 인간을 불사르는 욕정, 분노, 질투 등의 불들에 대한 부처의 설법을 원용한 것을 고려하면

"불의 설법"이 더욱 타당한 번역으로 간주하여 수정하여 가르치고 있다 (Southam 1994, 165).

또한 제3부 제196-98행에서 스위니와 포터 부인이 등장하는 시행들의 번역은 한국에서『황무지』번역의 주요 완역자인 이인수 교수, 김종길 교수, 양주동 교수, 이창배 교수, 이재호 교수, 황동규 교수 등 역자에 따라서 번역의 차이가 다소 심하므로 이 시를 가르치는 입장에서 다음과 같이 정리하는 것이 매우 가치가 있을 것으로 판단되어 모두 인용한다. 아래 인용시와 번역시에서 이탤릭체는 필자의 것이다.

> But at my back from time to time I hear
> *The sound of horns and motors*, which shall bring
> Sweeney to Mrs. Porter *in the spring*. (*WLF* 140)

> 그러나 이따금씩 내 뒤에서는
> *봄이 오면* 쓰위니씨를 포오터夫人에게로 태워다 주는
> *모터와* 고동 소리가 들려온다. (이성일 240)[32]

> 허나 나의 등 뒤에선 이따금씩
> 스위니를 *목욕하는* 포터 夫人에게로 데려다 주는
> *엔진소리와* 고동소리가 들려온다. (김종길 1976, 114)

---

32) 이인수 교수의 육필원고에는 다음과 같이 좀 다르게 번역되어 있다.

> 그러나 이따금씩 내 뒤에서는
> *自動車와* 고동소리 들려오니
> *봄이* 되면 쓰위이니君이 포오터夫人을 찾는것이니라. (이성일 261)

그러나 등 뒤에서 때때로 들리는 것은
角笛들과 모오타들 소리, 그것은 봄철에
스위이니를 포오터 *夫人*에게 데려가리라 (양주동 107)

그러나 나는 때때로 내 등에서
경적과 자동차의 모터 소리를 듣는다. 이 차는
봄에 스위니를 싣고 포터씨 부인에게로 달릴 것이다.
(이창배 1988, 65; 1998, 26)[33]

그러나 등 뒤에서 나는 때때로 듣는다
警笛과 自動車 소리, 봄이 오면 그 차가
스위니를 포오터 *夫人*에게 태우고 가리라 (이재호 1991, 242).[34]

허나 등뒤에서 나는 때로 듣는다.
클랙슨 소리와 엔진 소리를, 그 소리는
스위니를 *샘물 속에 있는* 포터 부인에게 데려가리라. (황동규 80)

위 시행들을 일견하면 "*The sound of horns and motors*"와 "*in the spring*"
에 대한 번역이 역자들에 따라서 상이함을 알 수 있다. 양주동 교수가
"*horns*"를 뿔피리의 의미인 "*각적*"으로 번역한 것은 엘리엇이 「주석」에서
밝힌 데이의 『벌들의 회의』에서 인용한 시행들을[35] 참고한 것일 수 있지

---

33) 이창배 교수는 1980년판의 『황무지』 번역에서 "모터"를 "모우터," "스위니"를 "스위이니,"
   "포터씨 부인"을 "포오터씨 부인"으로 표기한 바 있다(이창배 1980, 98-100).
34) 이재호 교수는 1968년판의 『황무지』 번역에서 "등 뒤에서"를 "등뒤에서," "自動車 소리"를
   "自動車소리," "봄이 오면 그 차가"를 "봄이오면 그것은"으로 표기하여 띄어쓰기의 오류가
   보인다(이재호 1968, 262).
35) 귀 기울이면 갑자기 들리리라
   각적을 불며 사냥하는 소리가, 그것은 악테온으로 하여금
   샘에서 목욕하는 디아나에게 가게 할 것이니.

만, 현대의 자동차에서 신호나 경고용으로 소리를 내는 "경적"과는 거리가 먼 번역이다. 또 "*motors*"는 자동차에 시동을 걸면 배터리의 전기에너지를 기계에너지로 바꾸어 주는 전동 장치 "모터"로서 연료를 태우며 열에너지를 기계에너지로 바꾸는 "엔진"과 다르므로 "모터"가 "엔진"보다는 자동차 공학적으로 더 정확한 번역일 것이다. 또한 "*spring*"을 "샘"이 아닌 "봄"으로 오역하는 경우가 의외로 많으며, 한국T.S.엘리엇학회 독회에서 오역임을 지적한 이재호 교수의 번역도 잘못되어 있음이 드러나 있다.

그리고 『황무지』 제3부 제218행, 228행, 243행에 세 번 등장하고, 엘리엇이 「주석」에서 "가장 중요한 인물"(*WLF* 148)이라고 밝힌 "Tiresias"의 번역은 이인수 교수(241-42)가 육필원고에는 "티레시애쓰"(262-63)로, 활자인쇄본에서 "티레씨에스"와 "티레씨애스" 두 가지로 번역하고 있는데, 후자는 교정의 오류에서 파생된 것으로 여겨진다. 김종길 교수(115-16)와 이창배 교수(65-66)는 "티레시아스"로, 황동규 교수(84-86)와 조신권 교수(12-22)는 "티레지어스"로, 이정기 교수(67-70)와 봉준수 교수(142)는 "타이레시아스"로, 우상균 교수(177-78)는 "테이레시아스"로 번역을 하고 있다. 물론 엘리엇은 『황무지』를 낭송할 때에 "타이리시어스"로 발음을 하지만, 한국어로 번역할 경우에 원어에 가깝게 번역하는 원칙을 따르면 고대 그리스어인 "Τειρεσίας"의 고전 그리스Classical Greek, BC 5-4C 시대 그리스어의 국제음성기호IPA에 의하면 [te : resía : s]이므로 "테레시아스"로 번역을 해야 할 것이다. 그러나 『일리아스』와 『오디세이아』의 작가 호메로스가 등장하는 고전 그리스 이전Pre-classical Greek 시대의 발음에서는 "ει"의 발음이 장모음 "e : "로 변하기 전의 이중모음 "ei" 그대로 발음했으므로 "테이레시아스"로 번역하는 것이 타당할 것이다. 또한 그리스어 "Τειρεσίας"를 로마자로 축자적 번역을 하면 "Tiresias"가 아닌 "Teiresias"임을 상기하

거기에서 모두들 알몸뚱이 살결을 보리라. (이창배 1998, 112)

면 한국의 일반적인 번역인 "티레시아스"보다는 "테이레시아스"로 번역하는 것이 보다 정확한 번역일 것이다. 인터넷에서도 다른 번역어가 아닌 "테이레시아스"로 검색이 가능하며, 한국T.S.엘리엇학회지에 기고되는 최근의 논문들에도 여러 가지로 번역되어 있지만, 논문 심사과정을 거쳐서 "테이레시아스"로 최종 인쇄되어 나오는 것으로 알고 있다.

또한 『황무지』 제277-78행과 제290-91행에 두 번 반복되는 후렴인 "Weialala leia / Wallala leialala"를 이인수 교수는 "어화어여루 상사뒤야 / 어화어여우 상사뒤야"(265)와 "어화 어여우 상사뒤야 / 어화 어여우 상사뒤야"(243)로 각각 의역하고 있다. 양주동 교수(113-14)는 "웨이아랄라 레이아 / 월라라 레이알랄라"로, 이창배 교수(67-68, 104-6)는 "웨이아랄라 레이아 / 월라라 레이아랄라"로 음역하고 있다. 김종길 교수(118, 165-67)도 "웨이얼랄라 레이아 / 월라라 레이알랄라"로, 황동규 교수(92-94)도 "웨이얼랄라 레이어 / 월라라 레이얼랄라"로, 이재호 교수(268-70, 250)도 "웨이아라라 레이아 / 왈라라 레이아라라"로 유사하게 음역하고 있다. 그런데 후렴은 바그너의 『신들의 황혼』 제3부 제1막인 「라인강의 딸들」의 비탄 소리에서 인용한 것이므로 이인수 교수의 의역은 시적 분위기와 사뭇 다르다 (Southam 1994, 177). 2002년 엘리엇 탄생 80주년 기념으로 유명한 고전 배우인 폴 스코필드Paul Scofield가 BBC에서 녹음한 카세트테이프에는 "웨이아랄라 레이아 / 왈라라 레이아랄라"로 영국식으로 발음하고 있지만, 엘리엇의 녹음된 육성을 자세히 들어보면 독일식의 발음인 "바이아랄라 라이아 / 발라라 라이아랄라"로 발음하고 있으므로 독일식 발음 그대로 음역을 하고 가르치는 것이 옳을 것이다.

마지막으로 『황무지』 제5부 「우뢰가 말한 것」의 제431행에 등장하는 "Hieronymo"를 이인수 교수(271, 250), 김종길 교수(125, 177), 조신권 교수(134)는 "히어로니모"로 번역을 하고, 양주동 교수(126), 이창배 교수

(114, 73, 123), 이재호 교수(280, 266)와 황동규 교수(118)는 "히에로니모"로 번역을 하였다. 그러나 필자는 "Hieronymo"가 엘리엇이 「주석」에서 잠시 언급했지만, 키드의 『스페인의 비극』에 등장하는 에스빠냐의 궁정기사로서 아들의 죽음을 복수하기 위해 극중극을 연출하는 배우이기도 하고, 『스페인의 비극』의 부제가 『황무지』 시행과 동일한 "Hieronymo is mad againe"인 것에 유의하여 몇 년 전부터 "h" 발음이 묵음인 에스빠냐어의 원음에 가깝게 "이에로니모"로 번역하여 가르치고 있다(*WLF* 149).

한편, 교육현장에서 『황무지』 가르치기는 위에서 언급한 정확한 번역 이외에 교수의 해설이 매우 중요하다. 교수가 정확하고 다양한 해설을 하기 위해서는 엘리엇의 『황무지』의 「주석」에 대한 상세한 분석뿐만 아니라 여러 비평서나 논문들을 섭렵하는 치열한 노력을 게을리 하지 말아야 할 것이다. 다행히 필자는 다년간 전기비평적·신비평적·신화, 원형비평적·라캉의 정신분석학적·데리다의 해체주의적 접근으로 『황무지』를 분석한 연구에 근거하여 다양한 해석을 시도하고 있는데, 학생들의 이해도 증진에 적지 않은 도움을 주고 있다고 자부한다. 예컨대, 전기비평의 관점에서 『황무지』의 「제사」에서 인용된 쿠마에 무녀의 죽음에의 희구는, 소소스트리스 부인이 주제 카드로 제시하는 "익사한 페니키아 선원" 패, 즉 "죽음"의 타로 카드와 상통하고, 런던교 위를 흘러가는 죽은 군상의 심상과 연결되고, 제4부의 「수사」에서 익사한 페니키아인 플레바스가 다시 등장하며, 결국 죽은 존재와 같은 엘리엇 자신을 함의한다고 해석을 한다. 또한 신화, 원형비평의 관점에서 『황무지』에 원용되고 있는 그리스 신화, 즉 나이팅게일로 변신한 필로멜라와 제비로 변신한 프로크네 및 매로 변신한 테레우스 왕의 불륜의 성폭행과 비극이 현대의 스위니와 포터 부인과 딸과의 부정한 성관계와 본질적으로 다르지 않으며, 테이레시아스가 간파하는 여타자수와 작은 부동산 중개업소 서기의 사랑 없는 성행위 역시 죽음이며, 황무지와 같은 상태라고 해석한다.

한편, 필자가 활용하는 교보재로는 앞에서도 언급을 했지만, 2008년 여름에 직접 방문하여 촬영하고 블로그에 탑재한 독일 뮌센의 "슈타른베르거 제"(http://blueskyflowers.tistory.com/2624)와 "호프가르텐"(http://blueskyflowers.tistory.com/2633)"의 사진들이다. 또『황무지』의 주요 배경 도시로서 제276행과 제376행에 명칭이 등장하고 필자가 네 차례 방문한 "런던"의 사진들과 이 시의 배경으로서 제176행과 제183-84행에 나오는 "템즈강"의 사진 및 이 시의 제62행과 제426행에 동요로 등장하는 "런던교"의 사진(http://blueskyflowers.tistory.com/3733)이다. 또한『황무지』제3부 제182행인 "레망호 물가에 앉아 나는 울었노라…"에 등장하는 스위스 로잔의 "레망호" 일명 제네바 호수의 사진들(http://blueskyflowers.tistory.com/2498)이다. 또 제289행에 "하얀 탑"(white towers)으로 등장하고, 필자가 2004년 여름에 템즈강에서 유람선을 타고 촬영한 "백탑"을 포함한 "런던탑"의 사진들(http://blueskyflowers.tistory.com/3733)과,『황무지』제5부 제293행에 "큐"로 등장하고 필자가 같은 해에 방문하여 촬영한 런던 근교의 큐 영국 왕립식물원(Royal Botanic Gardens, Kew)의 사진들(http://blueskyflowers.tistory.com/3729)이다. 아울러『황무지』제375행에 파멸의 도시로 등장하고, 650년 역사의 합스부르크가 왕궁인 호프부르크Hofburg의 찬란한 "비엔나" 구왕궁의 사진들(http://blueskyflowers.tistory.com/2593)이다. 그리고『황무지』제66행에 등장하고, 필자가 2009년 여름에 참가한 제1회 T. S. 엘리엇 국제 여름학교의 프로그램의 일환으로 런던 도보 여행을 하면서 촬영한 "킹 윌리엄가"의 사진들(http://blueskyflowers.tistory.com/1291)과 제67-68행에 등장하는 "성 메리 울노스 성당"의 사진들(http://blueskyflowers.tistory.com/1290) 및 제263-65행에 등장하는 "순교자 성 마그너스 성당"의 현장감 있는 사진들(http://blueskyflowers.tistory.com/1335)이다. 또한『황무지』

제213행에 등장하는 "캐넌 스트리트 호텔"은 제2차 세계대전시에 독일군의 공습으로 파괴되어 사라졌지만, 인터넷을 검색하여 블로그에 올린 1910년경의 호텔 사진(http://blueskyflowers.tistory.com/1291)도 활용한다. 또『황무지』제293행에 등장하는 "하이베리"와 제293-94행에 등장하는 "리치먼드"는 블로그에 올리지 않았지만, 2004년에 직접 방문하여 촬영한 공원 사진들로서 필자가 2006년 "영미작가와 명작의 고향"이란 특강에서 제시한 바 있다. 이러한 다양한 사진들은 엘리엇의 난해한『황무지』시를 보다 더 잘 이해하는 데에 학생들도 수업 후의 평가(제9장 말미 참조)에서 밝혔듯이 절대적으로 필요한 것이다.

아울러 필자가 활용하는 교보재로는 제4장「타로 카드:『황무지』의 해석 기법」에서 고찰하였듯이 엘리엇이 원용하는 육망성형법의 타로 카드 8장과 고대켈트십자법의 타로 카드 11장의 상징을 설명하고, 학생들에게 직접 돌려볼 수 있도록 하게 한다. 또한『황무지』의 번역과 해설을 한 이후에는 엘리엇의 육성을 카세트테이프로 반드시 들려준다. 초창기에는 1946년 미국 의회도서관에서 출시되고 엘리엇 육성이 담긴『T. S. 엘리엇 자작시 낭송』(*T. S. Eliot Reading His Own Poems*) LP레코드를 카세트에 녹음하여 들려준 적도 있으나 음질이 아무래도 선명하지 못한 단점이 있었다. 그래서 필자는 2000년 출시되고 보다 선명한 엘리엇의 육성이 담긴『T. S. 엘리엇이 T. S. 엘리엇을 읽다』(*T. S. Eliot Reads T. S. Eliot*) 카세트테이프를 활용하여 왔다. 그런데 엘리엇의 육성 테이프에는『황무지』제81행 "또 하나는 날개로 두 눈을 가렸다"(Another hid his eyes behind his wing)에서 "behind"를 "beneath"로 낭독하고 있는데, 문맥상 시『황무지』의 원본보다는 시인의 육성이 더욱 적합하다고 여겨진다. 또 2007년 9월 5일 처음 만든 필자의 블로그에 탑재한『황무지』의 엘리엇 육성 동영상은 저작권 문제로 현재 일부만 들을 수 있는 것이 아쉽다. 어쨌든 다채롭게 시인이나 배우의 녹음된 육성을 통한 청각적인 자극을 받음으로써 학생들이 교수의 영시 낭송보다는 더욱 깊은 감동을 받을 수 있는 것은『황무지』뿐만 아니라 모든 영시 가르치기에서 매우 중요하다. 마지막으로 필자가 다른 현대영미시인들, 즉 휘트먼, 디킨슨, 예이츠, 프로스트의 시 수업 마지막 시간에 비디오나 DVD 시청을 통하여 수업을 입체적으로 정리하듯이『황무지』를 포함한 엘리엇의 시 수업도 1988년에 로렌스 핏케슬리Lawrence Pitkethly가 제작한『목소리와 비전: T. S. 엘리엇』(*Voices & Visions: T. S. Eliot*) 비디오를 보여줌으로써 학생들에게 수업효과를 더욱 제고하고 있다. 아울러 2009년에 영국 BBC에서 아담 로우Adam Low가 제작한『아레나: T. S. 엘리엇』(*Arena: T. S. Eliot*) DVD를 시간적인 여유만 되면 대학원 학생들에게 보여줄 계획이다.

III

결국 교육현장에서의 성공적인『황무지』가르치기는 교수의 역량에 달려 있다고 해도 과언이 아니다. 성실한 천착과 철저한 교보재 준비를 통하여 영미시에서 최고로 난해한 시로 규정되며 다양한 문학비평적 접근법으로 읽기와 해석이 가능한『황무지』의 실체를 드러내어 학생들에게 제시하는 것은 영미시 교수의 몫인 것이다. 특히 지금까지 고찰하였듯이, 난해한 시『황무지』번역은 역자에 따라서 다양하며, 교육현장에 처한 교수는 번역서들을 철저히 대조하여 당연히 발생할 수도 있는 오역을 가능한 극소화하여 원저자인 엘리엇의 의도를 충실히 전달하려는 노력을 부단히 해야 할 것이다. 시대의 변천에 따라서 언어는 살아있는 유기체와 같이 서서히 변모해가므로, 한 세대 이상『황무지』강좌를 진행하는 경우에 교수는 역자들의 초판과 개정판을 대조하여 초판의 오역과 오자를 수정하고 보다 정확하고 생명력이 넘치는 훌륭한 번역을 학생들에게 제공해주어야 할 것이다.

또한 정확한 번역뿐만 아니라 다양한 비평적 접근으로 해석을 하는 동시에 컴퓨터의 급속한 발달로 파생된 교수 개인 블로그에 올린 영미시, 다양한 영시 낭송의 동영상들, 교수가 직접 촬영한 사진과 수집한 자료나 인터넷에서 쉽게 구할 수 있는 사진 등을 파워포인트로 제작하여 『황무지』를 입체적으로 가르치면 이 시의 조각난 파편 같았던 부분들이 놀랍게 전체적인 형상으로 복원되어 엘리엇이 원래 바라던 작가 의도에 근접할 수 있을 것이다. 더 나아가 작가조차 파악하지 못한 또 다른 차원의 심오한 의미를 『황무지』 안에서 발견하는 극치의 지적인 희열을 교수와 학생들과 독자들이 공유할 수 있을 것으로 확신한다.

━━━━━━━

필자의 블로그에 2008년 7월 4일 10시 44분 탑재한 『황무지』에 2009년 2학기 현대영미시 강좌 수업을 마친 직후, 안동대학교 영어교육과 3학년 학생들 24명과, 2010년 1학기 영미문학실제비평 강좌 수업을 마친지 6개월 후에 대학원 영어영문학과 박사과정 영시 전공 학생 2명과 석사과정 영시 전공 학생 1명이 각각 올린 댓글을 시간 순서대로 정리해보았다. 여기에는 『황무지』 시와 수업에 대한 학생들의 진술한 느낌과 평가 그리고 독자로서의 반응이 담겨 있다. 참고로 답변을 한 필자는 "푸른하늘"을 대명으로 사용하고 있다.

김다녕　2009-12-01 오후 05:03: 배우고 나서 바로 시를 들었습니다. 저도 시에 나오는 곳을 한 번 보고 싶네요.^^

박지영　2009-12-01 오후 08:30: 시를 다 배우고 나서 들으니 이해가 더 잘 되는 것 같습니다. 시를 읽는 시인의 목소리가 인상 깊네요.^^

이윤실 2009-12-02 오후 01:36: 첫 번째, 두 번째는 안 나와서 세 번째, 네 번째를 들으면서 시를 눈으로 보니... 그리고 다 배우고 나서 들으니 좀 더 느낌이 와 닿는 것 같습니다. 조만간 시에 나왔던 장소들도 사진으로 다시 감상하면서 시를 다시 음미하면 훨씬 더 잘 이해가 될 것 같아요~ 개인적으로는 3번째가 더 엘리엇의 목소리와 닮은 것 같지만, 그래도 4번째가 듣기는 더 좋았다는...^^

푸른하늘 2009-12-05 오전 10:16: 안 나오는 동영상을 삭제하고, 엘리엇의 육성 동영상 5개를 업데이트했으니 새로 들어 보세요.

유서연 2009-12-04 오전 11:53: 『황무지』의 마지막 발표를 맡아서 교수님이 말씀하시기 전에 한번 들어봤었는데, 시를 낭송하는 목소리도 물론 훌륭하지만 뒤의 배경 그림과 음악도 그 시에 빠져들게 하는 감칠맛 나는 요소였던 것 같습니다. 이렇게 멋진 시를 발표하게 되서 한 번 더 이 시에 대해서 알아볼 수 있는 기회를 가진 것 같아 기분이 좋습니다.^^

이현동 2009-12-05 오후 10:11: 비디오에서 낭송하는 목소리의 억양이 왠지 익숙하다 싶었는데 영미시 수업시간에 교수님께서 낭송하실 때의 억양과 비슷한 것 같아 친숙함을 느꼈습니다. 『황무지』를 배우기 전에 읽어 보았을 때에는 참 어려운 시구나라고 생각했었는데, 수업 시간에 조금씩 배경지식이나 관련 정보를 알게 되자 이해하는 데 도움이 많이 된 것 같습니다.

김연정 2009-12-07 오전 09:03: 발표 준비를 할 때는 시가 너무 어려워서 잘 이해가 되지 않았는데 수업을 통해 교수님의 말씀을 듣고 다시 들어보니 조금은 이해가 되는 것 같습니다. 수업 시간에 이런 좋은 시를 배우게 되어서 정말 좋았습니다.

백수진 2009-12-07 오후 04:35: 『황무지』의 일부 발표를 준비하면서 시인의 목소리로 직접 낭독하는 것을 들었었는데, 시 공부를 모두 마치고 처음부터 다시 들어보니 느낌이 새롭네요. 처음에 내용을 잘 이해하지 못하고 들었을 때보다 단어 하나하나가 훨씬 더 귀에 잘 들어왔고, 시인의 억양이나 분위기가 교수님과 흡사해서 더 친숙했어요~^^ 그리고 처음엔 별 생각 없이 지나쳤던 시어들도, 그에 담긴 의미를 배워 알고 들으니 이해가 잘 돼서 좋았습니다.^^

xxx52man 2009-12-08 오후 02:01: 1년 동안 교수님 수업 잘 들었습니다. 정말 알차고 좋았습니다. 많은 것을 배웠고 위트 넘치는 강의라 즐거웠습니다. 영어 공부도 많이 된 것 같고, 문학 상식도 많이 쌓은 것 같아 좋았습니다. 『황무지』를 보면서 많은 것을 생각할 수 있었고, 인간의 좌절과 꿈, 욕망을 되새겨 볼 수 있는 좋은 계기가 된 것 같습니다. 이 수업을 계기로 저도 좀 더 넓은 생각을 가지고 문학을 펼쳐보고 싶습니다.

정복희 2009-12-09 오전 11:29: 『황무지』란 시를 처음 접했을 때는 웅장하면서도 난해하다고 느꼈습니다.ㅎ 근데 이렇게 동영상과 시인의 낭독을 함께 접하니 좀 더 가슴에 와 닿는 것 같습니다. 그냥 시에 대한 해석과 의미뿐만 아니라 저희들이 좀 더 이해할 수 있도록 동영상과 시낭독과 음악 등을 보여주시고 들려주시는 교수님께 감사드립니다.

김미진 2009-12-10 오후 05:00: 처음에 시는 무조건 추상적이라 어렵다고 생각했는데, 이번 학기 수업을 통해 꼭 그렇지만 않다는 걸 알게 됐습니다. 황무지도 처음엔 무슨 말인지 잘 이해가 안 갔는데, 수업시간에 낭송도 해보고 유용한 동영상도 많이 접해보니 공감 가는 부분도 있고 정말 좋은 시 같아요. 이제 종강했지만 앞으로 종종 시간 날 때 블로그 들어와서 좋은 시 읽을려구요. 한 학기 동안 열정적인 수업에 정말 감사드립니다.^^

이현지 2009-12-10 오후 08:44: 여태껏 영미시는 어떻게 낭송하는 것이 좋은 것인가 궁금했었는데 교수님의 수업을 들으면서 그 의문점을 풀어 나갈 수 있었습니다. 원래 시문학에 굉장히 약한 편이어서 시를 이해하는데 굉장히 오래 걸리는 편이라, 수업시간에『황무지』시를 할 때도 몇 번이나 읽어보아도 이해가 되지 않아 고생했었습니다. 교수님의 해설과 블로그 자료 등을 참고하다 보니, 이제서야 조금 이해가 갑니다. "시"라고 하면 딱딱하고 어려운 것으로 생각했는데, 나름 그 속에서 의미를 찾는 재미도 있구나 하고 느꼈습니다.

권지숙   2009-12-10 오후 08:51: 사실 이 수업 처음 들을 때만 해도 시에 대해 별 관심을 가지지 못했고, 특히 엘리엇 같은 경우에는 난해한 시인이라고 들어서 두려움부터 들었습니다. 사실 예전에『황무지』를 읽을 기회가 있었는데 무슨 말인지 이해할 수가 없었는데요, 이번 수업을 통해서 시인의 삶과 이 시 안에 숨겨진 배경을 생각하며 읽다보니 시인의 심정을 조금씩 이해할 수 있게 되었습니다. 그리고 위의 음성들을 들으니 상당히 새로운 차원에서 시를 이해할 수 있는 것 같습니다. 한 학기 동안 정말 감사합니다.

황상민   2009-12-11 오후 08:20: 사실『황무지』의 첫 부분은 평소에 많이 들어서 익숙했는데, 현대영미시 수업과 블로그를 통해서 시 전체를 가슴으로 더욱 깊게 감상한 것 같습니다. 동영상의 목소리가 또렷하게 귀에 들어와 여운이 오래 남네요. 평소에 시를 접할 기회가 많지 않았는데 영미시를 배우면서 색다른 재미를 느낄 수 있었습니다. 그냥 글로 읽는 것보다 이렇게 동영상이나 사진과 함께 하니 더욱 생생하고 기억에도 오래 남구요. 수업은 끝났지만 자주 들어와 보겠습니다. 한 학기동안 감사했습니다!^^

장경제   2009-12-12 오후 02:16: 시를 5부로 나눠 각각 다르면서도 짜임새 있게 구성했다는 점과, 1년 동안 교수님의 영미시 강의를 들으며 보아왔던 시의 기교의 결정판이라 해도 과언이 아닐 정도로 다양한 시적 기법들을 볼 수 있기에 정말 대단한 시라는 것을 느낄 수 있었습니다.^^ 교수님께서 실제로 촬영하신 사진과, 시에 얽혀 있는 여러 가지 배경 이야기들, 그리고 타로 카드 등을 포함한 다양한 자료들을 통해 재미있게 공부할 수 있어서 좋았습니다. 한 학기 동안 열정적인 강의 정말 감사드립니다.

이다정 2009-12-12 오후 11:03: 어렵고 심오하여서 한글로도 이해하기 힘든 시를 영어로 배워서 더욱 난해한 점이 많았지만, 교수님께서 시에 대한 배경지식을 설명해주셔서 더욱 와 닿게 이해하였습니다. 시에 대해서 한 걸음 더 다가가 알고 난 뒤에 낭송을 들으니 더욱 감정이입이 잘 되어서 감상을 잘 할 수 있었습니다.^^ 그간의 강의에 정말 감사드립니다.^^

정해영 2009-12-12 오후 11:35: 좀 더 빨리 왔어야 되는데 새로 올려두신 것이 또 안되네용ㅠㅠ 끝에서 두 번째가 엘리엇 육성 같은데ㅋㅋ 처음 중간고사 공부할 때는 시를 해석하기 힘들었는데... 한 학기 공부하면서 영미시 번역하는 것이 는 것 같습니다. 이번 기말 준비하면서 시적? 해석이 되어 중간고사 때보다 훨씬 수월하게 공부한 것 같아요. 그리고 시라는 것이 정말 사람을 살찌우는 것 같습니다. 저로 하여금 솔뫼 시작에 도전하게 만들었는데 결과는 모르겠네요ㅋㅋ 아무튼 아쉽습니다. 시험 범위에는 못 담더라도 더 많은 시를 접해 봤으면 좋았을 텐데.... 마지막으로 한국T.S.엘리엇학회 회장에 선출되신 것을 축하드립니다... 사진보고 놀랐습니다. 교수님의 위상과 열정... 세계적인 시인들과 어깨를 나란히 하고 찍으신 사진들 말이에요.

서범수 2009-12-13 오후 12:33: 배우기 전에는 이 시가 유명하다고 들어보기만 했지, 어떠한지는 잘 몰랐는데, 배우고 나니 정말 이 시가 대단한 것임을 알게 되었습니다. 시 안에 많은 함축적인 말들이 있었는데, 교수님의 그 동안 많은 강의와 연구로 인해서 그 속사정까지 알 수 있게 되어 이 시를 더 자세히 잘 알게 된 것 같아 감사합니다. 동영상 또한 이 시의 느낌을 제대로 느낄 수 있어서 좋았습니다. 배운 후라 그런지 아주 조금이지만 따로 외울 수도 있고 그 느낌을 알 것 같아 좋았습니다. 한 학기 수고 많으셨습니다.

이용기   2009-12-13 오후 11:09: 늦게 와서 그런지 위에 올린 것 중에 5개가 안 되어 못 듣게 된 점 너무 아쉽습니다. 그래도 재생이 되는 나머지 동영상 2개를 보면서 그나마 위안을 삼습니다.^^ 그동안 시를 배우면서 교수님 말씀대로 어떻게 이런 상상과 표현을 할 수 있을까라는 신기함과 동시에 난해함을 느꼈습니다. 그래도 정말 재미있게 가르쳐주셔서 이해도 훨씬 잘되고 유익한 강의를 마쳤다는 것에서 스스로 뿌듯하고 보람 있었습니다. 그리고 교수님 블로그에서 수업에 관련된 것 외에도 유익한 정보를 보고 들을 수 있었습니다. 한 학기 동안 정말 감사합니다.

반영석   2009-12-13 오후 11:34: 한 학기동안 영미시를 배우면서 여러 작가들과 그들의 표현력에 정말 감탄했습니다. 난해한 표현이지만 깊이 생각해 보면 정말 어떻게 저런 식으로 표현을 했을까 하는 생각으로 작가들이 위대해 보이기까지 했습니다. 수업 내내 열정적으로 강의해 주신 교수님께도 감사드리고 앞으로 시를 배울 수 있는 기회가 또 있을지는 모르겠지만 교수님의 블로그에 자주 찾아와 좋은 자료를 접하겠습니다. 한 학기 동안 감사했습니다.

이장희   2009-12-15 오후 04:48: 시험을 치고 『황무지』를 다시 읽어보고 음성을 들어보았습니다. 『황무지』를 읽으면서도 교수님의 음성이 멀리서 들려오는 것 같아요. 한 학기 동안 정말 고생 많으셨어요. 이번에 영미시 강의를 듣고 시를 읽고 감상하기가 한결 편해진 것 같아요^^ 고맙습니다.

박재현   2009-12-17 오후 09:06: 몇 일간 병원에 입원을 했었던지라, 댓글이 늦었습니다. 제가 늦게 온 탓인지? 몇몇 동영상이 재생이 안되네요.^^ 한 학기 동안 영미시를 배웠지만, 엘리엇만큼 시를 오묘하게? 쓰는 시인도 없는 것 같습니다. 『황무지』는 우리가 배웠던 시 중에서도 농축엑기스라고 할까요?? 시인의 시 낭독을 들으면서 처음엔 시가 어렵고 헷갈렸지만, 정말 멋진 시라는 것을 느낄 수 있었습니다. 한 한기 수업을 하면서 이론으로만 혹은 교수님이 해 주시는 시뿐만 아니라, 동영상이나 비디오테이프, 오디오클립 등을 활용한 수업에 있어서 어려운 시를 쉽고 재미있게 접할 수 있었던 것 같았습니다. 한 학기 동안 수고 많으셨습니다. 감사합니다.

차승학   2009-12-17 오후 10:14: 댓글이 늦어서 죄송합니다. 19세기영미시 수업 때부터 항상 즐겁고 재미있게 교수님의 수업을 들었던 것 같습니다. 시에 대한 지식도 얼마 없지만 참 문학의 힘이 대단하다는 것을 느꼈습니다. 재미있는 교수님의 설명도 좋았습니다. 제가 개인적으로 좋아했던 시로는 「쿠블라 칸」("Kubla Khan")과 「종달새에 부치는 송시」("Ode to a Skylark") 그리고 「J. 알프레드 프루프록의 연가」("The Love Song of J. Alfred Prufrock")와 마지막으로 『황무지』(The Waste Land)입니다. 아 「우리 둘이 헤어졌을 때」("When We Two Parted")도 좋았습니다. 제가 낭만이라는 단어를 참 좋아하는데 제가 배운 모든 시들이 참 멋있다고 생각합니다. 그리고 수업시간에 발표할 때 말했듯이 『황무지』에서 가장 유명한 처음 부분을 제가 발표하는 영광을 가지게 되어서 너무 좋았습니다. 앞으로 종종 블로그에 들러 좋은 자료 감상하고 가겠습니다.^^ 교수님 감사합니다.

신동열   2009-12-17 오후 10:56: "4월은 가장 잔인한 달"이라는 구절을 중학교 때부터 선생님들로부터 자주 들었지만 그것이 엘리엇의 『황무지』

인지는 몰랐습니다. 이렇게 좀 더 깊게 다루니 감회가 새롭네요. 한 학기 동안 이렇게 좋은 시들을 접할 수 있는 기회를 주셔서 감사합니다. 종종 들러서 시간이 나면 시를 읽어보고 싶네요.

홍정은   2009-12-18 오후 04:41: 영미시 수업은 이번에 처음 듣게 되었는데, 시와 관련된 많은 자료를 보여주셔서 이해하는데 도움이 많이 되었습니다. 또 즐겁게 수업을 들을 수 있었습니다.^^ 『황무지』를 배우고 시험도 끝난 뒤에 다시 동영상을 보니까, 예전에 보았을 때와는 또 다른 느낌이 듭니다. 아직 이해의 깊이가 깊지 않지만, 시간이 좀 더 지난 뒤에는 또 다르게 다가올 것 같습니다. 블로그에 있는 다양한 나라의 노래도 평소에는 접할 기회가 없었는데, 너무 좋은 것 같아요. 감사합니다.

박성칠   2010-11-25 오후 10:07: 시인은 시를 쓸 때 자기의 개성을 배제하여야 한다는 몰개성 시론을 주창한 엘리엇의 시들은 대부분 난해한 시들입니다. 그중에서도 황무지는 난해성이 더욱 더 두드러지는 시인데 안중은 교수님의 이러한 난해한 시에 대한 해설과 비평 방법은 시를 이해하는데 커다란 도움이 되었습니다. 마치 추상화 그림 앞에서 그저 고개만 갸우뚱거리는 사람에게 조용히 다가와서 그림의 깊은 의미를 해설하여 줌으로써 무지의 얼굴에 환희의 빛이 생겨나도록 하는 것 같았습니다. 교수님 고맙습니다.

권경숙   2010-11-29 오후 12:02: 이 시를 한두 번 읽어서 시인이 무엇을 표현하고 자 하는 지에 대해 알 수는 없습니다. 마치 읽는 이에게 마법에 걸린 듯 수십 번을 읽어 봐도 그때그때 색다르게 느껴지기도 합니다. 시 속의 많은 인물들과 사건들은 이 세상을 살아가는 사람이라면 누구나 이 작품 속의 인물들 중 적어도 한 사람의 모습을 표현하고 있는 듯합니다. 인간이 스스로의 얼굴을 거울이나 어떤 사물에 비추지 않는다면 직접 볼 수 없듯이, 433행의 시 한 편에 시인 엘리엇은 문학과 예술과 철학을 그리고 그것에 어우러진 우리의 삶을 총체적으로 담아 독자들에게 직접적으로 전달하기보다는 시라는 거울을 통해 반영하고 있는 것 같습니다. 나 자신의 모습이 한결 같지 않아 거울을 볼 때마다 다르게 보이듯 이 시도 끝없이 새롭게 읽혀지리라 생각합니다.

박상일 2010-11-29 오후 09:44: 엘리엇의 시는 참으로 난해한 시 인듯하지만 우리에게 읽을 때마다 또 다른 의미로 다가옵니다. 그리고 우리 인간에게 때로는 휴머니티를 선물하기도 합니다. "죽은 땅에서 라일락을 피게 하고," "겨울은 우리를 포근하게 해 주었다"라는 전반부 시 구절은 차라리 역설의 반증이 아닌 가 싶습니다. 그리고 안중은 교수님의 시 낭독을 수업 중에 들으면서 나의 가난한 시절의 마음 넉넉했던 추억을 반추해보는 계기도 되었던 것 같습니다.

| 부 록 「게론티온」: 해석의 미로

엘리엇의 「게론티온」("Gerontion,"[1])의 참된 의미는 예리한 독자들이나 심지어 비평가들의 진지한 추적에서 흔히 비껴나 있다(Southam 1994, 68). 실제로 「게론티온」은 비평가들과 논평가들에 의해 자주 논쟁적으로 해석되어 왔다. 예컨대, 리비스가 이 시는 "서사적 또는 논리적 일관성이 결여"되어 있다고 언급한 반면에(66), 마틴 닷즈워스Martin Dodsworth는 이를 전적으로 반박한 바 있다(28). 또한 스테드C. K. Stead는 이 시를 일관성 있는 시로 만들지 못한 엘리엇의 실패를 지적했으나, 피어스 그레이Piers Gray는 이 시의 "비일관성의 일관성"을 사도 바울 서신들의 은유적 구조와 대조하면서 추적했다(211-13). 정녕코 「게론티온」은 [엘리엇의] "가장 강력하고도 그의

---

1) 이 "Gerontion"에 대한 한글 번역은 학자들에 따라서 다양하다. 고 이창배 교수는 「게론천」으로 번역하고 있는데, 김구슬 교수도 동일한 번역어를 사용하고 있다. 또한 이상섭 교수는 미국 학자들의 발음인 「지란션」과 유사한 「지런션」으로 표기하고 있으며, 고 이영걸 교수와 김명옥 교수는 「게론티언」으로 표기하고 있다. 한편, 김종길 교수는 「왜노矮老」로 의역한 바 있으나, 그리스어 원어 발음대로 「게론티온」으로 할 것을 2001년 한국T.S.엘리엇학회 송년회에서 제시한 바 있으며, 현영민 교수도 「게론티온」으로 표기하고 있다. 필자는 저서 『T. S. 엘리엇의 시와 비평』의 초판(2000)에서는 「게론천」으로 표기를 했으나, 개정판(2004)부터는 현지어의 발음을 존중하여 「게론티온」으로 바꾸었다.

가장 애매한 시들 중의 하나"이며, "엘리엇 정전에서 매우 중요한 한 편의 시"인 것이다(Drew 47; Ransom 391). 필자는 상당히 많은 논문들을 연구한 결과 필자의 조어인 "해석의 미로"를 따라가는 것이 이 난해한 시의 종합적이고도 편견 없는 감상법이라는 것을 터득·제시하고자 한다. 「게론티온」의 원제는 「게루시아」("Gerousia")인데, 스파르타의 원로원이나 원로 회의를 의미하는 그리스어 $\gamma\epsilon\rho o\upsilon o\acute{\iota}a$를 영어화한 것이다(*IMH* 349; Donoghue 77). "게론티온"($\gamma\epsilon\rho\acute{o}\nu\tau\iota o\nu$)의 용어는 "모든 노인"을 의미하는 그리스어 "게론"($\gamma\acute{\epsilon}\rho\omega\nu$)에서 파생된 지소어指小語이다. 그것은 "육체와 정신 면에서 위축된 작은 노인"을 의미한다(Ransom 391). 게론티온의 상황은 셰익스피어의 『이척보척』(以尺報尺, *Measure for Measure*) 제3막 제1장 제32-34행의 아래 인용에 요약되어 있다.

> 너에겐 젊음도 늙음도 없다.
> 그러나 사실 그런 것을 꿈꾸는
> 식후食後의 오수午睡. (Eliot 1988, 37)[2]

> Thou hast nor youth nor age
> But as it were an after dinner sleep
> Dreaming of both. (*IMH* 349; *CPP* 37)

위 인용은 감옥에 갇힌 젊은 클로디오Claudio에게 탁발 신부로 변장한 늙은 공작이 하는 말이다. 클로디오는 간통죄로 처형 직전에 처해 있다. 공작은 클로디오에게 인생에 심각한 가치를 부여하지 말라고 충고한다. 엘리엇은

---

2) 고 김재남 교수(491)의 번역(너에겐 젊음도 늙음도 없고 / 다만 낮잠의 꿈속에 / 그 양쪽을 보내고 만다)은 다소 명확하지 않아서 고 이창배 교수의 번역을 인용·수정했다. 이하 『게론티온』의 번역시는 고 이창배 교수의 번역을 참고했으나 오역이 있는 부분들을 수정하였다.

약간 잘못 인용했는데, 정확한 읽기는 "dinner" 대신에 "dinner's"이고, "Dreaming of both" 대신에 "Dreaming on both"이기 때문이다. 투옥된 클로디오는 젊음과 늙음, 즉 과거와 현재를 명상하는 게론티온과 병행을 이루고 있다. 이 둘은 삶에서 소외되어 있는데, 전자는 사람에 의해 갇혀 있고, 후자는 자연과 자기 자신의 기질에 의해 갇혀 있는 것이다(Vickery 102).

위의 「제사」와 관련하여, 엘리엇이 초기 타자 원고에 포함시킨 단테의 『지옥편』 제33곡 제122-23행3)의 아래 인용은 주목할 만하다.

> 도대체 왜 육체가 아직도
> 이승에 머물러 있는지 무식해서 나는 모르겠다. (Dante 1991, 213)

> Come il mi corpo stea
> Nel mondo su, nulla scienza porto. (*IMH* 349)

탁발 신부 알베리고 데 만프레디Alberigo de' Manfredi는 단테에게 자신의 영혼은 친절을 가장하여 타인을 배신한 사람들이 처벌받는 제9옥인 톨로메아Ptolomea에서 고통을 이미 받았다고 말한다. 따라서 탁발 신부의 육체는 지옥에서 마귀의 지배를 받으면서도 지상에서는 여전히 생존하는 듯 했다(Dante 1979, 164-65). 게론티온의 영혼이 연약한 육체로부터 소외되는 것을 강조하기 위하여 알베리고의 영혼과 육체의 분리를 삽입한 엘리엇의 의도는 명백한 것이다. 감옥에서 인생무상을 꿈꾸는 젊은 클로디오와 육체와 영혼이 지상과 지옥에서 분리되어 생존하는 고통 중인 알베리고의 두 가지 에피소드는 "초현실적인 분위기를 창조"하고 있다(Puchek 11).

---

3) 로날드 부시Ronald Bush와 제인은 인용한 시의 행수를 122-23행으로 소개하고 있다(33; Jain 81). 필자는 시의 행수를 121-22행으로 명시한 엘리엇이나 크리스토퍼 릭스Christopher Ricks 의 범실을 지적하고자 한다(*IMH* 349).

제1연에서 고유 인명이 없는 게론티온은 자신의 사실적인 현재와 과거를
소개하고 있다.

　　　　　　여기 내가 있다, 나는 메마른 달의 한 늙은이,
　　　　　　아이에게 책 읽혀 들으며 비를 기다리는.
　　　　　　나는 한 번도 열전熱戰의 성문에 서 본 일도 없고,
　　　　　　온화한 빗속에서 싸운 적도,
　　　　　　바닷물 늪 속에서 무릎 적시며 단검을 휘두르고
　　　　　　쇠파리 떼에 뜯기면서 싸운 적도 없다.
　　　　　　나의 집은 한 퇴락한 가옥,
　　　　　　창문턱에 쭈그리고 앉은 유태인, 그것이 집주인
　　　　　　앤트워프의 어느 술집에서 산란되고
　　　　　　브뤼셀에서 물집 생겨, 런던에 와서 딱지 앉고, 껍질 벗은 치.
　　　　　　밤에는 윗녘 들에서 염소가 기침하고,
　　　　　　바위·이끼·꿩의 비름·쇠붙이·똥.
　　　　　　여편네는 부엌에 들어 박혀 차를 끓이고,
　　　　　　저녁 땐 기분 사나운 불을 쑤시다 재채기한다.
　　　　　　　　　　　　나는 늙은이
　　　　　　바람 찬滿 허공 중의 멍청한 머리통. (Eliot 1988, 37)

　　　　　　Here I am, an old man in a dry month,
　　　　　　Being read to by a boy, waiting for rain.
　　　　　　I was neither at the hot gates
　　　　　　Nor fought in the warm rain
　　　　　　Nor knee deep in the salt marsh, heaving a cutlass,
　　　　　　Bitten by flies, fought.
　　　　　　My house is a decayed house,

And the jew [Jew] squats on the window sill, the owner,
Spawned in some estaminet of Antwerp,
Blistered in Brussels, patched and peeled in London.
The goat coughs at night in the field overhead;
Rocks, moss, stonecrop, iron, merds.
The woman keeps the kitchen, makes tea,
Sneezes at evening, poking the peevish gutter.
                    I an old man,
A dull head among windy spaces. (*IMH* 349; *CPP* 37: ll. 1-16)

　　게론티온의 "여기 내가 있다"(Here I am)라는 첫 극적 독백은 창세기 제
22장에 나오는 아브라함이 하나님의 부르심에 대한 답변이자 이삭이 부친
아브라함의 부름에 대한 응답을 연상시킨다. 제1-2행은 "메마른 달의 한 늙
은이"(an old man in a dry month)의 시구에서 게론티온의 육체적인 노쇠
와 정신적인 불모성을, "아이에게 책 읽혀 들으며"(Being read to by a boy)
에서 그의 수동적인 행위를 그려내고 있다. 화자에게 책을 읽어 주는 "아
이"(boy)는 기억의 상징이다(Griffith 46). 게론티온은 "비를 기다리는"
(waiting for rain)데, 이 비는 『황무지』에 나오는 성불구인 어부왕의 경우와
같이 "정화, 갱생," 풍요, 생명과 구원을 상징하고 있다(San Juan 116).

　　제3-6행은 그리스의 청년 전사로서 게론티온이 문자적인 번역어인 "열
전熱戰의 성문"(the hot gates)인 테르모필라에Θερμοπύλαι, Thermopylae를 포함
한 여러 전장에서 영웅적인 전투를 하지 않았음을 암시하고 있다. 테르모필
라에는 기원전 480년 스파르타 왕 레오니다스Λεωνίδας, Leonidas가 이끈 수적
으로 열세인 스파르타 군들이 에피알테스Ephialtes의 배신으로 페르시아 왕
크세르크세스Xerxes가 지휘한 막강한 대부대에 저항하다가 전멸한 그리스
북부와 중부 사이에 있는 전략적 요충지로 유명한 고개이다. 페르시아 전쟁

기간 테르모필라에 협곡 전투는 현재 프랑스 루브르박물관에 전시되어 있는 화가 자끄-루이 다비드Jacques-Louis David, 1748-1825의 명화 <테르모필라에의 레오니다스>(*Leonidas at Thermopylae*, 1814)와, 전멸한 스파르타 왕과 전사 300명의 용기를 스크린에 웅장하게 재현한 영화 <300>(*300*, 2007)으로 유명하게 되었다. 또한 테르모필라에는 뜨거운 유황 온천으로도 유명했기에 일반적으로 "열전의 성문"으로 일컬어진다. 게다가 "열전의 성문"은 마블의 연인들과 같이 인생의 열전의 성문 또는 방해하거나 에워싸는 어떤 심리적인 문으로 달리 해석할 수도 있을 것이다(Mayer 228). "온화한 비"(the warm rain)에 대하여 데이비드 로우셀David Roessel은 기원전 187년 6월에 폭우가 내린 후에 시작된 마케도니아인들과 그리스 동맹군들의 지원을 받은 로마인들 사이에 벌어진 "개의 머리"를 뜻하는 키노스케팔라에Cynoscephalae 전투로 명시하고 있다(70). 나아가서 그는 "바닷물 늪"(the salt marsh)은 1825년 바이런 경Lord Byron이 지원하여 참전한 그리스 군과 투르크 군과의 치열한 전장이었던 말라리아 바닷물 늪인 메소롱기온Mesolóngion 또는 미소롱기Missolonghi를 인유할 수 있다고 제시한다. 따라서 "바닷물 늪"이 "엘리자베스 시대의 탐험 전쟁들"을 암시한다는 하비 그로스Harvey Gross의 추정이나(299), 그것이 "식민지 탐험들 그리고 멋진 신세계로 서양의 문화를 확장시키는 정복들"을 환기시킨다는 메이어의 견해는 이 문맥에서 볼 때 확실히 부적절한 것이다(Mayer 228). 그러나 "전투 상징성"(battle symbolism)은 고대와 현대 그리스의 전투에 한정되는 것이 아니라, 「게론티온」의 출간 이전에 간신히 종전된 제1차 세계대전을 포함한 모든 전투나 전쟁에 확대될 수 있다(Williamson 1957, 113). 여기서 로젠솔M. L. Rosenthal이 "열전의 성문"을 고대 테르모필라에 전투뿐만 아니라 전시에 불타는 모든 도시 또는 이와 달리 집어삼키는 성적 경험까지 지칭할 수 있다고 해석한 것은 주목할 만하다(86). 정신분석학적 비평가라면 "열전의 성문"과 "바닷물 늪"을 여성성, "온화한 비"와 "단검"(cutlass)을 남성성의 인유들로 해석할 것이다(Palmer 148). 게론티온의 이러한 열정적인 성행위에 대한 무경험은 "엘리엇의 성적 충동에 대한 청교주의적 공포 그리고 실패한 사랑의 시도들이 반복되는 주제"를 환기시켜준다(Puchek 11).

제7-10행은 우리를 다시 게론티온의 현재 상황에로 데려다 준다. 게론티온은 "퇴락한 가옥"(decayed house)의 세입자이고, 집주인은 "유태인"(the jew)이다. 원전비평으로 접근하면, 『T. S. 엘리엇 전집: 시와 시극』(*The Complete Poems and Plays of T. S. Eliot*)에 나와 있는 "the Jew" 대신에 『3월 산토끼의 노래: 1909-1917년의 시』(*Inventions of the March Hare: Poems 1909-1917*)에 나와 있듯이 "the jew"로 엘리엇이 소문자를 사용한 것은 멜빈 윌크Melvin Wilk가 주장한 바대로 다분히 "의도적"임을 알 수 있다 (7). 게론티온과 "유태인"은 각각 서구 문명의 두 근간들인 헬레니즘 Hellenism, 즉 이교사상paganism과 유태주의Judaism, 즉 헤브라이즘Hebraism을 대변하고 있다(Vickery 104). 따라서 "퇴락한 가옥"은 고령으로 인한 신체적 노쇠와 붕괴된 서구 문명—헬레니즘과 헤브라이즘에 근거한 "부패한 문명"을 암시하고 있다(Dodsworth 29). 그리스인 게론티온이 심지어 "퇴락한 가옥"의 세입자라는 것은 헬레니즘이 서구 문명의 주류에서 더 이상 핵심 역할을 하지 못한다는 것을 함축하고 있다. 더욱이 "창문턱에"(on the window sill) 쭈그리고 앉아 있는 "유태인"에 대한 엘리엇의 묘사는 유태주의를 내포하는 헤브라이즘이 "침입자"라는 것을 암시하고 있다(Julius 47). 창문턱에 있다는 것은 그가 문명의 총체적인 흐름을 주도하지 못한다는 것을 시사하고 있다. "유태인"에 대하여 앤토니 줄리어스Anthony Julius는 "문둥병자들은 극심한 통증 중에서 다리로 일어설 수 없으므로 쭈그려야 하기" 때문에 그가 문둥병자라고 주장하고 있다(48). 그러나 유태인에 대한 엘리엇의 부가적인 묘사인 "앤트워프의 어느 술집에서 산란되고 / 브뤼셀에서 물집 생겨, 런던에 와서 딱지 않고, 껍질 벗은 치"(Spawned in some estaminet of Antwerp, / Blistered in Brussels, patched and peeled in London)는 이 유태인이 문둥병자라기보다는 매독에 걸린 환자라는 것을 극명하게 제시하고 있다. 게다가 "산란되고"의 시어에 초점을 둘 경우 게론티온이 유태인을 동물이나 물고기 수준으로 격하시키고 있다는 또 다른 해석은 가능하겠지만 쉽게 수용할 수 있는 것은 아니다(San Juan 117). "estaminet"는 제1차 세계대전 당시에 프랑스와 벨기에로부터 귀환하는 병사들이 영어에 도입한 프랑스어에서 파생된 조그만 카페란 의미이다 (Southam 1994, 70). 엘리엇이 1914년 여름에 방문한 적이 있는 벨기에 북부의 항구 도시이자 현재 주로 금강석을 판매하는 유태인 보석상들의 집결지인 앤트워프와 벨기에의 수도인 브뤼셀은 금융과 무역의 중심지로서 보다 대도시인 런던과 관련이 있다. 특히 상당수의 유태인들이 거주하고 있는 앤트워프의 증권거래소는 런던 증권거래소의 모델로서 역할을 해 왔다 (Hargrove 57). 따라서 "유태인"은 앤트워프의 카페, 즉 매음굴에서 "난교" 亂交의 결과 그는 "산란되"었으니 그의 성기가 매독균에 감염되었다고 추측할 수 있을 것이다(Mankowitz 130). 그 후에 그는 "물집이 생"겼으니 그의 성기가 부풀어올랐던 것이다. 마지막으로 그는 "딱지 않고 껍질 벗었"으니 그의 성기 기관들이 회복 과정에 있었다고 해석할 수 있다. 소도시인 앤트워프로부터 보다 대도시인 브뤼셀을 거쳐서 광역시인 런던에 이르기까지 만연되고 있는 난교는 의심 없이 현대의 물질세계의 보편적인 성적 타락상을 대변하고 있는 것이다. 여기서 유태인으로 표상되는 유태주의는 이 도시들의 상업주의와 혼합되어 타락한 것으로 드러난다. 따라서 "유태인"을 케너가 단언하듯이 "빌려준 것을 회수하려고 기다리고 있는 그리스도"(Kenner 111)나 데이비드 스퍼David Spurr가 추론하듯이 "화자 자신"(15)과 동일시하는 것은 억지 주장들인 것이다. 오히려 성적으로 타락한 "유태인"은 모든 현대의 시민들이라고 일반화함으로써 이 시는 기독교를 숙명적으로 똑같이 거부한다는 의미에서 우리 모두가 유태인들이라는 인상을 전달하고 있다(Griffith 46).

제11-12행은 초점을 유태인에서 "밤에는 윗녘 들에서 기침하"는 "염소"(The goat [coughing] at night in the field overhead)로 시작되는 자연으로 전환하고 있다. 염소자리의 성좌인 염소는 "전통적인 욕정의 심상"(Williamson 1957, 115), "악, 특히 사악한 정욕의 상징"(Thormählen 159), 또는 "정력의 원형"(Mankowitz 130)으로서 성적인 힘을 상징하기 때문에 밤에 기침을 한다는 것은 "성적 타락"(Schwarz 58)으로 인한 성적 무능을 나타낸다. 더욱 구체적으로 염소는 주신제酒神祭와 비극적 존재의 지배적인 성좌에서 이교적 정욕을 상징한다(San Juan 119). 거신족들Titans에 의해 갈가리 찢겨졌지만 불가사의하게 재생하는 비극적 염소인 디오니소스Διόνυσος, Dionysus는 다음 연에서 그리스도를 예표하고 있다(Puchek 12). 자연의 다른 요소들인 "바위 · 이끼 · 꿩의 비름 · 쇠붙이 · 똥"(Rocks, moss, stonecrop, iron, merds)과 특히 "대변"(excreta)을 의미하고 프랑스어에서 파생된 "merds"는 도시 지역뿐만 아니라 자연의 불결하고 부패한 양상들을 제시하고 있다(Southam 1994, 70).

제13행은 보편적인 여성의 원형인 "여성," 즉 더 이상 안주인이 아닌 그 임무가 부엌을 지키고 차를 끓이는 단순한 일밖에 없는 주부를 소개하고 있다. 그러나 제14행은 이와 다르게 "저녁 땐 기분 사나운 불을 쑤시다"(at evening, poking the peevish gutter) 재채기하는 그녀를 그리고 있다. 머빈 윌리엄슨Mervyn Williamson은 "기분 사나운 불"을 "막힌 수채구멍"4)으로 (115), 샌 후안 2세E. San Juan, Jr.는 이것을 "정화와 배수로의 막힘"으로 해

---

4) 고 이창배 교수도 "수채구멍"(37)으로 번역하고 있고, 김종길 교수도 "수채"(101)로 번역하고 있다.

석하고 있다(118). 게다가 마자 파머Marja Palmer는 "기분 사나운 불을 쑤시는 행위"를 물이 빠져나가는 것과 연관하여 "비"가 내리지 않으면 그녀의 수채구멍 쑤시는 것이 다소 무익한 것처럼 보인다고 말한다(149). 한편, 테일러 컬버트Taylor Culbert는 이와 달리 이것은 "여인이 차를 끓이는 석탄 난로 안의 가물거리는 불"을 가리킨다고 주장하며(20), 사우섬B. C. Southam은 엘리엇이 모든 철제 벽난로를 가리키는 독일어인 "gitter"를 원용했음을 부연하면서 "희미하게 바지락거리는 불"로 해석하고 있다(1994, 70). 필자는 컬버트와 사우섬의 해석에 동조하는데, 재채기하는 여성은 열기가 자연스럽게 필요하므로 "바지직거리는 불"을 쑤시기 때문이다(Bush 35). 이 불의 심상은 그녀의 연약한 욕정이나 게론티온의 꺼져 가는 열정을 환기시켜주는 것 같다. 저녁에 부엌에서 재채기하는 여인은 밤에 들판에서 기침하는 염소와 병행을 이루고 있다. 이 둘은 게론티온의 약화된 성적 능력을 강조하고 있는데, 기침하는 것과 재채기하는 것은 게론티온의 노쇠를 상기시켜주기 때문이다. 그의 상황은 "동물계에서는 관절염에 걸린 염소"로 인간계에서는 성행위 없는 여인으로 나타나 있다(Vickery 104). 제11-14행에 묘사되어 있는 풍경은 게론티온의 뇌리에서 전개되는 심리적인 것으로서 게론티온의 "불모성과 황량함의 의식"을 강화시키고 있다(Jain 89). 아이가 책을 읽어주어도 게론티온의 머리통이 "멍청할" 뿐이라는 것은 의미심장하다. 게론티온의 "바람 찬 허공 중의 멍청한 머리통"(dull head among windy spaces)은 그의 세든 "퇴락한 가옥"－"바람 센 동산 아래, / 바람 새어 들어오는 집"(제31-32행)과 연결되어 있다. 가옥은 "거주지"를 나타내지만 그것은 또한 "시들어버린 가문, 유럽 족보, 유럽 정신, 육체 및 궁극적으로는 머리"를 상징하고 있다(Kenner 108). 여기서 브래들리의 진리 체계의 본질의 이론에 근거하여 "집의 심상"에 관한 브루커 교수의 다음 상해詳解를 참조하는 것이 좋을 것이다. "두뇌는 어떤 의미에서 가장 작은 집이지만,

다른 의미에서 두뇌는 그것을 내포하고 있는 육신의 집보다 훨씬 더 포괄적이다. 두뇌 안에서 다양한 사상들이 파편으로 남아 있기도 하고 통합되기도 한다. 집안에서 아이와 노인과 여인ー책을 읽고, 생각하고, 재채기하는ー은 체계적인 부분들로서 하나의 전체 속에 포함되어 있다. 이 각각의 집은 모든 것을 포용하는 절대, 즉 실재 또는 경험에 도달할 때까지 스스로 초월적인 것이다"(Brooker 321, 324-25). 게론티온의 이 개인적인 반추들은 제2연에서 종교라는 더욱 몰개성적이고 객관적인 주제로 바뀌게 된다.

> 표적들이 이적으로 생각된다. "우리는 표적을 보고 싶다."
> 말 속의 말, 한 마디도 말할 수 없는,
> 어둠에 싸인 말. 세월의 갱생과 더불어
> 범虎 그리스도는 왔다. (Eliot 1988, 37)

> Signs are taken for wonders. 'We would see a sign!'
> The word within a word, unable to speak a word,
> Swaddled with darkness. In the juvescence of the year
> Came Christ the tiger (*IMH* 349; *CPP* 37: ll. 17-20)

게론티온이 학수고대하고 있는 "비"로 적시되는 날씨의 표적表蹟들은 보통 이적으로 간주되지 않는다. 그러나 성경에서는 이 표적들이 일반적으로 이적으로 간주되고 있다. 이런 의미에서 "표적"은 자연의 맥락을 영적인 맥락으로 전환한 셈이다(Williamson 1975, 109). 제17행에서 마태복음 제12장 제38절의 인용은 예수 그리스도 당시의 서기관과 바리새인들의 왜곡된 믿음을 반영하고 있다. 그러나 마태복음 제12장 제39절에서 예수는 그들에게 "악하고 음란한 세대가 표적을 구하나 선지자 요나의 표적 밖에는 보일 표적이 없느니라"라고 답변했다. 요나서 제1장 제17절에 나오는 3일 주야로

고래의 뱃속에 있던 선지자 요나의 표적은 3일 밤낮 무덤에서 죽은 상태로 안치될 예수의 표적을 예표한 것이다. 이 바리새인들과 같이 현대인들도 신을 믿기 위하여 먼저 신적 존재의 과학적·합리적인 증거를 찾을 것이다 (Jha 95). 한편, 누가복음Luke 제2장 제12절에는 한 표적이 "강보襁褓에 싸여 구유에 누인 아기"로서 마리아에게 계시되었는데, 이것은 1618년 크리스마스 날에 제임스 1세 앞에서 란슬롯 앤드루즈Lancelot Andrewes 주교가 설교한 예수 강탄 설교5)의 직접적인 텍스트였다. 표적의 여러 양상에 관하여 앤드루즈 주교의 설교는 주목할 만하다. 그리스도의 최대의 표적은 엘리엇이 대문자 없이 사용하고 있는 "말"λόγοι, words 대신에 성육신된 "말씀"λόγος, Word이다. "한 마디도 말할 수 없는"(unable to speak a word) 말씀의 신성한 파라독스는 강생한 그리스도와 무덤에 갇힌 그리스도를 의미하는 것인 바 인간의 말을 한 마디도 할 수 없었기 때문이다. "어둠에 싸인"(swaddled with darkness)이란 시구는 아기 그리스도가 "강보"에 둘러싸여 있을 뿐만 아니라 십자가에 처형된 그리스도는 어둠 속에서 "깨끗한 세마포"에 싸여 있음을 의미한다. "어둠"의 심상은 자연적인 환경뿐만 아니라 영적인 무지의 어두움과 나아가서 "게론티온 자신의 마음의 어두움"을 시사하고 있다 (Jain 90; Vickery 108).

제19행의 "갱생"(juvescence)이란 시어에 대해서는 존 크로우 랜섬John Crowe Ransom의 비평적인 언급이 큰 도움이 될 것이다. 이 시어는 "아마 라틴어가 그 출처이나 부정확하다. 타당한 용어는 "juvenescence"인데, 엘리

---

5) 표적은 이적으로 간주되어진다. "선생님이여 우리에게 표적 [즉 이적] 보여주시길 원하나이다"(마태복음 12:38). 또 이런 의미에서 놀랄만한 표적이다. 정녕코 여기의 모든 말이 이적이다. Τὸ Βρέφος, 아기; 아기 말씀Verbum infans, 말이 없는 말씀; 한 마디 말할 수 없는 영원한 말씀; 1. 확실한 이적. 2. 또한 σπαρΓανισμός, 강보에 싸인; 이것도 이적이다. "그 분은"(욥기 38:9) 하나님이 말씀하시기를, "바다의 광대한 자락을 취하고... 흑암으로 그 강보를 만들고"; — 그래서 강보로 오실 그분 자신이!... 이적인 것이다(Williamson 1975, 108; Williamson 1957, 116; Gray 214; Southam 1994, 71; Jain 89).

엇이 두 음절 대신 한 음절의 강세를 원했기 때문에 조어를 사용했을 것이다. 엘리엇이 로마인이었다면, 그는 "juvescence"보다는 오히려 "junescence"로 바꾸었을 것인데, 로마인들은 비교 형용사인 "juvenior"를 "junior"로 축약했기 때문이다(402). 그래서 "세월의 갱생과 더불어 / 범 그리스도는 왔다"(in the juvescence of the year / Came Christ the tiger)의 시구는 "봄의 계절에" 그리스도는 "표적을 구하는" 위의 유태인을 포함한 "악하고 음란한 세대"를 호랑이처럼 삼키기 위하여 왔음을 함축하고 있다(Jain 90). 그러나 요한복음John 제1장 제29절에 그리스도는 세례 요한에 의하여 엘리엇이 사용하고 있는 "호랑이"의 반대 심상인 "세상 죄를 지고 가는 하나님의 어린 양"으로 언급되고 있다. "구세주 그리스도"(Christ the Savior)는 타락한 인간을 구원하기 위하여 양처럼 자신의 몸을 대속물代贖物로 주려고 이 세상에 온 것이고, 동시에 "파괴자 그리스도"(Christ the Destroyer)는 변절된 불신자들을 삼키기 위해 호랑이처럼 재림시에 다시 오는 것이다(Mayer 229). 랜섬에 의하면 제17-20행은 게론티온이 아기 그리스도에 관한 앤드루즈 주교의 설교를 잘 알고 있다는 것을 제시하고 있다(401). 게다가 게론티온은 이 상징의 부정적이고 파괴적인 양상들로서 블레이크Blake의 시 「호랑이」("The Tyger")에 정통해 있을 뿐만 아니라 엘리엇의 "호랑이"와 유사한 "사나운 짐승"(rough beast)으로 표현한 예이츠의 시 「재림」("The Second Coming")에 접맥되고 있음을 짐작케 한다.6) 더욱이 이제 호랑이는 프라이가 정의하고 있는 "적그리스도의 전통적인 상징"이라기보다는 하나님의 분노의 상징이 되고 있다(Frye 56). 그러나 호랑이 그리스도는 먹혀지기 위하여 온 것이고, 이 역설이 가능하게 된 것은 인간의 배신 때문이다

---

6) 엘리엇의 게론티온은 1917년에 착시에 착수되어 1919년 8월에 초고가 완성되었고, 1920년 2월에 『아라 보스 프렉』에 수록되었다. 또한 예이츠의 「재림」은 1919년 1월에 탈고되어 1920년 11월에 『다이얼』지에 처음 출판되었다.

(Dodsworth 30).

여기에 부합하여 제3연은 그리스도를 믿지 않는 자들의 불신앙적인 면모들을 항목화하고 있다.

타락한 오월, 산딸나무와 밤나무, 꽃피는 소방蘇芳나무는 왔다.
귓속말 주고받는 중에
먹히고, 분배되고, 마셔지기 위하여
리모즈에서 애무의 손길하며
옆방에서 밤새 거닐었던 실베로 씨에게,
또한 티치아노의 그림들 사이에서 머리 숙이는 하까가와에게,
또한 어두운 방에서 촛불을 옮기는
드 토른퀴스트 부인에게, 또한 한 손을 문에 대고
대청에서 돌아섰던 쿨프 양에게. 텅빈 북이
바람을 짠다. 나에겐 망령이 없다,
바람 센 동산 아래,
바람 새어 들어오는 집의 한 늙은이. (Eliot 1988, 37-38)

In depraved May, dogwood and chestnut, flowering judas,
To be eaten, to be divided, to be drunk
Among whispers; by Mr. Silvero
With caressing hands, at Limoges
Who walked all night in the next room;
By Hakagawa, bowing among the Titians;
By Madame de Tornquist, in the dark room
Shifting the candles; Fräulein von Kulp
Who turned in the hall, one hand on the door. Vacant shuttles
Weave the wind. I have no ghosts,

An old man in a draughty house

Under a windy knob. (*IMH* 349-50; *CPP* 37-38: ll. 21-32)

「게론티온」의 애매한 문맥에서 성찬식은 프레이저의 『황금 가지』에 등장하는 "식신食神"(Eating the God)의 육체 중심주의를 강조하는 용어들로 나타나 있다. 호랑이 그리스도는 역설적으로 배신당하고 찢겨진 그리스도를 상기시키며, "타락한 5월"(depraved May)에 나무들과 불가사의하게 동일시되어 있다. 호랑이 그리스도와 먹는 행위 사이의 간극은 식물성을 강조할 뿐만 아니라 일순간 먹혀지는 것은 식물이라는 것처럼 여겨진다 (Crawford 122). 배신의 계절인 "타락한 5월"은 언제나—사도 시대나 현대나 어느 세대에나 다시 찾아오며, 사랑 없는 정욕적인 생활이 요동치고 있는 것이다(Smith 1974, 60-61). 세 종류의 나무들—"산딸나무와 밤나무, 꽃피는 소방나무"(dogwood and chestnut, flowering judas)는 그리스도를 배신하고 배척하는 것과 관련 있다. 이 나무들에 대하여 엘리자베스 슈나이더 Elisabeth Schneider의 상세한 해석을 고찰하는 것이 좋을 것이다. 산딸나무는 잡초가 아니라 봄에 꽃피는 친숙하고 많은 사랑을 받는 자그마한 나무이고, 꽃피는 소방나무는 박태기나무로도 알려져 있고 봄에 만개하는 또 다른 나무이며, 미국 토종 밤나무는 유럽 토종, 즉 마로니에의 꽃보다는 덜 남근형으로서 쉽게 형용할 수 있다(47). 따라서 울프 맨코위츠Wolf Mankowitz가 "산딸나무"를 잡초의 일종인 "나래지치"(dogweed)로 해석하는 것은 아주 부적절한 것이다(132). 또한, "산딸나무"를 그리스인들은 "개의 혓바닥"이라고 불렀는데, 꽃잎의 모양이 사냥 중인 개의 혓바닥 같기 때문이다. "산딸나무"의 꽃이 육감적이라기보다는 위협적이기 때문에 "산딸나무"를 랜섬도 부인하고 있는 성적인 관점에서 해석해서는 안 된다. 산딸나무의 꽃잎은 가로 세로 동일한 길이의 십자가 형태이고, 그 가운데의 꽃술은 그리스도가 쓴 가시면류관과 흡사하며, 산딸나무는 그리스도가 십자가 위에서 처형당한 나무의 재료가 되었기 때문이다(402). 한편, 정신분석학적 비평의 접근으로 해석할 때에 "밤나무의 남근형 수상穗狀 꽃차례는 창궐하는 난교를 연상시키고 있다(Mankowitz 132). 배신자 가룻 유다가 목매단 유다 나무인 "꽃피는 소방나무"는 "봄의 재생과 악의 출현을 암시하고 있다"(Rees 157). 이 나무들은 모두 역사적으로 "르네상스—예술, 문화, 탐험, 지식욕이 만개한 시대"와 현대 세계의 배신적인 불신앙과 타락한 성이 만연하는 현상들을 함축하고 있는 것이다(Rai 80).

제22행의 "먹히고, 분배되고, 마셔지기 위하여"는 예수와 그의 12제자들이 연출한 최후의 만찬 의식을 연상시킨다. 그러나 가톨릭의 화체설化體說, transubstantiation에서 구현되는 신성과 인성의 합체는 오늘날 은밀하고 불길한 "귓속말 주고받는 중에"(among whispers) 훼손되어 있는데, 성찬식은 "패러디 성찬식, 즉 사탄의 의식"을 연출하는 "신성모독의 입으로 오염되어 가고 있기 때문이다"(Pinkney 137; Rees 153). 실베로 씨Mr. Silvero, 하까가와Hakagawa, 드 토른퀴스트 부인Madame de Tornquist, 폰 쿨프 양Fräulein von Kulp으로 예시되는 배신과 타락은 전 세계에 퍼진 매독과 같이 만연되어 있는 것이다. 에스빠냐인 실베로 씨는 상류층 서양의 남성들을, 존칭어인 "씨"를 붙이지 않은 일본인 하까가와는 하류층 동양의 남성들을 가리키는 반면에, "프랑스계 스칸디나비아 여성"인 드 토른퀴스트 부인은 기혼 여성들을, 독일 이름의 여성인 폰 쿨프 양은 미혼 여성들을 대표한다(Rees 152). 따라서 다양한 외국 사람들의 이름은 "공동체 없는 세계주의"와 "어떤 세계주의적 위령 미사"(Black Mass)를 암시하고 있다(Williamson 1957, 119; Kenner 112). 게다가 "실베로"는 문자 그대로 직역하면 "은"(silver)으로서 고대 통화 단위이자 에스빠냐 고유 인명으로서 상업주의와 자본주의를 풍유하고 있으며, 은 30냥을 받고 스승 예수를 로마 군병들에게 키스 신호로 밀고한 유다의 "배신의 은"을 상징적으로 상기시켜주고 있다(Mayer 230). 또한 "무덤," 즉 죽음을 뜻하는 "하까"와 "강," 즉 생명을 의미하는 "가와"로 구성된 하까가와는 지옥의 관문인 스틱스Styx 강을 건너기 직전의 노인, 즉 생중사의 인간을 표상하고 있다. 사실 파운드는 "하까가와"를 강조하여 엘리엇의 타자 원고 여백에다 "이 신사 이름의 접미사는 강을 의미하므로 나만큼 일본어를 많이 아는 사람은 티베르Tiber 강이나 가론느Garonne 강으로 여길 것이다"라고 써넣었다(*IMH* 351). 마지막으로 "Kulp"라는 독일어 이름은 영어의 "culpa"와 어원이 동일하므로 메이어가 주장하듯이 "원죄"(original culpa)라기보다는 주로 "성적인 범죄"를 의미하는 "죄"를 가리킨다(Mayer 230). 이러한 개별 인명들의 보다 심오한 의미는 전 세계 인류의 보편적인 타락을 함축하고 있다. 엘리엇은 이들의 불신앙의 왜곡된 행위들을 생생하게 묘사함으로써 현대의 타락을 강조하고 있는 것이다. 전형적으로 돈을 사랑하는 자인 실베로 씨는 자기瓷器로 유명한 프랑스의 리모즈 Limoges에서 "예술과 심미주의의 섬세함"을 나타내는 "애무의 손길로"(with caressing hands) 예술을 경배하고 있다(Southam 1994, 73; Jain 91; Jha 98). 게다가 "옆방에서 밤새" 그가 거닐었다는 것은 예술을 사랑하지만 그의 마음에 어떤 진정한 평안도 얻지 못했음을 의미한다(Mankowitz 131). 마찬가지로 이탈리아 베네치아의 예술가인 티션Titian, 즉 티치아노 베첼리오Tiziano Vecellio, 1488–1576의 "관능적인"(Schwarz 60) 그림들[7) 앞에서 취한 이해 못할 동방 경배는 그의 맹목적인 예술 숭배를 상징하고, 어떤 의미에서 "종교와 국가를 분리"하고 있는 것이다(Mayer 230). 영매靈媒로써 드 토

---

7) 필자가 2004년 8월 15일 영국의 케임브리지에 있는 핏츠윌리엄 박물관Fitzwilliam Museum에서 감상한 티치아노 베첼리오의 유명한 유화인『큐피드가 왕관을 씌우는 비너스와 류트 연주자』(*Venus Crowned by Cupid, with a Lute Player*)가 엘리엇이 언급한 한 그림으로 여겨진다. 실제 엘리엇은「게론티온」집필 이전인 1914-1915년 사이에 영국의 옥스퍼드 머튼Merton 대학에 펠로로 재직하는 동안에 런던의 국립미술관National Gallery과 옥스퍼드의 애쉬몰리언 박물관Ashmolean Museum 및 핏츠윌리엄 박물관을 방문했을 개연성은 충분히 있는 것이다.

른퀴스트 부인의 미사를 패러디하는 "어두운 방에서 촛불을 옮기는" (shifting the candles in the dark room) 행위는 강신술자降神術者들이 행하는 강령회降靈會를 암시하고 있다(San Juan 120; Southam 1994, 73). 폰 쿨프 양은 "범죄 공포의 현현顯現"(Kenner 112)인 "한 손을 문에 대고 / 대청에서 돌아섰던"(Who turned in the hall, one hand on the door) 시구에서와 같이 "성적인"(Schwarz 60) 행위를 감행하려는 "결정을 못해서 괴로워"하고 있다(Mankowitz 132). 요컨대, 돈, 예술, 강신술, 또는 성행위의 우상들을 경배하는 이들은 재정적·심미적·종교적 또는 성적 타락상을 상징하는 것이다. 다른 한편, 이들은 칵테일 파티와 아주 흡사한 유사 성찬식에 참석함으로써 용서받을 수 없는 죄상을 드러내고 있으며, 이들과 더불어 "기독교는 교회의 집회Churchianity로 위축되어 버렸다"(Rai 80). 불신자들은 불안하고, 신경질적이고, 전도顚倒된 세계주의자들이며, "무의식적인 불안의 대변자들"로서 이들은 "게론티온의 분열된 감수성"을 예단하고, "그의 내적인 삶과 무의식적 욕망 및 죄"를 투영하고 있다(Bush 40; San Juan 120; Jain 91).

이 연의 종결부에서 엘리엇은 욥기Book of Job 제7장 제6-7절을 원용하면서 4명의 성체배령자聖體拜領者들의 타락한 행동들을 "바람"(the wind)을 짜는 "텅빈 북"(Vacant shuttles)으로 요약하고 있다(Smith 1974, 59-60). "텅빈 북"은 완전히 무익한 운동 심상으로서 "정신적인 북의 무익한 움직임들"을 함축하고 있다(Drew 53; Rai 121). "바람"은 그 활기와 대조적으로 정신적인 삶의 부재의 파라독스를 강조하면서 공허空虛나 영혼으로 해석할 수 있다(Williamson 1957, 120). 이 시의 지배적인 요소로서 "바람"은 부시의 조어인 게론티온의 "강풍성"(windiness)에서 "끝을 찾을 수 없지만 그칠 줄 모르는 끊임없는 임의성"을 구현하고 있다(Bush 39, 33). 게론티온은 "텅빈 북," 즉 불신자들이 일으키는 "바람"에 의하여 위축되고 있다. 게론티온의 "나에겐 망령이 없다"(I have no ghosts)라는 선언은 그가 환기시킨 심상들을 범죄한 크리스천들과 혼돈해서는 안 된다는 것을 의미한다 (Dodsworth 28). 그러므로 "망령"은 "부자父子 관계"(Bush 36), "신령한 것을 이해하는 능력"(San Juan 121), 또는 "성령, 세속적인 기억들 및 과거의 시끄러운 음영들"(Mayer 231)이라기보다는 극기주의자인 게론티온이 상상한 4명의 거짓된 크리스천 인물들을 의미한다. 그러나 게론티온은 이 "바람"의 영향 아래에 있는데, 그가 "바람 센 동산 아래, / 바람 새어 들어오는 집의 한 늙은이"(An old man in a draughty house / Under a windy knob) 이기 때문이다. 그래서 게론티온이 자신을 텅빈 북의 하나에 포함시키고 있다는 피터 푸첵Peter Puchek의 주장은 정확한 것 같다(13). 다른 한편, 게론티온은 바람이 전혀 불지 않는 무풍지대인 불교의 열반涅槃, 즉 *니르바나 nirvana*를 꿈꾸고 있는지 모르는데, 열반이란 용어는 파머가 적절하게로 주장하듯이 "바람 없음"과 "바람 그침"을 의미하기 때문이다(Palmer 151). 게론티온의 명상은 "바람," 즉 역사의 본질을 더욱 깊이 천착하고 있다.

> 이런 지식 이후에 무슨 용서가 있겠는가? 그래 생각해 보라,
> 역사 [자연]는 많은 교활한 통로와 술책의 회랑回廊과
> 출구를 가졌고, 귓속말로 야망을 속삭여 우리를 기만하고,
> 가지가지 허망으로써 우리를 이끄는 것을. 그래 생각 좀 해 보라.
> 역사는 우리의 주의가 산란할 때 주고,
> 주는 것이란 비위에 맞는 미혹을 일으켜 줌으로써
> 도리어 갈망에 굶주리게 할뿐이다. 너무 늦게 준다
> 믿음성 없는 것을, 혹 믿어진다 해도
> 고난을 재고하는 기억에서만. 너무 일찍 준다
> 약한 손에, 없어도 좋으리라 생각되는 것을,
> 그래서 결국 거절이 두려움을 확대한다. 생각하라,

두려움도 용기도 우리를 구원하지 못한다. 터무니없는 제악諸惡은
우리 용맹의 소치. 우리에게
우리의 파렴치한 죄는 미덕을 강요한다.
이 눈물이 분노의 열매 맺는 나무에서 흔들려 떨어진다. (Eliot 1988, 38)

After such knowledge, what forgiveness? Think now
History [Nature] has many cunning passages, contrived corridors
And issues, deceives with whispering ambitions,
Guides us by vanities. Think now
She gives when our attention is distracted
And what she gives, gives with such supple confusions
That the giving famishes the craving. Gives too late
What's not believed in, or if still believed,
In memory only, reconsidered passion. Gives too soon
Into weak hands, what's thought can be dispensed with
Till the refusal propagates a fear. Think
Neither fear nor courage saves us. Unnatural vices
Are fathered by our heroism. Virtues
Are forced upon us by our impudent crimes.
These tears are shaken from the wrath-bearing tree.

(IMH 350; CPP 38: ll. 33-47)

제33행의 "이런 지식 이후에 무슨 용서가 있겠는가?"(After such knowledge, what forgiveness?)는 지식과 천벌이 관련 있고, 1919년의 좌절과 환멸의 미로에서 아리아드네Ariadne의 실과 같은 그러한 희망의 존재에 대해 엘리엇이 회의했음을 상기시켜주고 있다(Kirk 67). "이러한 지식"에 대한 해석들은 복잡한 미로와 같아서 독자는 미궁 속에서 길을 잃지 않도

록 정신 차려야 한다. "지식"에는 선악을 인식하는 성경적인 의미가 있으며, 특히 "육체를 앎"(carnal knowledge)과 같이 성적인 의미도 있다(Dodsworth 31-32). 또는 이것은 "성육신과 그 후의 기독교의 배교와 하나님의 말씀의 거부 또는 그 이후의 역사적 지식에 관한 인식"일 수 있다(Jain 92). 아니면, 그것은 특히 신앙과 용서를 배제하는 20세기 초의 물리학 및 생물학적인 인식―바리새인들이나 게론티온 또는 지식인들이 가지고 있었던 마음의 어떤 상태―이다(Brooker 334). 덧붙여서 여기에는 그리스도가 용서 못할, 즉 구원받지 못할 모든 사악한 성체배령자들이 가장 소중히 간직하고 있는 금단의 지식, 즉 돈, 예술, 강신술 및 섹스의 우상들이 내포되어 있다고 필자는 주장한다.

제34행에 있는 첫 시어는 처음 원고에서는 "역사"(History)가 아닌 "자연"(Nature)이었으므로 「게론티온」이 다른 시로 될 뻔하였다. 여기의 역사는 사탄과 흡사한데, 이것은 "교활한"(cunning), "기만하고"(deceives), "속삭여"(whispering)와 같은 시어들에서 뱀의 심상을 연상시키기 때문이다. 교활한 속삭임과 거짓말로 하와와 아담으로 하여금 선악을 알게 하도록 속인 사탄과 같이 여성으로 의인화된 역사는 인간을 속여서 천벌을 받게 만든다. "역사"는 비평가들에 따라서 가장 극단적인 해석들이 가능하다. 그로스는 역사의 개념을 3범주, 즉 게론티온 자신의 과거, 테르모필레에로부터 19세기에 걸치는 서양문명사인 그의 풍유화된 과거 및 가장 최근의 유럽 상황으로 간주하고 있다(Gross 301). 그러나 엘리자베스 드루Elizabeth Drew는 역사를 "로고스의 틀 밖에서 살고, 경험 과학이 제공하는 '지식'으로 생활한 인간의 체험"으로 규정하고 있다(54). 이와 유사하게 데니스 도노휴Denis Donoghue는 역사는 종교적인 의미의 섭리Providence에 대한 현대적 대용물인 진보Progress라고 주장하는데, 여기에는 헤겔Hegel로부터 아담스Adams까지의 폭넓은 명상에서 야망과 허망을 내포하고 있다(87). 한편, 정

신분석학적 비평의 접근에서 고찰하면, "교활한 통로"(cunning passages)와
"술책의 회랑"(contrived corridors)은 여성기의 의미를 함축하고 있으며, 일
련의 성적 어의語義적인 함축성은 "교활한 통로"를 "비위에 맞는 미혹"
(supple confusions), "갈망"(craving), "터무니없는 제약"(unnatural vices)
과 소치의 행위와 연결되고 있다(Spurr 17). 이런 의미에서 역사의 지식은
성의 지식과 동일시된다(Rai 82). 요부妖婦로써 역사는 "유혹하는 *운명의 여
인*"(San Juan 121), "음탕한 운명의 여신"(Dodsworth 32), "태고의 창
녀"(Kenner 109), "위대한 창녀"(Brooker 332), "덫을 놓는 세이렌"(Mayer
232) 또는 "이교도의 마녀"(Puchek 14)로 규정되고 있다. 한없이 다양하게
변신을 하는 클레오파트라와 같이 역사는 가장 만족시켜줄 때에 굶주리게
되는데, "비위에 맞는 미혹을 함으로써 / 도리어 갈망에 굶주리게 할
뿐"(gives with such supple confusions / That the giving famishes the
craving)이기 때문이다(Kenner 109; Schwarz 70). 여기에서 "역사적인 의
식이 종교적인 의식을 파멸시킨다. 종교의 과거에 대하여 너무 많이 앎으로
써 우리는 그것의 부조리와 비진실성을 깨닫게 된다"라는 니체Nietzsche의
진술을 고려해 봄직하다(Gross 300 재인용).

  그리스도의 배척은 "거절이 두려움을 확대할 때까지"(till the refusal
propagates a fear) 다시 "고난을 재고하는 기억에서만"(In memory only,
reconsidered passion) 회상된다. "두려움도 용기도 우리를 구원하지 못한
다"(Neither fear nor courage saves us)의 시행에서 "두려움"은 호랑이 그
리스도에 대한 불신앙에서 생겨나며, "용기"는 그리스 문명을 구하는 그리
스 전투의 용감무쌍을 상기시키는 "용맹"(heroism)과 관련 있다(Mankowitz
135). 따라서 어떤 의미에서 "두려움이나 용기도" 영생의 소망이나 부활의
믿음을 회복시킬 수 없는 것이다(Vickery 112). "우리 용맹의 소치"인 "터
무니없는 제약"과 유다의 배신행위를 포함한 "우리의 파렴치한 죄가 강요

하는 미덕"(Virtues forced upon us by our impudent crimes)은 인류 구원과
는 요원하다(Dodsworth 32). 더욱이 이 역설적인 경구들 이면에서 강간이
나 폭행의 암시적 은유를 찾아볼 수 있다. 그러나 폭력은 죄를 잉태하는 것
이 아닌 것이 게론티온으로 하여금 비애悲哀의 연단으로 유도하기 때문이다
(San Juan 122-23). "용맹"은 사탄의 악-극기주의적 저항에 대한 자긍심
으로 나아가고, 이와 반대로 믿음을 범죄로서 거부하는 것은 사람으로 하여
금 인내의 미덕을 강요하는 것이다(Vickery 112). 순종과 궁핍 또는 의탁과
같은 미덕들은 필요에 의해 강요되면 도덕적인 가치가 전혀 없다. 결국 인
간 역사의 진보는 제47행의 "이 눈물이 분노의 열매 맺는 나무에서 흔들려
떨어진다"(These tears are shaken from the wrath-bearing tree)에서와 같이
신의 분노로 인한 통한과 회개가 그 결과인 것이다. 재생의 비애인 "눈물"
은 문제가 있는 과거의 의미를 분명히 하는 데 있어서 이성의 한계를 인정
함으로써만 생성될 수 있다(San Juan 123). 역사에 대한 자신의 명상의 무
익함을 게론티온이 깨닫는 것은 그의 눈물이 참회의 결과가 아니라는 것을
그가 인지하는 데에서 드러난다(Schwarz 69).

　"분노의 열매 맺는 나무"의 의미에 대하여 독자는 다시 해석의 미로에서
방황하기 쉽다. 성경적 관점에서 볼 때 "나무"는 "선악을 알게하는 나무"
를, "분노의 열매 맺는" 것은 금단의 열매에 대한 하와의 불순종 때문에 인
류에게 내린 신의 분노를 인유하고 있기 때문이다. 게다가 "나무"는 십자가
형벌의 십자가(Williamson 1957 122; Kenner 110; Jha 103), 마태복음 제
21장 제19절에 나오는 예수의 저주로 말라버린 무화과 나무, 말씀 또는 유
다가 목을 매단 동일한 나무를 상징할 수 있다(Kenner 110; Vickery 112;
Puchek 15). 한편, 정신분석학적 비평의 접근에서 볼 때 "나무"는 보편적으
로 남성성을 지칭한다(Dodsworth 32). 그러나 필자는 이것이 나무와 관련
있는 호랑이 그리스도의 신비로운 변신이라는 엘지 리치Elsie Leach의 주장

에 공감한다(46). 천벌 받은 인간의 역사에 관한 무능한 게론티온의 명상은 전능하고 "영원한 현재"인 호랑이 그리스도에게로 돌아가고 있다(Drew 55).

> 새해에 범이 뛴다. 우리를 집어삼킨다. 결국 생각해 보라.
> 우리들은 아직 결론에 이르지 못한 것이고, 그때
> 나는 한 셋집에서 빳빳이 굳는다. 결국 생각해 보라.
> 나는 목적도 없이 이런 꼴을 나타낸 것은 아니고,
> 그것은 뒷걸음질치는 악마들의
> 어떠한 사주使嗾에 의한 것도 아니다.
> 나는 여기에서 정직하게 당신을 대하고 싶다.
> 당신의 가슴 가까이에 [안에] 있던 나는 그곳으로부터 제거되어
> 공포에서 아름다움을, 탐색에서 공포를 잃었다.
> 나는 나의 정열을 잃었다. 보존한댔자
> 그것은 타락되고 말 것이니 정열을 보존해 무엇하겠는가?
> 나는 시각도 후각도 청각도 미각도 촉각도 다 잃었다.
> 더 가까이 당신에게 접촉하려면 어떻게 그런 것[들]을 써야 할지?
>
> (Eliot 1988, 38-39)

> The tiger springs in the new year. Us he devours. Think at last
> We have not reached conclusion, when I
> Stiffen in a rented house. Think at last
> I have not made this show purposelessly
> And it is not by any concitation
> Of the backward devils.
> I would meet you upon this honestly.
> I that was near [in] your heart was removed therefrom
> To lose beauty in terror, terror in inquisition.

I have lost my passion: why should I need to keep it
Since what is kept must be adulterated?
I have lost my sight, smell, hearing, taste and touch:
How should I use them [it] for your closer contact?

(*IMH* 350; *CPP* 38 ll. 48-60)

호랑이의 심상은 그리스도를 게론티온의 창문턱에 앉은 사람과 연결시
킨다. 이 둘은 육식동물의 동물 심상으로 묘사된 유태인이다. 그리스도와
그의 타락한 형제는 주인이 "앤트워프의 어느 술집에서 산란된" 사실로 점
층적으로 연결되어 있다. "Estaminet"는 또한 프랑스 방언인 축사畜舍나 구
유의 의미인 "staminé"에서 파생되었다(Brooker 336). 앞에서 사악한 세계
인들로 대표되는 우리는 성체성사聖體聖事에서 그리스도의 살과 피를 "삼키
는"(devour) 것이다. 그러나 결국 호랑이 그리스도는 믿음 없이 삼키는 "우
리" 기독교인들이 불경스럽고 신성모독적인 우상숭배로 오히려 삼키게 되
기 때문에 "우리를 집어삼키는" 것이다. "새해"(the new year)의 시구는 전
적으로 새로운 시대를 가져오는 그리스도의 재림이나 성경적인 "2000년 대
년"을 연상시킨다(Kenner 114). 마침내 게론티온의 거듭되는 명상은 "결
론"(conclusion)이란 시어에서 보듯이 역사의 종말이나 예이츠의 가이어
gyre에 도달한다. 신의 마지막 심판에 직면해서도 게론티온의 내적 독백은
"그때 나는 / 한 셋집에서 빳빳이 굳는다"(when I / Stiffen in a rented
house)의 시구에서와 같이 그의 육체적 종말로 계속 지향하고 있다. 여기서
이 시행이 "한 셋집, 즉 아리마대 요셉의 무덤에서 빳빳이 굳은 그리스도"
를 지칭한다는 브루커의 주장은 불합리한데, 화자인 "나"는 게론티온 자신
이외의 아무도 아니기 때문이다(Brooker 336).

제51행에서 게론티온의 "꼴"(show)은 "목적도 없이"(purposelessly) 나
타내진 것이 아니고 "뒷걸음질치는 악마들의 / 어떠한 사주"(any concitation

/ Of the backward devils)에 의한 것도 아니다. 이 "꼴"은 게론티온의 독백, 하나의 허구(Puchek 15), 게론티온의 행동(Smith 64), 시(Schneider 52), 또는 꿈같은 인생, 허구, 무의미한 역사(Major 31)일 수 있다. "사주"는 "언어학자의 용어"로서 움직여 흥분시킴을 뜻하는 라틴어에서 파생되었는데 17세기 이래로 그 용례가 사라졌다(Ransom 407). "뒷걸음질치는 악마들"은 단테의 『지옥편』 제20곡이 그 출처인데, 여기에는 미래를 감히 예언했다가 머리를 그들의 어깨 반대 방향으로 돌린 채 눈물을 엉덩이 위로 흘리며 영원히 뒷걸음질치도록 천벌을 받은 점술가와 마법사들이 등장한다(Schneider 52; Jain 93). 이들은 "게론티온으로 하여금 다시 타락하게 하도록 부추기는 악령들"(Ransom 407-8), "그로 하여금 절망, 즉 하나의 대죄인 체념에 빠지게 하는 과거의 현실성"(San Juan 124) 또는 가식된 "기독교인들"(Dodsworth 33)을 의미한다. 게론티온 자신이 어떤 의미에서 뒷걸음질치는 악마들 중의 또 다른 하나가 되는데, 그의 수사가 말씀에서 점점 더 멀어지고 세속적·정욕적 관심들로 지향하기 때문이다(Schwarz 71). 성관계의 수위에서 볼 때 이 시구는 성행위를 하지 않는 것이 모든 인간관계의 "결론"을 말하는 것이 아니고, 게론티온의 현재 절제는 이유가 없는 것이 아니라고 해석할 수 있다(Dodsworth 33). 제49-52행에서 "아니"(not)의 강조적인 반복은 그가 반대를 하더라도 결론에 도달했다고 우려하고, 그의 "꼴," 즉 말에는 결국 목적이 있었다는 것을 드러내고 있다(Bush 38).

제54행 "나는 여기에서 정직하게 당신을 대하고 싶다."(I would meet you upon this honestly.)의 시행은 비평가에 따라서 연인, 그리스도, 깊이 잠재된 자아, 그의 정신, 양심, 또는 개별 독자나 전체 독자를 의미하는 "당신"(you)을 정직하게 대하려는 그의 욕망에 대한 마지막 명상을 제시하고 있다(Dodsworth 33-34; San Juan 124; Schwarz 71; Bush 37; Mayer 233; Donoghue 87). 아니면, "당신"은 "엘리엇의 아내인 비비엔, 어떤 익명의 허구적인 존재, 신, 또는 1919년 1월에 작고한 엘리엇의 아버지 또는 어머니"와 동일시할 수도 있을 것이다(Schneider 53). 제55행 "당신의 가슴 가까이에 [안에] 있던 나는 그곳으로부터 제거되어"(I that was near [in] your heart was removed therefrom)는 토마스 미들턴Thomas Middleton, 1580-1627의 『바꿔친 아이』(*The Changeling*, 1622)의 제5막 제3장에서 비어트리스 Beatrice가 아버지에게 절규하는 "당신의 피를 가진 제가 당신에게서 빼앗겼나이다"(I that am of your blood was taken from you)의 대사를 반향하고 있다. 비어트리스는 자신의 운명에 대하여 자의식을 보이고 죄책감을 느끼는 반면에, 게론티온은 자아 인식을 회피하며 자신을 정당화하려고 한다 (Leavis 63). 아이러니컬하게도 정욕적인 비어트리스가 르네상스 폭력의 소용돌이 속에서 죽지만, 게론티온은 자신의 감각 없이 셋집에서 썩어가고 있는 것이다(Gross 302). 어쨌든 게론티온의 운명은 끝났는데, 그는 "그것으로부터 제거되어" 자아의 희생과 부합하는 고뇌에서 감정과 사랑의 상실을 체험했기 때문이다.

제55-56행은 게론티온이 "과거 한때엔 신자"(Griffith 46), "그리스도보다 세상을 앞세운 배교자"(Donoghue 80), 또는 "한때 아름다움을 체험"(Puchek 15)했음을 시사하고 있다. 종교적인 관점에서 고찰하면, "아름다움"(beauty)은 과거 가톨릭교의 의식과 예술을 환기시켜주고 있다. "공포에서 아름다움"(beauty in terror)을 잃어버렸다는 것은 개신교에서 무시무시한 여호와 하나님을 강조하는 칼뱅주의Calvinism로의 전이를 의미한다. "탐색에서 공포"(terror in inquisition)를 상실한다는 것은 칼뱅주의에서 합리주의 시대, 즉 생각하는 사람이 신이 부재한 우주에서 자신의 존재 의의를 회의하는 현대의 세속적인 세계로의 전이를 암시한다(Brown and Yokelson 31; Mayer 234). 또는 「게론티온」에서 두 번 반복되는 자연과 은총의 결합인 호랑이 그리스도에 대한 "공포"는 자아 탐색의 고뇌에서 용해되어 버린다

(San Juan 124). 아니면, 추상적인 지식을 추구하는 "탐색"은 게론티온의 무한한 상실들―아름다움, 정열, 그의 오감五感으로부터의 제거, 그의 연인으로부터의 제거 등의 원인인 것이다(Brooker 337). 따라서 슈나이더가 제55-56행을 「게론티온」에서 "가장 커다란 약점"으로 지적한 것을 수용할 수 없는데, 그녀는 이 부분을 "지적인 모호성과 어조와 감정에서 다른 부분과의 부조화성"이라고 언급했기 때문이다(Schneider 54). 제58행의 "보존한 댔자 그것은 타락되고 말 것이니"(Since what is kept must be adulterated)는 게론티온이 말하고 있는 "가옥"이 매음굴로 변한 자신의 "셋집"과 그의 영혼이 타락한 "퇴락한 가옥" 및 창녀로 변한 여인에게서 태어난 그의 육신 등 다양한 의미로 여겨진다는 것을 상기시킨다(Stead 158). 게론티온의 마지막 명상은 성과 종교에 대한 그의 정열과 제59행 "나는 시각도 후각도 청각도 미각도 촉각도 다 잃었다"(I have lost my sight, smell, hearing, taste and touch)의 시행에서와 같이 그의 오감의 상실에 초점이 맞추어져 있다. 이 "과장법이라기보다는 오히려 완벽한 축소법"에서 데까르뜨와 같이 "자기 자신의 생각에 파묻혀 있는" 게론티온은 정열과 감각들이 여성이나 신을 좀 더 가까이 접촉하는 데에 필요하지 않다고 결론을 내리고 있다(Ransom 408; Ellmann 1987, 82). 엘리엇은 여기서 감각적인 체험이 성적 무기력을 회복하고 구원의 본질적인 믿음을 발견하는 방법이 아니라는 것을 강조하고 있다.

드디어 게론티온의 거듭되는 명상은 다음 연에서 끝이 난다.

그런 것들은 천 가지 쓸데없는 생각을 일으켜
싸늘한 황홀의 이득을 늘리고,
의식이 식을 때 얼얼한 양념으로
피막皮膜을 자극하고, 수많은 거울들 속에서

변화를 배가한다. 이 거미는 무엇을 하려는가?
그 작업을 중지하겠는가? 바구미는 늦는가?
드 베일라쉬·프레스카·캐멀 부인은
전율하는 큰곰별자리 궤도 저쪽으로
원자의 미진微塵이 되어 선회하였다. 바람 센 벨 섬 해협에서
갈매기는 바람결에 부딪히며 또는 혼 곶岬에서 날아간다.
눈 속의 흰 깃털들, 멕시코 만으로 빠져 들어간다.
무역풍에 휘몰려 졸음의 구석으로
쫓기는 한 늙은이. (Eliot 1988, 39)

These with a thousand small deliberations
Protract the profit of their chilled delirium,
Excite the membrane, when the sense has cooled,
With pungent sauces, multiply variety
In a wilderness of mirrors. What will the spider do,
Suspend its operations, will the weevil
Delay? De Bailhache, Fresca, Mrs. Cammel, whirled
Beyond the circuit of the shuddering Bear
In fractured atoms. Gull against the wind, in the windy straits
Of Belle Isle, or running on the Horn.
White feathers in the snow, the Gulf claims,
And an old man driven by the Trades
To a sleepy corner. (*IMH* 350-51; *CPP* 38-39: ll. 61-73)

　게론티온이 자신의 분석, 즉 "이 엄청난 생각들, 천 가지 쓸데없는 생각
들"이 무익하다는 것을 역설적으로 인식하고 있는 것은 그것들이 "싸늘한
황홀"(chilled delirium)이기 때문이다(Donoghue 89). 이 "싸늘한 황홀"은

"모순어법적인 현상"인데, 성불능의 육체가 선정적인 "거울들"(mirrors)과 같은 최음적催淫的인 생각의 힘으로 요동치기 때문이다(Puchek 16; Smith 64). "황홀"의 정확한 의미에서 볼 때 게론티온의 생각은 탈선하여 방황하고 있는 것이다. 제64-65행은 자아의 파편화된 본성과 그 욕망의 이중성들을 암시하고, 벤 존슨Ben Jonson, 1572-1637의 『연금술사』(The Alchemist, 1612)에 등장하는 자신의 죽은 정열을 흥분시키기 위하여 정부情婦들의 알몸을 매우 다각도로 비쳐줄 거울들을 홀에 가득채운, 이름과 성이 쾌락과 돈을 각각 풍유하는, 에피큐어 매먼 경Sir Epicure Mammon의 계획을 시사하고 있다(Jha 106). "수많은 거울들"(A wilderness of mirrors)은 역사의 기만적인 속성과 관련 있는데, 베르사유Versailles 조약이 1919년 6월 거울의 전당 Hall of Mirrors에서 조인되었기 때문이다(Jain 95). 또한 이 장치를 원용한 파리의 한 유명한 매음굴도 있었다(Kenner 115).

　제65-67행은 게론티온이 자신의 늙은 자아를 굴복시킨다 할지라도 파멸의 필연적인 과정에는 별반 차이가 없을 것임을 의미하는 수사 의문문이다. "거미"(The spider)는 곤충을 먹이로 확보하기 위하여 거미줄을 치는 반면에, "바구미"(the weevil)는 저장된 곡물을 갉아먹는 곤충이다. 이런 의미에서 유태인 집주인은 재정적인 거미줄을 치는 거미이거나 유럽 문화의 심장을 잠식해 들어가는 바구미인 셈이다(Rees 157). 붕괴의 인자들 또는 "죽음과 부패의 상징들"(Kirk 66)로서 거미와 바구미는 쓰러져 죽을 때까지 각각의 작업을 하고 있다(Ransom 413). 이와 같이 게론티온 자신은 그가 초월할 믿음이 부족한 가변성과 죽음의 과정에 사로잡혀 있는 것이다(Schwarz 72). 한편, 소맬런은 이와 달리 또 흥미롭게 거미와 바구미의 작업의 영속성과 인간 존재의 일시성을 대조하고 있다(Thormählen 106). 제67행은 "세계적이고 뿌리 없는 사회"(Drew 57)를 상징하는 보편성의 함축을 지니고 있는 3명의 "불특정" 이름들인 "드 베일라쉬·프레스카·캐멀 부인"(De

Bailhache, Fresca, Mrs. Cammel)을 소개하는데 이들은 "전율하는 큰곰별자리 궤도 저쪽으로 / 원자의 미진이 되어 선회"(whirled / Beyond the circuit of the shuddering Bear / In fractured atoms)하였다(Schneider 54). 「게론티온」에서 세계적인 인명들의 지속적인 등장은 게론티온 정신의 뚜렷한 객관 상관물을 형성하고 있다(Schneider 56). 「불의 설법」 초고의 삭제된 부분에 다시 등장하는 프레스카는 "나지막이 흐느끼는 막달라" 또는 "어슬렁거리는 부정한 여인"으로 묘사되어 있다(WLF 27). 또한 캐멀 부인은 소소트리스 부인이 천궁도를 가지고 가겠다고 말한 "사랑하는 에퀴톤 부인"(dear Mrs. Equitone)의 사촌이다(WLF 9; Kenner 113). 따라서 이 3명의 등장인물들은 바람을 짜는 텅빈 북으로 요약되는 앞의 4명의 탐욕적인 성체배령자들을 연상시킨다. 아인슈타인식의 변형을 거치면 이 사람들은 질량에서 에너지로 변하고, 흩어진 그들의 물질은 우주의 찬바람에 날려간다(Gross 302). 엘리엇에게 영향을 준 조지 챕먼George Chapman, 1559-1634의 비극인 『비쉬 당봐』(Bussy D'Ambois, 1607)의 사상은 죄인들을 우주로 끌고 갈 큰곰별자리Great Bear, Ursa Major, Big Dipper의 바깥 궤도로 보냄으로써 그들이 처벌을 받는다는 것이다. 엘리엇은 챕먼의 "흰곰"(snowy Bear)을 "전율하는 큰곰별자리"(shuddering Bear)로 변형했는데, "전율하는"의 의미는 "9일간 지속되는 곰의 오르가즘"(Kenner 113)이라기보다는 예이츠의 시 「재림」의 제3행 "중심이 안 잡히고"(the centre cannot hold)를 연상시키는 "중심이 더 이상 안 잡히는" 것으로 해석하는 것이 옳을 것이다(Schneider 50). 원형비평적 접근으로 분석할 때 곰은 모성의 끔찍한 경험인 "공포의 어머니"(Terrible Mother)를 의미한다. 나아가서 원형적 어머니의 영상은 무의식을 상징하기 때문에 "전율하는 큰곰별자리"는 게론티온의 날뛰고 위험스런 정신 상태를 표출할 수 있다(Fabricius 55). 따라서 모성계의 여성들인 드 베일라쉬·프레스카·캐멀 부인이 가장 작은 파편들로 조각나서는 소멸되어 큰곰별자리 밖으로 선회한다. 물리적인 용어인 "원자의 미진"은 1919년 6월에 물리학자 어니스트 러드퍼드Ernest Rutherford가 질소 원자의 분열을 최초로 발표한 것을 연상케 한다(Stead 159). 이 시점에서 게론티온의 현상학은 신앙을 발견하려는 그의 시도들의 실패를 암시하는 비기독교적인 것이다. 또한 그는 죽은 자들이 지옥·연옥·천국의 영혼들 이라기보다는 단순한 물질의 입자에 불과함을 믿고 있다(Schwarz 72-73). 이 부분의 구체적인 심상은 성스러운 의식들로 보호되는 일시적인 상태가 아니라 죽음을 *인간의 종말*terminus ad quem로 간주하는 모든 사람들에게 덮치는 파편들로의 폭발, 즉 총체적인 소멸의 심상이다(Vickery 114). 따라서 게론티온은 "소용돌이 같은 방향 없는 운동의 고요하지 않은 중심"이고, 그의 역사관은 인간의 정신을 초월한 혼돈이다(Mayer 235).

제69-70행은 이 시의 초고에서 "원자의 미진으로. 우리는 망각될지라도 망각에 대비하여 / 1실링을 모았다."(In fractured atoms. We have saved a shilling against oblivion / Even oblivious.)로 되어 있다(*IMH* 351). 엘리엇은 위의 2행으로 된 시문을 삭제하고서 마지막 행 앞의 5행을 추가했고, 파운드는 "뿔에 쫓겨서"(driven by the horn)를 "날아감"(running)과 "혼 곳"(Horn)으로 수정했다. 또한 원래 제73행 "졸음의 구석으로. 관절염으로 뒤틀리며"(To a sleepy corner. Twitching with rheumatism)에서 게론티온의 질병을 제시하고 있는 시구가 삭제되고, 현재의 시행인 "졸음의 구석으로"만 남았다(*IMH* 352). 제69행의 "갈매기"(Gull) 심상은 비평가들에 따라서 다양하게 해석되고 있다. 드루는 한 마리의 갈매기는 "죄인들과 함께 멸망할 죄 없는 개인의 측은한 약점"을 의미한다고 생각하고 있다(Drew 57). 한편, 소맬런은 용감한 갈매기의 영웅심도 무익하다고 주장하는데, "눈 속의 흰 깃털들"(white feathers in the snow)은 동물 또한 가련한 파편들로 부서져야 한다는 것을 강변하고 있기 때문이다(Thormählen 60). 이와 마찬가지로 스미스는 용감한 갈매기의 "흰 깃털들"을 "비겁과 상실의 역설적인 상징"으로 간주하고 있다(Smith 1974, 65). 다른 한편, 파머는 갈매기를 "끝없는 자유−사색으로부터, 노년의 피할 수 없는 무기력으로부터, 인생에서 상실한 모든 기회들에 대한 후회로부터의 자유에 대한 본능적인 갈망의 심상"으로 해석하고 있다(Palmer 151). 어쨌든 이 갈매기는 자신도 모르게 아마 테니슨 시 「율리시즈」의 영웅적 인물 율리시즈가 의식적으로 도달하는 목적지인 "행복의 섬들"(Happy Isles)의 패러디일지 모르는 벨 섬Bell Isle, 아니면 북반구에 실존하는 캐나다의 뉴펀드랜드 동남부의 섬인 벨 섬 Bell Island에서부터 남반구에서 남미의 최남단에 위치한 칠레 남부의 케이프 혼Cape Horn, 즉 혼 곶을 거쳐서(Ferrero 7), 또 아마 랜섬이 제안하듯이 다시 게론티온의 우주론을 비기독교적 틀 안에 두게 되는 "심해, 즉 세상의 밑바닥"인 멕시코 만으로 날려간다(Ransom 413). 제69-73행의 문맥은 바람에 시달리다가 마침내 멕시코 만에서 죽음을 맞이하는 데에서 "갈매기"와 "노인"을 동일시하고 있다(Leach 47). 역설적으로 게론티온은 자신이 만든 바람의 어리석은 희생자인 한 마리 갈매기이고, 그는 이 새처럼 고독하게 죽게 될 것이다(Schwarz 73). 고독하게 갈매기는 그 비상飛翔을 지탱해 줄 바람과 싸우면서 "바람 센 해협"(windy straits)이 제공하는 역사의 유혹과 유사한 것들을 물리치고 있다. 벨 섬과 혼 곶은 정신분석학적 비평의 접근으로 고찰할 때에 "각각 여성성과 남성성의 성적 심상들"로 해석할 수 있을 것이다(Palmer 156). 혼 곶은 뿔 문Gate of Horn, 즉 음란과 죽음의 문을 인유하고 있다(San Juan 125). 게다가 갈매기가 "바람결에 부딪히며"(against the wind) 나는 것은 주지하듯이 성행위에 대한 프로이트적 은유이다(Palmer 156). 따라서 "바람결에 부딪히며 나는 갈매기는 역사와 자아를 구원할 수 있는 표적"이라는 푸첵의 주장을 수용할 수 없는 것이 갈매기의 최종 목적지는 눈 속에서의 죽음과 부패이기 때문이다(Puchek 16). 그러나 눈 속의 깃털들이라는 순수한 흰색의 이중성은 "타락한 5월"과 "타락한' 정열의 비 순수 세계와의 차별성을 강조하고 있다(Spurr 19). 게론티온의 "환유"(Schwarz 73)로써 "눈 속의 흰 깃털들"에서와 같이 돌풍에 날려가는 한 웅큼의 깃털들은 개인적 생명의 미약한 가련함을 상징할 뿐만 아니라 지저분하게 불결한 재정, 범죄, 이혼 등과 대조되고 있다(Leavis 68). 이러한 흰색 속의 흰색의 심상은 공허, 즉 무에 대한 또 다른 은유인 것이다(Brooker 338). 따라서 멕시코 만의 물의 심상은 "죽음을 통한 생명의 영원한 재생"을 제시하고 있다는 존 빅커리John B. Vickery의 해석은 다소 불교적이어서 이 맥락에서는 부적절하다(114).

제72행 "무역풍"(the Trades)의 의미에 대하여 독자는 다시 한 번 해석의 미로에 봉착하게 된다. 푸첵은 이것을 "부패한 제국이 끊임없이 흥망성쇠하는 이교도 역사의 소용돌이"로 간주한다. 따라서 게론티온의 불평은 공허하게 들리는데, 그는 자신을 바로 그 소용돌이를 짜는 텅빈 북의 하나와 동일시했기 때문이다(Puchek 16). 그러나 토마스 리즈Thomas R. Rees는 "무역풍"이 노인을 "퇴락한 가옥"으로 쫓아버린 실제의 바람일 뿐만 아니라 사람들이 상대방을 서로 이용하게 하는 상업적인 동기들을 내포하고 있다고 주장한다(157). 한편, 메이어는 "무역풍"을 게론티온이 인식 못할 것 같은 지혜를 머금은 동방에서 불어오는 바람으로 간주하고 있다(Mayer 236). 이 바람은 상징적으로 시간의 심상이므로, 이것은 또 다른 종류의 죽음인 성의 경험으로 "무역풍에 쫓기"듯이 "졸리는 구석"으로 우리를 쫓는 시간, 즉 역사 그리고 종국적인 죽음의 의식인 것이다. 따라서 생존한 모든 사람들은 게론티온과 같이 죽음에 임박한 노인이고, 모두가 "셋집에서 빳빳해진다"(Stead 158).

게론티온이 자신의 말의 "중심"(heart)에서 돌이킬 수 없을 정도로 멀어졌음을 깨닫는 것이 그의 해체의 시작이다. 이 해체가 진행됨에 따라서 게론티온의 세계는 허공에서 데모크리토스Democritus BC 460?-370의 원자처럼 산산이 부서지며, 노인 자신은 그의 무목적적인 몽상이 종결됨에 따라서 생각도 존재하지 않는 무의식으로 빠져든다(Williamson 1957, 123). 게론티온은 이 시 전체의 주제를 압축하는 마지막 시행들에서 초현실로부터 울적한 현실에로 아주 신속히 이동하고 있다.

남의 집 세입자들,
메마른 계절의 메마른 뇌수에 깃드는 생각들. (Eliot 1988, 39)

Tenants of the house,
Thoughts of a dry brain in a dry season. (*IMH* 351; *CPP* 39; ll. 74-75)

마지막 시행 바로 앞 행인 "남의 집 세입자들"(Tenants of the house)은 초고에는 "한 노인 집의 세입자들"(Tenants of an old man's house)이어서 "세입자들"이 "생각들"(thoughts)을 가리키고, "집"이 작은 노인의 "메마른 뇌수"(dry brain)에 명백히 비유되는 것을 알 수 있다. 지금 "[퇴락한] 집의 세입자들" 중의 하나인 게론티온은 서구 문명의 예견되는 붕괴로 끝나는데, 그 스스로가 육체적인 비활동과 감각적인 무능뿐만 아니라 정신적인 불모성으로 "빈사 상태의 서구 문명을 상징하기" 때문이다(Schneider 50; Williamson 1957, 125). 이 시는 생각들이 더 이상 생각할 "나"가 없기 때문에 "남의 집 세입자들"은 결국 소멸하는 "원자의 미진"으로서 끝이 난다(Ellmann 1987, 84). 이 시는 게론티온의 거듭되는 사색과 같이 "메마른 뇌수" 속의 "메마른 생각들"로 끝나는데, 그에게 사색을 멈춘다는 것은 생존을 중단하는 것이기 때문이다. 위의 마지막 시행은 처음 시행을 연상시킴으로써 이 시의 순환적 구조를 완성하게 된다.

    결론적으로, 다양한 인유들, 모호한 시어와 시구들, 논쟁적인 심상과 상징들을 내포하고 있는 애매모호한 시 「게론티온」을 통하여 엘리엇은 독자에게 많은 비평가들과 학자들이 구축한 해석의 미로로 초청하고 있으며, 이 미로를 통과한 독자에게 이 시의 참된 의미는 더욱 극명하게 제시되는 셈이다. 주인공 게론티온이 그의 주마등같은 극적 독백, 즉 의식의 흐름을 통하여 결국 자기 자신의 "감수성 분열"을 드러내는 것은 마지막 2행연에서 그의 쇠약한 육체는 사라지고 그의 명상을 하는 정신만이 남아 있기 때문이다.

| 엘리엇 연보

1888년	9월 26일 Henry Ware Eliot과 Charlotte Champe Stearns Eliot의 일곱 번째 막내둥이로 미국 Missouri주 St. Louis에서 출생. 그의 조상 Andrew Eliot이 1668년에 영국 Somerset주 East Coker에서 Massachusetts Bay Colony로 이주. 그의 할아버지 William Greenleaf Eliot은 1834년 Harvard College를 졸업하고, St. Louis로 옮겨 목사로서 First Unitarian Church 건립. 또 Washington University, Smith Academy, St. Mary 학교도 설립.
1898년	Smith Academy 입학.
1905년	*Smith Academy Record*에 처음으로 시 발표. Smith Academy 졸업 후 Massachusetts주 Milton Academy에 입학.
1906년	Harvard 대학교 입학.
1907년	*Harvard Advocate*에 습작 시 발표.
1909년	B.A. 학위 취득. 그리스어, 라틴어, 독어, 불어, 영어영문학, 역사, 피렌체 회화, 역사 등 수강.
1910년	M.A. 학위 취득. Irving Babbitt, George Santayana, W. D. Briggs 교수의 강의 수강. 9월 프랑스 Sorbonne 대학에서 1년간 베르그송

의 강의를 수강하기 위해 도불. Alain-Fournier로부터 불어 개인지
도 받음. 의학도 Jean Verdenal과 친교 맺음.

1911년   Harvard 대학교 철학과 박사과정 입학. 그리스 철학, 실험 심리학, Descartes, Spinoza, Leibniz 연구. 인도어, 철학, 산스크리트 강의 수강. "The Love Song of J. Alfred Prufrock," "Portrait of a Lady," "Preludes"와 "Rhapsody on a Windy Night" 씀.

1912년   철학과 조교로 임명. 논리학, 칸트철학, 심리학, 형이상학 등 연구.

1913년   Emily Hale 만남. 윤리학, 형이상학 세미나 및 Josiah Royce의 세미나 수강. 영국철학자 F. H. Bradley의 저서 *Appearance and Reality* 탐독. Bradley 철학에 관하여 박사학위 논문 쓰기로 결정.

1914년   Bertrand Russell 만남. Harvard 대학으로부터 장학금 받아 옥스퍼드에서 1년간 연구함. 옥스퍼드에서 Harold Joachim 지도로 아리스토텔레스의 철학 연구. 영국 도착 전에 독일 Marburg 대학에서 국제여름학교 참가 예정이었으나 제1차 세계대전의 발발로 독일에서 약 2주 체류했다가 8월 말경 급히 런던으로 피신. 9월 22일 런던에서 Ezra Pound를 만나 평생에 걸친 우정 시작.

1915년   6월 26일 영국인 Vivienne Haigh-Wood와 결혼. 8월 잠시 미국 귀국 부모 상봉. "The Love Song of J. Alfred Prufrock"을 미국의 시 전문지 *Poetry*에 발표함. "Preludes"와 "Rhapsody on a Windy Night"를 영국의 *Blast*에 최초로 발표함. 또 세 편의 시 "The Boston Evening Transcript," "Aunt Helen," "Cousin Nancy"를 *Poetry* 10월 호에 발표함. 뒤이어 11월 Ezra Pound가 편집한 현대 시선 *Catholic Anthology*에 5편의 시 "The Love Song of J. Alfred Prufrock," "Portrait of a Lady," "The Boston Evening Transcript," "Miss Helen Slingsby," "Hysteria" 발표. High Wycombe 문법학교의 교사로 취업.

1916년   Highgate Junior School로 이직. Harvard 대학에 박사학위 논문 제

출, 우수한 논문으로 평가되었으나 구술고사에 참석하지 못함. 저널에 서평 기고 시작. 옥스퍼드대학교 및 런던대학교 공개 강의 시작하여 1918년까지 지속.

1917년 3월에 London City에 있는 Lloyds 은행 입사. 발표된 12편의 시를 모아 첫 번째 시집 *Prufrock and Other Observations*를 6월에 출간. *The Egoist* 잡지의 부편집장 직 맡음. 프랑스 시와 4행시 씀.

1919년 1월 부친 Henry Ware Eliot 타계. "Burbank with a Baedeker: Bleistein with a Cigar"와 "Sweeney Erect"를 계간지 *Art and Letters*의 여름 호에 발표. *The Egoist*에 평론 "Tradition and the Individual Talent" 발표. 두 번째 시집 *Poems*를 개인적으로 출판.

1920년 2월 런던에서 세 번째 시집 *Ara Vos Prec* 출간. 뉴욕에서는 *Poems* 제목으로 출간. 11월 평론집 *The Sacred Wood* 발간.

1921년 신경쇠약 진단받고 Lloyds 은행으로부터 3개월간 유급휴가 받음. 처음 Margate로 휴양 갔다가 스위스의 Lausanne로 옮김. Lausanne로 가는 길에 파리에서 Pound 만나고 Vivienne는 파리에 남겨 둠. Lausanne에서 "The Waste Land"의 후반부 탈고. 1922년 1월 중순 경 런던으로 귀가하여 복직. 3월까지 Pound의 도움으로 "The Waste Land" 추가 수정.

1922년 계간지 *The Criterion* 편집장 맡음. 10월 15일 *The Criterion* 창간호에 "The Waste Land" 발표. 11월 미국의 *The Dial*에 발표. 12월 자신의 "Notes"를 포함한 단행본 *The Waste Land*가 뉴욕의 Boni & Liveright 출판사에서 출간.

1924년 평론집 *Homage to John Dryden* 출간.

1925년 Lloyds 은행에서 Faber & Gwyer 출판사로 이직. *Poems, 1909-1925*를 Faber사에서 출간.

1926년 케임브리지대학교에서 Clark Lectures 강의. "Fragment of a Prologue"를 *The New Criterion*에 발표.

1927년   영국국교회에서 세례와 견진 받음. 영국 신민으로 귀화. "The
        Journey of the Magi"를 "The Ariel Poems, No. 8"로 Faber &
        Gwyer에서 출간. "Fragment of an Agon"을 *The New Criterion*에
        발표.

1928년   "Salutation"을 *The Monthly Criterion*에 발표. "A Song for Simeon"
        을 "The Ariel Poems, No. 16"으로 출간. 평론집 *For Lancelot
        Andrewes: Essays on Style and Order* 출간.

1929년   9월 모친 Charlotte Champe Eliot 타계. 평론집 *Dante*와 시작품
        "Animula" 발표.

1930년   *Ash-Wednesday*, "Marina," St.-J. Perse의 *Anabase* 영역본 출간.

1931년   "Triumphal March" 발표.

1932년   *Selected Essays 1917-1932* 출간. Harvard 대학교 Charles Eliot
        Norton 강연자로 1년간 미국 체류. "Fragment of a Prologue"와
        "Fragment of an Agon"을 *Sweeney Agonistes*라는 제목으로 단행본
        출간.

1933년   Charles Eliot Norton 강연집 *The Use of Poetry and the Use of
        Criticism* 출간. Vivienne과 별거. University of Virginia에서 Page-
        Barbour Lectures 강연. The Johns Hopkins 대학교 강연. Emily와
        New Hampshire 방문.

1934년   Page-Barbour Lectures를 단행본으로 묶어 *After Strange Gods*로 발
        간. Emily와 Burnt Norton 방문.

1935년   Canterbury Cathedral에서 *Murder in the Cathedral* 초연.

1936년   "Burnt Norton"을 수록한 *Collected Poems 1909-1935* 발간.

1937년   East Coker 방문.

1939년   *The Family Reunion* 첫 공연. *The Idea of a Christian Society*와
        Old Possum's Book of Practical Cats 출간.

1940년   "East Coker"를 *The New English Weekly*의 부활절 호에 수록.

1941년 *The Dry Salvages*를 Faber & Faber에서 발간.

1942년 *Little Gidding*을 Faber & Faber에서 발간.

1943년 *Four Quartets*를 미국 Harcourt, Brace and Company에서 발간.

1947년 Harvard, Yale, Princeton 대학교로부터 명예 박사학위 받음. Vivienne 세상 떠남.

1948년 Penguin판 *Selected Poems* 발간. *Notes Towards the Definition of Culture* 발간. Order of Merit 및 노벨 문학상 수상.

1949년 *The Cocktail Party* 초연.

1951년 1950년 11월 하버드대학교에서 행한 The Theodore Spencer Memorial Lecture를 *Poetry and Drama*로 출간.

1952년 미국판 *The Complete Poems and Plays: 1909-1950* 출간.

1953년 *The Confidential Clerk* 초연. John Hayward가 편집한 엘리엇의 *Selected Prose*를 Penguin사에서 출간.

1955년 The Hanseatic Goethe Award 수상.

1957년 Valerie Fletcher와 재혼. *On Poetry and Poets* 출간.

1958년 Edinburgh 축제에서 *The Elder Statesman* 초연.

1963년 *Collected Poems 1909-1962* 출간.

1964년 US Medal of Freedom 수상. *Knowledge and Experience in the Philosophy of F. H. Bradley* 출간.

1965년 1월 4일 타계. 유언에 따라 그의 유골이 East Coker의 St. Michael's Church에 안장됨. *To Criticise the Critic and Other Writings* 출간.

1969년 *The Complete Poems and Plays of T. S. Eliot* 출간.

1971년 Valerie Eliot의 편집으로 *The Waste Land: A Facsimile and Transcript of the Original Drafts Including the Annotations of Ezra Pound* 출간.

1988년 탄신 100주년을 맞아 Valerie 여사가 서간집 제1권 *The Letters of T. S. Eliot: 1898-1922*를 발간.

1993년	Cambridge 대학교 강연(Clark Lectures 1926)과 The Johns Hopkins 대학교 강연(Turnbull Lectures 1933)을 Ronald Schuchard가 편집하여 Faber에서 *The Varieties of Metaphysical Poetry* 발간.
1996년	Christopher Ricks의 편집으로 *Inventions of the March Hare: Poems 1909-1917* 발간.
2009년	서간집 제2권 *The Letters of T. S. Eliot: 1922-1925*를 Valerie 여사가 편집 발간. 서간집 제1권 개정판을 Valerie 여사와 Hugh Haughton이 공편 발간.
2012년	서간집 제3권 *The Letters of T. S. Eliot: 1926-1927*을 Valerie 여사와 John Haffenden이 공편 발간. 11월 9일 Valerie 여사 타계. 유해는 엘리엇이 묻혀 있는 East Coker의 St. Michael's Church에 합장됨.
2013년	서간집 제4권 *The Letters of T. S. Eliot: 1928-1929*를 Valerie 여사와 John Haffenden이 공편 발간.
2014년	서간집 제5권 *The Letters of T. S. Eliot: 1930-1931*을 Valerie 여사와 John Haffenden이 공편 발간. 산문전집 제1권 *The Complete Prose of T. S. Eliot: Apprentice Years, 1905-1918*을 Jewel Spears Brooker와 Ronald Schuchard가 공편 발간. 산문전집 제2권 *The Complete Prose of T. S. Eliot: The Perfect Critic, 1919-1926*을 Anthony Cuda와 Ronald Schuchard가 공편 발간. 산문전집 제8권까지 편집장 Ronald Schuchard와 여러 엘리엇 학자들이 지속적으로 공편 발간 예정.

참고문헌

강명순. 「*The Waste Land* 소고－Eliot의 주석이 지닌 의미를 중심으로－」.
『영어영문학』 28.2 (1982): 267-86.

김구슬. 「「게론천」의 시적 이미지와 포괄적 구조」. 『협성논총』 8 (1997):
201-26.

김동룡 편. *T. S. Eliot's Poetry*. 1988. 서울: 신아사, 1992.

김명옥. 『T. S. 엘리엇과 영미시 비평』. 서울: 한국외국어대학교 출판부, 2004.

김상무. 「엘리엇 시의 번역에 대하여」. 『T. S. 엘리엇 연구』 19.1 (2009): 7-62.

김성현. 「T. S. 엘리엇의 『황무지』에 나타난 도상학적 이미지 분석」. 『T. S. 엘
리엇 시·사회·예술』. 한국T.S.엘리엇학회 편. 서울: 동인, 2013.
41-78.

김양순. 「엘리엇 시에 나타난 (포스트)모더니즘의 언어관」. 『T. S. 엘리엇 시·
사회·예술』. 한국T.S.엘리엇학회 편. 서울: 동인, 2013. 79-111.

김용권. 「고 이인수역 『신세대』 지 『황무지』와 육필원고 『황무지』 비교」. 『T.
S. 엘리엇 연구』 17.2 (2007): 7-35.

_____. 「엘리엇 시의 번역」. 『T. S. 엘리엇 시』. 한국T.S.엘리엇학회 편. 서울:
동인, 2006. 129-50.

김원중. 「생태묵시록으로서의 엘리엇의 『황무지』」. 『T. S. 엘리엇 시』. 한국
　　　T.S.엘리엇학회 편. 서울: 동인, 2006. 151-71.

김종길. 『내가 만난 영미 작가들』. 서울: 서정시학, 2009.

＿＿＿ 역. 『20세기 영시선』. 서울: 일지사, 1978.

＿＿＿ 역편. 「황무지」. 『현대영시선』. 서울: YBM 시사, 2005. 144-77.

김형태. 「『황무지』: 아내와 럿셀에 대한 분노」. 『인문과학연구』 14 (1995):
　　　77-92.

＿＿＿. 「『황무지』에 나타난 엘리엇의 심리관: 「젊은 굿맨 브라운」에 나타난
　　　호쏜의 심리관과의 대비」. 『영미어문학』 46 (1995): 211-32.

＿＿＿. 「*The Waste Land*: 기법과 주제」. 『영미어문학』 49 (1996): 1-22.

박용철. 「현대영국의 젊은 시인들」. 『신동아』 5.8 (1935): 155-56.

배순정. 「『네 개의 사중주』의 음악성: 푸그 형식의 시적 구성」. 『T. S. 엘리엇
　　　연구』 16.1 (2006): 133-67.

＿＿＿. 『*Four Quartet*의 음악성: 푸그 형식의 시적 구성』. 연세대학교 대학원
　　　박사학위 논문. 2006. 1-94.

봉준수. 「『황무지』 번역의 어려움」. 『안과 밖』 6 (1999): 130-51.

안중은. 「「게론티온」: 해석의 미로」. 『숭뫼어문논총』 16 (2004): 111-49.

＿＿＿. 「제1회 T. S. 엘리엇 국제 여름학교 참가기」. 『T. S. 엘리엇 연구』 19.2
　　　(2009): 249-75.

＿＿＿. 「타로 카드: 『황무지』의 해석기법」. 『영미어문학』 54 (1998): 149-79.

＿＿＿. 「『황무지』 가르치기: 교육학적 접근」. 『T. S. 엘리엇 연구』 20.2
　　　(2010): 33-63.

＿＿＿. 「『황무지』 원고본: 원전비평적 접근」. 『영미어문학』 114 (2014): 21-51.

＿＿＿. 「『황무지』: 원형비평적 접근」. 『인문과학연구』 3 (2000): 73-92.

＿＿＿. 「『황무지』에 나타난 성애: 전기적 접근」. 『T. S. 엘리엇 연구』 17.2
　　　(2007): 91-120.

＿＿＿. 「『황무지』에 나타난 죽음」. 『T. S. 엘리엇 연구』 24.1 (2014): 53-94.

_____. 「『황무지』와 청각적 상상력」. 『T. S. 엘리엇 연구』 22.2 (2012): 127-64.

_____. 「『황무지』의 최근 비평적 접근」. 『영미어문학』 57 (1999): 1-26.

_____. 「T. S. 엘리엇 시의 공간: 『황무지』를 중심으로」. 『T. S. 엘리엇 연구』 16.1 (2006): 169-201.

_____. 『T. S. 엘리엇과 상징주의』. 서울: 동인출판사, 2012.

_____. 『T. S. 엘리엇의 시와 비평』. 2000. 개정 3판. 서울: 브레인하우스, 2008.

_____. 「W. B. 예이츠와 T. S. 엘리엇: 쿨 장원과 번트 노턴 비교」. 『T. S. 엘리엇 연구』 23.2 (2013): 75-122.

안중은 편. 『낭만주의 영시』. 서울: 브레인하우스, 2009.

_____. 『현대영미시』. 서울: 브레인하우스, 2008.

우상균. 「황무지」. 『현대영미시 입문』. 서울: 동인, 2003. 150-83.

이상섭. 「무슨 지식이기에 용서가 없는가?-「지런션」 새로 읽기」. 『T. S. 엘리엇 연구』 9 (2000): 175-87.

이성일. 「T. S. 엘리엇의 『황무지』 초역-고 이인수 교수의 육필원고와 활자인 쇄본-」. 『T. S. 엘리엇 연구』 16.2 (2006): 227-80.

이영걸. 「「게론티언」의 기법과 해석상의 문제점」. 『영어영문학』 40.1 (1994): 27-42.

이재호. 「상호텍스트성 면에서 본 『머리타래의 겁탈』과 『황무지』」. 『T. S. 엘리엇 시』. 한국T.S.엘리엇학회 편. 서울: 동인, 2006. 173-249.

_____ 역. 「황무지」. 『20세기 영시』 개정증보판. 서울: 집현각, 1991. 220-67.

_____ 편. 「황무지」. 『장미와 나이팅게일』. 1967. 서울: 집현각, 1968. 244-343.

이정기. 『어느 여인의 초상』. 서울: 정음사, 1989. 44-93.

이정호. 『『황무지』 새로 읽기』. 서울: 서울대학교 출판부, 2002.

_____. 「Eliot와 Postmodernism-*The Waste Land*의 Postmodernity를 중심

으로-」.『영어영문학』 36.1 (1990): 29-54.

이준학. 「'투덜거림'의 미학: T. S. 엘리엇의『황무지』에 나타난 음악의 종교적
　　성격」.『T. S. 엘리엇 시』. 한국T.S.엘리엇학회 편. 서울: 동인, 2006.
　　217-49.

이창배. 「『황무지』: 기법과 의미」.『구미문학 작품의 현대적 이해』. 예영수 편.
　　서울: 형설출판사, 1985. 14-53.

_____. 「『황무지』 원고본 분석」.『T. S. 엘리엇 시』. 한국T.S.엘리엇학회 편.
　　서울: 동인, 2006. 251-89.

_____.『T. S. 엘리엇 연구: 인간과 문학』. 서울: 민음사, 1988.

_____. 「*The Waste Land*: A Facsimile 분석」.『영어영문학』 61 (1977): 3-25.

_____ 역. 「황무지」.『영미시 걸작선』. 서울: 동국대학교 출판부, 1998. 103-
　　23.

이철희. 「『황무지』와 「게론티온」-왜 엘리엇이 「게론티온」을 『황무지』 서
　　시로 사용하려 했었나?」.『영어영문학』 55.2 (2009): 359-82.

_____.『T. S. 엘리엇의『황무지』와 「황무지」 원본 연구』. 서울: L.I.E., 2012.

장근영. 「엘리엇과 젠더-여성(성)과 『황무지』」.『영어영문학』 52.1 (2006):
　　113-28.

전홍실. 「『황무지』에 있어서의 파운드」.『파운드의 시와 시론 연구』. 서울: 동
　　인, 2005. 179-210.

현영민. 「엘리엇의 게론티온: 나는 정열을 상실했다」.『현대영미시개관』. 한국
　　현대영미시학회 공편. 서울: 한신문화사, 1999. 202-19.

Abdoo, Sherlyn. "Woman as Grail in T. S. Eliot's *The Waste Land*." *The
　　Centennial Review* XXVIII.1 (1984): 48-60.

Ackroyd, Peter. *T. S. Eliot*. London: Hamish Hamilton, 1984.

Ahn, Joong-Eun. "'Gerontion': The Labyrinth of Interpretations." *Journal of
　　the T. S. Eliot Society of Korea* 14.1 (2004): 121-52.

Airaudi, Jesse T. "Post-Modernist Criticism and T. S. Eliot Scholarship."

Yeats Eliot Review 10.1 (1989): 5-8.

Badenhausen, Richard. *T. S. Eliot and the Art of Collaboration.* Cambridge:
　　Cambridge UP, 2004.

Bachelard, Gaston. *La poètique de l'espace.* Paris: P U de France, 1957.

＿＿＿. *The Poetics of Space.* 1958. Tr. Maria Jolas. Boston: Beacon P, 1969.

Bagchee, Shyamal. "The American 'Landscapes' Poems: Eliot in the 1930's."
　　Yeats Eliot Review XVI.IV (2000): 2-10.

Barry, Peter. "The Waste Land Manuscript: Picking Up the Pieces in Order."
　　Forum for Modern Language Studies XV3 (1979): 237-48.

Barry, Sister M. Martin. *An Analysis of the Prosodic Structure of* Selected
　　Poems *of T. S. Eliot.* Washington, D.C.: The Catholic U of America
　　P, 1969.

Baskett, Sam S. "T. S. Eliot as an American Poet." *The Centennial Review*
　　XXVI.2 (1982): 147-71.

Bedient, Calvin. *He Do the Police in Different Voices:* The Waste Land *and
　　Its Protagonist.* Chicago and London: The U of Chicago P, 1986.

Bédier, Joseph. *The Romance of Tristan and Iseult.* Tr. Hilaire Belloc. New
　　York: Vintage Books, 1994.

Blistein, Burton. *The Design of "The Waste Land."* Lanham, Md.: UP of
　　America, 2008.

Bloom, Harold, ed. *T. S. Eliot's* The Waste Land. New York: Chelsea House,
　　1986.

Bodkin, Maud. *Archetypal Patterns in Poetry.* 1934. Oxford: Oxford UP,
　　1978.

Bong, Joon-Soo. *Inside / Outside: Textual Boundaries of* The Waste Land.
　　Diss. Rutgurs U, 1999.

Borstein, George, ed., *Ezra Pound Among the Poets.* Chicago: The U of

Chicago P, 1985.

Boyd, John D. "'The Dry Salvages': Topography as Symbol." *Renascence* 20.3 (1968): 119-33.

Bradbrook, M. C. *T. S. Eliot: The Making of "The Waste Land."* Harlow, Essex: Longman, 1972.

Braybrooke, Neville. "T. S. Eliot in the South Seas." *The Sewanee Review* 74.1 (1966): 376-82.

Brooker, Jewel Spears. "The Structure of Eliot's 'Gerontion': An Interpretation Based on Bradley's Doctrine of the Systematic Nature of Truth." *English Literary History* 46.2 (1979): 314-40.

_____, ed. *Approaches to Teaching Eliot's Poetry and Plays.* New York: MLA, 1988.

Brooker, Jewel Spears and Joseph Bentley. *Reading* The Waste Land: *Modernism and the Limits of Interpretation.* Amherst: The U of Massachusetts P, 1990.

Brooks, Cleanth. "*The Waste Land*: An Analysis." *The Southern Review* III (1937-1938): 106-36.

_____. "*The Waste Land*: Critique of the Myth," *Modern Poetry & The Tradition.* 1939. New York: Oxford P, 1966. 136-72.

Brown, Robert M. and Joseph B Yokelson. "Eliot's 'Gerontion,' 56-61." *The Explicator* 15.5 (1957): item 31.

Bush, Ronald. "I would meet you upon this honestly": 'Gerontion.'" *T. S. Eliot: A Study in Character and Style.* New York and Oxford: Oxford UP, 1984. 32-40.

Chancellor, Paul. "The Music of *The Waste Land*." *Comparative Literature Studies* VI.1 (1969): 21-32.

Cirlot, J. E. *A Dictionary of Symbols.* 1962. Tr. Jack Sage. London:

Routledge & Kegan Paul, 1981.

Clarke, Graham, ed. *T. S. Eliot: Critical Assessments II.* London: Christopher
    Helm, 1990.

Cook, Eleanor. "T. S. Eliot's Sense of Place in *Four Quartets.*" *Connotations*
    8.2 (1998/99): 242-47.

Cooper, John Xiros, ed. *T. S. Eliot's Orchestra: Critical Essays on Poetry
    and Music.* New York: Garland Publishing, 2002.

Coote, Stephen. "Sexuality and Religion in *The Waste Land.*" *T. S. Eliot:* The
    Waste Land. Harmonsworth: Penguin, 1985. 81-88.

Cox, C. B. and Arnold P. Hinchliffe, eds. *T. S. Eliot:* The Waste Land. 1968.
    London: Macmillan, 1986.

Crawford, Robert. *The Savage and the City in the Work of T. S. Eliot.* 1987.
    Oxford: Clarendon P., 1990.

Creekmore. Betsey B. "The Tarot Fortune in *The Waste Land.*" *English
    Literary History* 49 (1982): 908-28.

Culbert, Taylor. "Eliot's 'Gerontion,' 13-14." *The Explicator* 17.3 (1958):
    item 20.

Currie, Robert. "Eliot and the Tarot." *English Literary History* 46.4 (1979):
    722-33.

Dante, Alighieri. 『신곡』 I . 김문해 역. 서울: 한국도서출판중앙회, 1991.

    _____. *The Divine Comedy.* Tr. Rev. H. F. Cary. London: Oxford UP, 1979.

Davidson, Harriet. *T. S. Eliot and Hermeneutics: Absence and Interpretation
    in* The Waste Land. Baton Rouge and London: Louisiana State UP,
    1985.

Davies, Tony and Niegel Wood, eds. *The Waste Land.* Buckingham: Open
    UP, 1994.

Day, Robert A. "The 'City Man' in *The Waste Land*: The Geography of

Reminiscence." *PMLA* LXXX.1 (1965): 285-91.

Dodsworth, Martin. "Gerontion and Christ." *The Review* 4 (1962): 28-34.

Donoghue, Denis. "Gerontion." *Words Alone: The Poet T. S. Eliot*. New Haven and London: Yale UP, 2000. 77-95.

Douglas, Alfred. *The Tarot: The Origins, Meaning and the Uses of the Cards*. Harmonsworth: Penguin, 1973.

Drew, Elizabeth. "Gerontion." *T. S. Eliot: The Design of His Poetry*. New York: Scribner's, 1949. 47-57.

Dye, F. "Eliot's 'Gerontion.'" *The Explicator* 18 (1960): item 39.

Eliot, T. S. 『황무지』. 1976. 조신권 역. 서울: 박영사, 1985.

_____. 『황무지』. 2004. 황동규 역. 서울: 민음사, 2007.

_____. 「황무지」. 『T. S. 엘리어트』. 이창배 역. 서울: 탐구당, 1980. 86-117.

_____. 『T. S. 엘리엇 전집: 시와 시극』. 이창배 역. 서울: 민음사, 1988.

_____. 『T. S. 엘리읕 시전집』. 양주동 역주. 서울: 탐구당, 1955.

_____. *Collected Poems 1909-1962*. 1963. London: Faber and Faber, 1974.

_____. *The Complete Poems and Plays of T. S. Eliot*. 1969. Ed. Valerie Eliot. London: Faber, 1975.

_____. "The Influence of Landscape upon the Poet." *Daedalus* 89 (1960): 420-22.

_____. *Inventions of the March Hare: Poems 1909-1917*. Ed. Christopher Ricks. New York: Harcourt Brace & Co., 1996.

_____. *On Poetry and Poets*. 1961. Farrar, Straus & Giroux: The Noonday P, 1976.

_____. *The Letters of T. S. Eliot 1898-1922 I*. Revised Edition. Eds. Valerie Eliot and Hugh Haughton. London: Faber & Faber, 2009.

_____. *Selected Prose of T. S. Eliot*. Ed. Frank Kermode. London: Faber and Faber, 1975.

_____. "Tarr." *The Egoist* V.8 (1918): 105-6.

_____. *T. S. Eliot Reading His Own Poems.* Washington, DC.: The Library of Congress, 1946.

_____. *T. S. Eliot Reads T. S. Eliot.* New York: Harper Collins Publishers, 2000.

_____. *The Use of Poetry and the Use of Criticism.* 1933. London: Faber and Faber, 1975.

_____. *The Waste Land.* 75th Anniversary Edition. Ed. Christopher Ricks. New York: Harvest, 1997.

_____. *The Waste Land: A Facsimile and Transcript of the Original Drafts Including the Annotations of Ezra Pound.* 1971. Ed. Valerie Eliot. New York: A Harvest Book, 1994.

Ellis, Steve. *The English Eliot: Design, Language and Landscape in* Four Quartets. London and NY: Routledge, 1991.

Ellmann, Maud. *The Poetics of Impersonality: T. S. Eliot and Ezra Pound.* Sussex: The Harvester P, 1987.

Ellmann, Richard. "The First *Waste Land.*" *Eliot in His Time: Essays on the Occasion of the Fiftieth Anniversary of* The Waste Land. Ed. A. Walton Litz. Princeton: Princeton UP, 1972. 51-66.

Fabricius, Johannes. *The Unconscious and Mr. Eliot: A Study in Expressionism.* Copenhagen: Nyt Nordisk Forlag Arnold Busck, 1967.

Felch, Susan M. "Nature as Emblem: Natural Images in T. S. Eliot's Early Poetry." *Yeats Eliot Review* XI.4 (1992): 90-95.

Ferrero, David J. "Ger(ont)yon: T. S. Eliot's Descent into the Infernal Wasteland." *Yeats Eliot Review* 17.3 (2001): 2-9.

Firchow, Peter. "Sunlight in the Hofgarten: *The Waste Land* and Pre-1914 Munich." *Anglia* III.3/4 (1993): 447-58.

Foster, Genevieve W. "The Archetypal Imagery of T. S. Eliot." *PMLA* LX.2 (1945): 567-85.

Franciosi, Robert. "The Poetic Space of *The Waste Land*." *American Poetry* 2.2 (1985): 17-29.

Frazer, Sir James George. *The Golden Bough: A Study in Magic and Religion*. 1922. Toronto: Macmillan, 1969.

Freedman, Morris. "Jazz Rhythms and T. S. Eliot." *The South Atlantic Quarterly* LI (1952): 419-35.

Froula, Christine. "Eliot's Grail Quest, or, The Lover, the Police, and *The Waste Land*." *The Yale Review* 78.2 (1989): 235-53.

Frye, Northrop. *Anatomy of Criticism*. 1957. Princeton: Princeton UP, 1973.
_____. *T. S. Eliot: An Introduction*. 1963. Chicago: U of Chicago P, 1981.

Fuller, David. "Music." *T. S. Eliot in Context*. Ed. Jason Harding. Cambridge: Cambridge UP, 2011. 134-44.

Gallup, Donald. *T. S. Eliot & Ezra Pound: Collaborators in Letters*. New Haven: Wenning & Stonehill, Inc., 1970.

Gardner, Helen. *The Art of T. S. Eliot*. 1949. London: Faber & Faber, 1975.
_____. "The Landscapes of Eliot's Poetry." *Critical Quarterly* 10 (1968): 313-30.

Gibbons, Tom. "*The Waste Land* Tarot Identified." *Journal of Modern Literature* 2 (1972): 560-65.

Gibson, Andrew. "Sexuality in *The Waste Land*." *Critical Essays on The Waste Land*. Eds. Linda Cookson and Bryan Loughrey. Harlow, Essex: Longman, 1988. 107-15.

Gish, Nancy K. "Thought, Feeling and Form.: The Dual Meaning of 'Gerontion'." *English Studies* 59.1-6 (1978): 237-47.
_____. The Waste Land: *A Poem of Memory and Desire*. Boston: Twayne

Publishers, 1988.

Goldsmith, Oliver. *The Vicar of Wakefield.* New York: The New American Library, 1961.

Gordon, Lyndall. *T. S. Eliot: An Imperfect Life.* 1998. New York: Norton, 2000.

_____. "*The Waste Land* Manuscript." *American Literature* 55.2 (1983): 399-412.

Gray, Piers. *T. S. Eliot's Intellectual and Poetic Development 1909-1922.* Sussex: The Harvest P, 1982.

Greene, David Mason. The Waste Land: *A Critical Commentary.* New York: American R. D. M. Corporation, 1965.

Griffith, Clark. "Eliot's 'Gerontion.'" *The Explicator* 21.6 (1963): item 46.

Gross, Harvey. "'Gerontion' and the Meaning of History." *PMLA* 73 (1958): 299-304.

_____. "T. S. Eliot and the Music of Poetry." *Sound and Form in Modern Poetry.* Ann Arbor: The U of Michigan P, 1973. 169-214.

Guerin, Wilfred L., et al. *A Handbook of Critical Approaches to Literature.* Oxford: Oxford UP, 1999.

Hargrove, Nancy Duvall. "Landscape as Symbol in T. S. Eliot's *Ash-Wednesday.*" *Arizona Quarterly* 30 (1974): 53-62.

_____. *Landscape as Symbol in the Poetry of T. S. Eliot.* Jackson: U of Mississippi P, 1978.

_____. "Symbolism in T. S. Eliot's "Landscapes." *Southern Humanities Review* VI.3 (1972): 273-82.

Harris, Bernard. "'This music crept by me': Shakespeare and Wagner." The Waste Land *in Different Voices.* Ed. A. D. Moody. London: Edward Arnold, 1974. 105-16.

Holloway, John. "Eliot's *Four Quartets* and Beethoven's Last Quartets." *The Fire and the Rose: New Essays on T. S. Eliot.* Ed. Vinod Sena & Rajiva Verma. Delhi: Oxford UP, 1992. 145-59.

Jain, Manju. *A Critical Reading of the* Selected Poems *of T. S. Eliot.* 1991. Oxford: Oxford UP, 2003.

Jay, Gregory S. *T. S. Eliot and the Poetics of Literary History.* Baton Rouge: Louisiana State UP, 1983.

Jha, Akhileshwar. "Gerontion." *The Poetry of T. S. Eliot: An X'ray of the Modern World.* Delhi: Chanakya Publications, 1989.

Joh, Byung Hwa. "A Reading of *The Waste Land* as Psychological Text: Malfunction of Femininity." *The Journal of English Language & Literature* 52.5 (2006): 1089-107.

Julius, Anthony. "'Gerontion,' Criticism, and the Limits of the Dramatic Monologue." *T. S. Eliot, Anti-Semitism, Literary Form.* Cambridge: Cambridge UP, 1996. 41-74.

Kearns, Cleo McNelly. *T. S. Eliot and Indic Traditions: A Study of Poetry and Belief.* Cambridge: Cambridge UP, 2008.

Kenner, Hugh. *The Invisible Poet: T. S. Eliot.* 1959. London: Methuen & Co. Ltd., 1977.

Kirk, Russell. *Eliot and His Age: T. S. Eliot's Moral Imagination in the Twentieth Century.* 1971. Peru, Ill.: Sherwood Sugden & Co., 1988.

Knowles, Julie Nall. "London Bridge and the Hanged Man of *The Waste Land.*" *Renascence* XXXIV.2 (1987): 374-82.

Koestenbaum, Wayne. "*The Waste Land:* T. S. Eliot's and Ezra Pound's Collaboration on Hysteria." *Twentieth Century Literature* 34.2 (1988): 113-39.

Laity, Cassandra and Nancy K. Gish, eds. *Gender, Desire, and Sexuality in*

T. S. Eliot. Cambridge: Cambridge UP, 2004.

Lamos, Colleen. "The Love Song of T. S. Eliot: Elegiac Homoeroticism in the Early Poetry." *Gender, Desire, and Sexuality in T. S. Eliot*. Eds. Cassandra Laity and Nancy K. Gish. Cambridge: Cambridge UP, 2004. 23-42.

Larisch, Countess Marie. *My Past*. New York: Putnam's Sons, 1913.

Leach, Elsie. "'Gerontion' and Marvell's 'The Garden.'" *English Language Notes* XIII.1 (1975): 45-48.

Leavis, F. R. "T. S. Eliot." *New Bearings in English Poetry*. 1932. London: Pelican, 1976. 60-100.

Leimberg, Inge. "The Place Revisited in T. S. Eliot's *Four Quartets*." *Connotations* 8.1 (1998/99): 63-92.

Litz, A. Walton, ed. *Eliot in His Time: Essays on the Occasion of the Fiftieth Anniversary of* The Waste Land. Princeton: Princeton UP, 1973.

Low, Adam, dr. *Arena: T. S. Eliot*. London: BBC, 2009.

Major, John M. "Eliot's 'Gerontion' and *As You Like It*." *Modern Language Notes* LXXIV.1 (1959): 28-31.

Malkoff, Karl. "Eliot and Elytis: Poet of Time, Poet of Space." *Comparative Literature* 36.3 (1984): 238-57.

Malory, Sir Thomas. *Le Morte d'Arthur*. New York: The Modern Library, 1999.

Mankowitz, Wolf. "Notes on 'Gerontion'." *T. S. Eliot: A Study of His Writings by Several Hands*. Ed. B. Rajan. Birmingham: Whitehill, 1947. 129-38.

Matthiessen, F. O. *The Achievement of T. S. Eliot*. 1935. London: Oxford UP, 1976.

Mayer, John T. *T. S. Eliot's Silent Voices*. Oxford: Oxford UP, 1989.

McLuhan, Marshall. "Pound, Eliot, and the Rhetoric of *The Waste Land*." *New Literary History* X.3 (1979): 557-80.

Miller, James E., Jr. *T. S. Eliot's Personal Waste Land: Exorcism of the Demons*. University Park and London: The Pennsylvania State UP, 1977.

Moody, A. D. "T. S. Eliot: The American Strain." *The Placing of T. S. Eliot*. Ed. Jewel Spears Brooker. Columbia: U of Missouri P, 1991. 77-89.

_____. *Thomas Stearns Eliot: Poet*. 1979. Cambridge: Cambridge UP, 1980.

_____, ed. The Waste Land *in Different Voices*. London: U of York P, 1974.

Moorman, Charles. "Myth and Organic Unity in *The Waste Land*." *The South Atlantic Quarterly* LVII.2 (1958): 194-203.

Motola, Gabriel. "The Mountains of *The Waste Land*." *Essays in Criticism* 19.1 (1969): 67-69.

_____. "*The Waste Land*: Symbolism and Structure." *Literature and Psychology* 18.4 (1968): 205-12.

Moynihan, William T. "The Goal of the Waste Land Quest." *Renascence: A Critical Journal of Letters* XIII.4 (1961): 171-79.

Nänny, Max. "'Cards Are Queer': A New Reading of Tarot in *The Waste Land*." *English Studies* 62.4 (1981): 335-47.

Nelson, William. "The Waste Land Manuscript." *Wichita State U Bulletin* 86 (1971): 3-9.

Nevo, Ruth. "*The Waste Land*: Ur-Text of Deconstruction." *New Literary History* 13.3 (1982): 453-61.

Paige, D. D., ed. "Letters of Ezra Pound." *The Hudson Review* III.1 (1950): 53-65.

Palmer, Marja. *Men and Women in T. S. Eliot's Early Poetry*. Lund: Lund UP, 1996.

Patterson, Gertrude. *T. S. Eliot: Poems in the Making*. 1971. Manchester: Manchester UP, 1973.

_____. "'The Waste Land' in the Making." *Critical Quarterly* 14.3 (1972): 269-83.

Peter, John. "A New Interpretation of *The Waste Land*." *Essays in Criticism* 19.2 (1969): 140-75.

Pinkney, Tony. "Stiffening in Conclusion: 'Gerontion' and the 'Objective Correlative.'" *Women in the Poetry of T. S. Eliot: A Psychoanalytic Approach*. London: Macmillan, 1984. 132-46. 151-52.

Pitkethly, Lawrence, pro. *Voices & Visions: T. S. Eliot*. New York: The New York Center for Visual History, 1988.

Pound, Ezra. *The Letters of Ezra Pound 1907-1941*. Ed. D. D. Paige. New York: Harcourt, Brace and Co., 1950.

Puchek, Peter. "The Tenuous Christianity of Eliot's 'Gerontion': History and Pagan Whirlwind." *Yeats Eliot Review* XV.I (1997): 10-17.

Rai, Vikramaditya. *The Poetry of T. S. Eliot*. Delhi: Doaba House, 1975.

Rainey, Lawrence. *Revisiting* The Waste Land. New Haven: Yale UP, 2005.

Ransom, John Crowe. "'Gerontion.'" *The Sewanee Review* LXXIV.2 (1966): 389-414.

Reckford, Kenneth. "Recognizing Venus (II): Dido, Aeneas, and Mr. Eliot." *Arion: A Journal of Humanities and the Classics* 2.2/3 (1995-1996): 43-80.

Rees, Thomas R. *The Technique of T. S. Eliot: A Study of the Orchestration of Meaning in Eliot's Poetry*. The Hague: Mouton, 1974.

Reeves, Gareth. *T. S. Eliot's* The Waste Land. New York: Harvester Wheatsheaf, 1994.

_____. "*The Waste Land* and the *Aeneid*." *The Modern Language Review*

82.3 (1987): 555-72.

Reibetanz, J. M. "*Four Quartets* as Poetry of Place." *Dalhousie Review* 56.3 (1976): 526-41.

Robertson, Susan L. "T. S. Eliot's Symbolical Woman: From Temptress to Priestess." *The Midwest Quarterly* XXVII.4 (1986): 476-86.

Roby, Kinley E. *Critical Essays on T. S. Eliot: The Sweeney Motif.* Boston: G. K. Hall & Co., 1985.

Roessel, David. "'Gerontion,' History, and the Endless Struggle for Greek Freedom." *Yeats Eliot Review* XI.III (1992): 69-71.

Rosenthal, M. L. *The Modern Poets: A Critical Introduction.* New York: Oxford UP, 1960.

Ross, Andrew. *The Failure of Modernism: Symptoms of American Poetry.* New York: Columbia UP, 1986.

Russell, Bertrand. 『결혼과 성』. 김영철 역. 서울: 간디서원, 2004.

_____. *The Autobiography of Bertrand Russell 1872-1914.* NY: Bentam, 1969.

_____. *The Autobiography of Bertrand Russell 1914-1944.* NY: Bentam Books, 1969.

_____. *Marriage and Morals.* London: George Allen & Unwin, 1929.

San Juan, E., Jr. "Form and Meaning in 'Gerontion.'" *Renascence* XXII.3 (1970): 115-26.

Schneider, Elisabeth. *T. S. Eliot: The Pattern in the Carpet.* Berkeley: U of California P, 1975.

Schwarz, Daniel R. "The Unity of Eliot's 'Gerontion': The Failure of Meditation." *Bucknell Review* XIX.1 (1971): 55-76.

Schwarz, Robert L. *Broken Images: A Study of* The Waste Land. Lewisburg: Bucknell UP, 1988.

Scofield, Paul. *T. S. Eliot:* The Waste Land *and* Four Quartets. London: BBC Audiobooks, 2004.

Scott, Robert Ian. "T. S. Eliot and the Original *Waste Land.*" *The U of Windsor Review* 19.2 (1986): 61-64.

Selby, Nick, ed. *T. S. Eliot:* The Waste Land. New York: Palgrave Macmillan, 1999.

Sen, Mihir K. "A Psychological Interpretation of *The Waste Land.*" *Literary Criterion* 3 (1957): 29-44.

Serio, John N. "Landscape and Voice in T. S. Eliot's Poetry." *The Centennial Review* XXVI.1 (1982): 33-50.

Seymour-Jones, Carole. *Painted Shadow.* 2001. New York: Doubleday, 2002.

Shakespeare, William. 『셰익스피어 전집』. 3정. 김재남 역. 서울: 을지서적, 1995.

_____. *The Yale Shakespeare: The Complete Works.* Ed. Wilbur L. Cross & Tucker Brooke, New York: Barnes & Noble, 1993.

Sicker, Philip. "The Belladonna: Eliot's Female Archetype in *The Waste Land.*" *Twentieth Century Literature* 30.4 (1984): 420-31.

Smith, Grover. "The Fortuneteller in Eliot's *Waste Land.*" *American Literature* 25 (1954): 490-92.

_____. "The Making of *The Waste Land.*" *Mosaic* VI.1 (1972): 127-41.

_____. *T. S. Eliot's Poetry and Plays: A Study in Sources and Meaning.* 1950. Chicago: U of Chicago P, 1974.

_____. *The Waste Land.* 1983. London: George Allen & Unwin, 1985.

Soldo, John J. "'The Power and Terror of Nature': The Significance of American Landscapes in T. S. Eliot." *Liberal and Fine Arts Review* VII.2 (1981): 52-62.

Southam, B. C. *A Guide to the* Selected Poems *of T. S. Eliot.* 1968. New

York: Harcourt Brace & Co., 1994.

_____. *A Student's Guide to the* Selected Poems *of T. S. Eliot*. 1968. London: Faber and Faber, 1981.

Spanos, William V. "Repetition in *The Waste Land*: A Phenomenological De-struction." *Boundary 2* 7.3 (1979): 225-85.

Spurr, David. "Psychic Battles in 'Prufrock' and 'Gerontion.'" *Conflicts in Consciousness: T. S. Eliot's Poetry & Criticism*. Urbana: U of Illinois P, 1984. 1-22.

Stead, C. K. *The New Poetic*. London: Hutchinson U Library, 1964.

Surette, Leon. "Pound's Editing of *The Waste Land*." *The Birth of Modernism: Ezra Pound, T. S. Eliot, W. B. Yeats, and the Occult*. Montreal & Kingston: McGill-Queen's UP, 1993. 231-79.

_____. "*The Waste Land* and Jessie Weston: A Reassessment." *Twentieth Century Literature* 34.2 (1988): 223-44.

Tate, Allen, and Helen Gardner. "T. S. Eliot." *Encyclopædia Britannica*. 2007. Deluxe Edition. Chicago: Encyclopædia Britannica, 2008.

Thormählen, Marianne. *Eliot's Animals*. Lund: C W K Gleerup, 1984.

_____. The Waste Land: *A Fragmentary Wholeness*. Lund: CWK Gleerup, 1978.

Tiwari, Nidhi. *Imagery and Symbolism in T. S. Eliot's Poetry*. New Dehli: Atlantic Publishers, 2001.

Traversi, Derek. *T. S. Eliot: The Longer Poems*. London: The Bodley Head. 1976.

Trosman, Harry. "T. S. Eliot and *The Waste Land*: Psychopathological Antecedents and Transformations." *Archives of General Psychiatry* 30 (1974): 709-17.

Verlaine, Paul. *Selected Poems*. Tr. Martin Sorrell. Oxford: Oxford UP, 2009.

Vickery, John B. "'Gerontion': The Nature of Death and Immortality." *The Arizona Quarterly* 14.2 (1958): 101-15.

Waite, Arthur Edward. *The Pictorial Key to the Tarot.* London: William Rider, 1911.

Walter. *My Secret Life III.* Hertfordshire: Wordsworth Editions, 1996.

Ward, David *T. S. Eliot Between Two Worlds.* London and Boston: Routledge & Kegan Paul, 1973.

Weirick, Margaret C. "Myth and Water Symbolism in T. S. Eliot's *The Waste Land.*" *Texas Quarterly* 10.1 (1967): 97-104.

Weston, Jessie L. *From Ritual to Romance.* 1920. New York: Doubleday & Co., Inc., 1957.

Whitman, Walt. *Leaves of Grass.* Eds. Sculley Bradley and Harold W. Blodgett. New York: Norton, 1973.

Wilk, Melvin. *Jewish Presence in T. S. Eliot and Franz Kafka.* Atlanta: Scholars P, 1986.

Wilks, A. J. *A Critical Commentary on T. S. Eliot's "The Waste Land."* Basingstoke and London: Macmillan, 1971.

Williamson, George. *A Reader's Guide to T. S. Eliot: A Poem-by-Poem Analysis.* 1953. New York: Farrar, Straus & Giroux, 1975.

Williamson, Mervyn W. "T. S. Eliot's 'Gerontion': A Study in Thematic Repetition and Development." *Texas Studies in English* 36 (1957): 110-26.

Wintle, Sarah. "Wagner and 'The Waste Land' —Again." *English* XXXVIII 162 (1989): 227-50.

Wiznitzer, Eileen. "Legends of Lil: The Repressed Thematic Center of *The Waste Land.*" *Women's Studies* 13.1/2 (1986): 87-102.

http://blueskyflowers.tistory.com/

http://en.wikipedia.org/wiki/Apollo

http://en.wikipedia.org/wiki/Arthur_Symons

http://en.wikipedia.org/wiki/The_Barque_of_Dante

http://en.wikipedia.org/wiki/Chawner

http://en.wikipedia.org/wiki/Countess_Marie_Larisch_von_Moennich

http://en.wikipedia.org/wiki/Crown_Prince_Rudolf

http://en.wikipedia.org/wiki/Daily_Mirror

http://en.wikipedia.org/wiki/Dido_(Queen_of_Carthage)

http://en.wikipedia.org/wiki/File:Guercino_Morte_di_Didone.jpg

http://en.wikipedia.org/wiki/File:38_Good-Night,_Ladies.png

http://en.wikipedia.org/wiki/Gilbert_Seldes.

http://en.wikipedia.org/wiki/The_Golden_Bough

http://en.wikipedia.org/wiki/Harriet_Monroe

http://en.wikipedia.org/wiki/Hieronymus_Bosch

http://en.wikipedia.org/wiki/Hyacinth_(mythology)

http://en.wikipedia.org/wiki/James_George_Frazer

http://en.wikipedia.org/wiki/Jean_Giraudoux

http://en.wikipedia.org/wiki/Jerusalem

http://en.wikipedia.org/wiki/John_Quinn_(collector)

http://en.wikipedia.org/wiki/Lesbia

http://en.wikipedia.org/wiki/Lycidas

http://en.wikipedia.org/wiki/Memento_mori

http://en.wikipedia.org/wiki/Ra

http://en.wikipedia.org/wiki/Sappho

http://en.wikipedia.org/wiki/Sibyl

http://en.wikipedia.org/wiki/That_Mysterious_Rag

http://en.wikipedia.org/wiki/Vernon_Lee

http://en.wikipedia.org/wiki/Walter_Pater

http://www.musicsonglyrics.com/red-wing-lyrics-traditional.html

http://www.nypl.org/history-berg-collection

http://www.poemhunter.com/poem/translation-from-catullus

http://www.rwagner.net/libretti/tristan/e-tristan-a1s1.html

http://www.youtube.com/watch?v=vTvNwAT29Lo.

안중은　경북대학교 사범대학 영어교육과 및 동 대학원 영어영문학과 졸업(문학박사)
　　　　　USIA 초청 미국 Mississippi 대학교 국제 객원교수
　　　　　미국 Oregon 대학교 객원교수
　　　　　미국 Harvard대, 영국 Oxford대, Cambridge대, London대 방문연구원
　　　　　프랑스 국립도서관 방문연구원
　　　　　안동대학교 사범대학 영어교육과 교수
　　　　　전 한국T.S.엘리엇학회 회장
　　　　　미국T.S.엘리엇학회 정회원
　　　　　영국T.S.엘리엇학회 정회원
　　　　　세계대학영어교수협회(IAUPE) 정회원
　　　　　한국영미어문학회 부회장
　　　　　『미네르바』 등단시인
　　　　　세계인명사전 『마르퀴스 후즈후』 등재
　　　　　한국영미어문학회 봉운학술상 수상
　　　　　한국T.S.엘리엇학회 공로패 수상
　　　　　한국영미어문학회 원암학술상 수상
　　　저　서: 『T. S. 엘리엇의 시와 비평』(브레인하우스, 2000, 2004, 2008)
　　　　　　『T. S. 엘리엇과 상징주의』(동인, 2012)
　　　편저서: On T. S. Eliot's Objective Correlative(한신문화사, 1994)
　　　　　　On T. S. Eliot's Dissociation of Sensibility(학문사, 1997) 외 다수
　　　논　문: "'Gerontion': The Labyrinth of Interpretations"(미국T.S.엘리엇학회 국제학술대회에
　　　　　　서 발표, 2005), "Space in T. S. Eliot's Poetry: The Waste Land"(미국문학협회
　　　　　　(ALA) 국제학술대회에서 발표, 2012), "T. S. Eliot and Baudelaire"(IAUPE 국제학술
　　　　　　대회에서 발표, 2013) 외 다수

T. S. 엘리엇의 『황무지』 해석

초판 발행일 2014년 12월 30일

지은이　안중은
발행인　이성모
발행처　도서출판 동인
주　소　서울시 종로구 혜화로3길 5 118호
등　록　제1-1599호
T E L　(02) 765-7145 / **FAX** (02) 765-7165
E-mail　dongin60@chol.com
I S B N　978-89-5506-638-8
정　가　30,000원

※ 잘못 만들어진 책은 바꿔 드립니다.